CW00429542

Jet

Biblioteca de

Alberto
Vázquez-Figueroa

PLAZA & JANES

Alberto Vázquez-Figueroa

Piratas

PLAZA & JANES EDITORES, S. A.

Diseño de la portada: Método, S. L.

Cuarta edición en esta colección: octubre, 1999

Printed in Spain – Impreso en España

ISBN: 84-01-49069-3 (col. Jet)
ISBN: 84-01-46984-8 (vol. 69/36)
Depósito legal: B. 38.350 - 1999

Fotocomposición: Alfonso Lozano

Impreso en Litografía Rosés, S. A.
Progrés, 54-60. Gavà (Barcelona)

L 469848

Sebastián Heredia Matamoros había nacido en la Costa del Crepúsculo, que era como se conocía por aquel entonces el enclave del diminuto villorrio de Juan Griego, cuyas encaladas casuchas se extendían a los pies del oscuro fortín de La Galera, a todo lo largo y lo ancho de una tranquila ensenada del noroeste de la pequeña isla de Margarita, famosa desde los tiempos del mismísimo Cristóbal Colón porque en sus transparentes aguas se encontraban los más ricos «placeres de perlas» del mundo.

De hecho, el padre de Sebastián, Miguel Heredia Ximénez, se dedicaba, como la inmensa mayoría de los lugareños, a la explotación de esos «placeres», por lo que cada amanecer se hacía a la mar rumbo a bajíos en los que bucear en busca de ostras, mientras que cada atardecer, su esposa, Emiliana Matamoros Díaz, se destrozaba las manos abriéndolas con la esperanza de encontrar en su interior un grueso y nacarado tesoro que les permitiera aliviar su miseria.

A partir de los ocho años Sebastián Heredia Matamoros comenzó a acompañar a su padre al mar, y su principal misión se centraba en pescar algo para la cena mientras permanecía atento a la sigilosa aparición de los temidos tiburones, que constituían desde siempre el peor enemigo de los atareados buceadores.

De vuelta a casa su madre le permitía jugar con sus amigos en la playa, pero en cuanto el inigualable crepúsculo margariteño incendiaba el cielo para convertirlo al poco en una densa mancha oscura, le sentaba ante una tosca mesa a estudiar a la luz de un candil de aceite de tortuga mientras se veía obligado a mecer suavemente la cuna de su hermana Celeste.

Sebastián Heredia Matamoros creció por tanto en constante contacto con el mar y algún que otro libro, pero creció sobre todo admirando la increíble capacidad de sacrificio de su padre, que se dejaba a diario la piel contra las rocas y los corales, y la inigualable belleza de su madre, cuyo rostro parecía haber sido arrancado de un cuadro de la Virgen, pero cuya provocativa figura continuaba constituyendo un prodigio de perfección, pese a haber dado a luz dos hijos y trabajar de sol a sol año tras año.

La vida diaria de los Heredia Matamoros resultaba, a decir verdad, bastante dura, pero se compensaba con el hecho de que de tanto en tanto encontraban alguna que otra valiosa perla «de garbanzo» que conseguían vender a buen precio al viejo Omar Bocanegra, lo que mantenía eternamente viva la ilusión de que algún día una gigantesca perla negra les abriría de par en par las puertas de un próspero futuro.

No obstante, pocos años más tarde, cuando Sebastián se encontraba a punto ya de cumplir los doce, desembarcó en la isla un nuevo delegado de la Casa de Contratación de Sevilla, con lo que cualquier esperanza de progreso se desvaneció en el aire.

Hasta aquel terrible día de nefasta memoria, la isla de Margarita había conseguido mantenerse al margen de las severas normas comerciales que regían para el resto de las Indias Occidentales, pero a partir del momento en que don Hernando Pedrárias Gotarredona estableció sus reales en el más lujoso palacete de la capital, La

Asunción, y emitió un bando por el que se advertía seriamente que se castigaría con seis años de presidio a quien osase transgredir las ordenanzas de la todopoderosa Casa de Contratación, las escasas ilusiones de los margariteños se diluyeron como sal en el agua.

Y es que la mil veces maldita Casa de Contratación de Sevilla tenía por costumbre pagar las perlas a la décima parte de su valor real, y, además, obligaba a cobrar en mercaderías que la propia Casa era la única autorizada a importar desde la metrópoli.

Como por otra parte solía imponer unas tasas de impuestos y transportes que multiplicaban por cuarenta el coste en origen de dichas mercancías, se daba el curioso caso de que por tres hermosísimas perlas de absoluta pureza, en los almacenes de la Casa de Contratación apenas se conseguía obtener un martillo o dos metros de la más burda tela.

Y quien no estuviera dispuesto a aceptar tan injusto trato se veía obligado a abandonar los «placeres», ya que éstos, al igual que cualquier tipo de riqueza que existiera, o pudiera descubrirse en un futuro al oeste del Océano Tenebroso, se encontraba desde el ya lejano verano del año 1503 bajo la férula única de la Casa de Contratación de Sevilla, mentora de igual modo del Consejo Supremo de Indias, que era a su vez el órgano encargado de hacer cumplir las leyes en el Nuevo Mundo.

Los Heredia Matamoros habían pasado por tanto de una digna pobreza esperanzada a una degradante miseria sin ningún tipo de esperanza, y el pequeño Sebastián fue el primero en advertir cómo el más profundo desaliento se apoderaba de improviso de su hasta aquel momento indomable padre.

Continuaban saliendo cada amanecer al mar, pero ya no enfilaban directamente hacia los peligrosos bajíos en los que un arriesgado buceador podía descubrir entre las rocas y las algas la «ostra madre» de todas las ostras, sino que se limitaban a vagar de aquí para allá sin rumbo fijo y en silencio, íntimamente convencidos de la inutilidad de una labor condenada de antemano al fracaso, puesto que incluso el mayor de los éxitos se convertiría a la larga en una amarga derrota.

El día que corrió la noticia de que a cambio de una perla casi perfecta del tamaño de un huevo de codorniz, un pescador de Boca del Pozo había únicamente obtenido dos cacerolas abolladas y un oxidado cuchillo, la mayoría de los margariteños decidieron que por semejante jornal no valía la pena arriesgarse a que un tiburón les arrancase una pierna, por lo que poco a poco tomaron la costumbre de salir a la mar con el exclusivo propósito de conseguir el diario sustento a base de peces y langostas.

Pese a ello, el prepotente Hernando Pedrárias Gotarredona se negó a aceptar que el vertiginoso desplome de la producción perlífera de la isla se debía a los ruinosos precios que él mismo había fijado, por lo que se apresuró a cargar todas las culpas sobre las cansadas espaldas del pobre Omar Bocanegra, al que acusó de continuar comprando perlas a escondidas, y si no lo mandó ahorcar fue por el sencillo hecho de que prefirió encerrarle en la más húmeda y profunda de las mazmorras, asegurando que no le permitiría salir de allí hasta que no «escupiese cuanto le había robado».

Aun así, las barcas continuaron sin aproximarse a los «placeres», lo cual tuvo la virtud de que el flamante delegado de la Casa de Contratación comenzara a inquietarse por lo que opinarían sus superiores –e incluso el propio rey– el día que cayeran en la cuenta de que desde que tomara posesión de su cargo, Margarita había dejado de constituir una de las más preciadas «joyas de la Corona».

Cada año la corte aguardaba ansiosa la llegada de la Flota de las Indias rebosante de oro de México, plata del

Perú, esmeraldas de Nueva Granada, diamantes del Caroní y perlas margariteñas, y resultaba evidente que al igual que el delegado de la Casa en Potosí podría muy bien alegar algún día que las minas se habían agotado, resultaba absurdo imaginar que el delegado en La Asunción alegase que, de la noche a la mañana, todas las ostras caribeñas se habían cansado de dar perlas.

Durante días y semanas don Hernando se devanó los sesos buscando una solución a su problema, pero como buen funcionario educado en la escuela de administradores de la Casa, ni siquiera se le pasó por la mente aplicar el remedio más sensato –que habría sido, lógicamente, el de ofrecer un precio justo– puesto que casi desde que tenía uso de razón le habían inculcado la idea de que lo único que importaba en este mundo era obtener el máximo rendimiento imaginable por cada espada, cada metro de tela, o incluso cada clavo que cruzase el océano.

El feroz e irracional monopolio otorgado por los Reyes Católicos a la Casa de Contratación de Sevilla había sido concebido de tal forma, y «atado y bien atado» con tan enrevesados nudos «legales», que durante casi tres siglos constituyó el freno que impidió que las colonias se desarrollaran tal como deberían haberlo hecho y el Nuevo Mundo alcanzara el esplendor al que había sido llamado por la diversidad y magnitud de sus riquezas.

Tal vez en un principio la idea del canónigo sevillano Rodríguez de Fonseca, máxima autoridad por aquel entonces en negocios de Indias, y en quien la Reina Católica había depositado toda su confianza, no fuera del todo desacertada, ya que las relaciones con las tierras que Cristóbal Colón acababa de descubrir precisaban sin duda de un instrumento eficaz y un cauce legal que impidiera la dispersión de esfuerzos y la posterior anarquía propiciada por la proliferación de bandidos y aventureros que deseaban campar en ellas a sus anchas.

No obstante, y pese a que intentó ajustarse en todo lo posible al eficaz modelo de la portuguesa Casa de Guinea, Rodríguez de Fonseca cometió tal cúmulo de errores de tan inconcebible magnitud a la hora de instrumentar su empresa, que a la larga acabarían incluso por afectar el devenir de la historia.

El primero de ellos, fue, sin duda, establecer la sede de la Casa en su ciudad natal, Sevilla, un puerto de tierra adentro a todas luces inadecuado para acoger el tremendo tráfico marítimo que necesitaba el vasto continente recién descubierto, puesto que se daba el aberrante caso de que la mayoría de los pesados galeones embarrancaban en los bancos de arena de la desembocadura del Guadalquivir, por lo que se veían obligados a trasladar la carga a enormes lanchones que seguían luego río arriba en un continuo trasiego que hacía perder mercancías, tiempo y dinero en cantidades incalculables.

Pese a tan absurda falta de sentido común, la Casa tardó nada menos que doscientos diecisiete años en reconocer y remediar tan tremendo desaguisado, para acabar por trasladar su sede al cercano e inmejorable puerto de Cádiz.

El segundo y probablemente más terrible error del canónigo Fonseca fue el de presuponer que entre el ingente número de delegados, auditores, consejeros, inspectores y subinspectores que conformarían con el transcurso del tiempo el enmarañado cuerpo administrativo de la Casa no existiría jamás ningún funcionario corrupto, cuando la historia demostró con el tiempo que lo en verdad difícil fue encontrar entre tantos miles de ellos, elegidos a dedo entre amigos y parientes, alguno que pudiera considerarse absolutamente honrado.

El resultado lógico de todo ello fue que sólo unos cuantos años más tarde, cuando un colono de Perú, México o Santo Domingo pedía permiso para montar un ingenio azucarero o explotar una mina de plata, se veía obligado a esperar entre seis y diez años hasta recibir la correspondiente autorización y las imprescindibles herramientas.

Como para obtener dicha autorización debía distribuir previamente incontables sobornos y abonar por anticipado unas herramientas que le facturaban a precio de oro, se comprende sin dificultad por qué razón la mayoría de los posibles «empresarios» del Nuevo Continente jamás llegaron a ver cumplidos sus sueños.

De idéntica manera, los sueños de los margariteños permanecían ahora adormecidos mientras los buceadores se limitaban a tumbarse en la playa a observar la quieta superficie del dadivoso océano en cuyo fondo se ocultaban fabulosas fortunas.

A los tres meses de casi total inactividad en los «placeres perlíferos», don Hernando Pedrárias tomó una tajante decisión muy propia de su carácter y su forma de concebir la justicia: si los pescadores no querían buscar perlas por las buenas, tendrían que hacerlo por las malas, por lo que promulgó un edicto según el cual cada ciudad, cada pueblo, cada villorrio e incluso cada caserío de la costa se veía obligado a pagar un impuesto, y a pagarlo en perlas. De lo contrario, y teniendo en cuenta que todas las tierras pertenecían en última instancia a la Corona y la Casa de Contratación era, por decreto, la administradora legal de los bienes de la Corona, la Casa de Contratación, expulsaría de sus asentamientos a quienes no cumplieran con el susodicho impuesto.

La isla se estremeció de indignación de punta a punta, e incluso el flemático capitán Sancho Mendaña, comandante en jefe del fortín de La Galera, montó en cólera jurando y perjurando que acabaría por cortarle las orejas a aquel grandísimo «coño e madre» que parecía constituir el paradigma de todos los vicios de la maldita Casa de Castración, que era el despectivo apelativo con que se conocía en las Indias Occidentales a la todopoderosa institución que se alimentaba del sudor y la sangre de tantos sufridos colonos.

De hecho, un gran número de miembros del ejército, la mayoría de los curas de pueblo y la práctica totalidad de los colonos se encontraban en abierta oposición a las continuas injerencias en todo tipo de asuntos de semejante plaga de ineptos, pero como una de las atribuciones de la Casa de Contratación había sido siempre la de abrir, leer y censurar cuantas cartas llegadas del Nuevo Mundo se les antojasen «sospechosas de sedición», fueron muy contados los que se arriesgaron a evidenciar su desacuerdo, sabedores de que toda la correspondencia que se enviase a España pasaba indefectiblemente por las manos de unos censores que con una simple orden podían obligarles a regresar a la hambrienta Europa.

A decir verdad, la organización que fundara el difunto canónigo Rodríguez de Fonseca había acabado por transformarse en una densa tela de araña en la que nadie osaba hacer un gesto brusco, siempre a la espera de que vinieran a chuparle la sangre, puesto que en cierto modo cabría asegurar que la Casa de Contratación era a la vida civil de las colonias lo que la Santa Inquisición a su vida religiosa.

A las tres semanas de emitir el injusto bando, don Hernando Pedrárias Gotarredona decidió de improviso visitar personalmente Juan Griego con el evidente propósito de estipular la cuantía del impuesto que debían pagar sus habitantes según su propio criterio.

Su lujosa carroza dorada tirada por dos briosos caballos negros hizo por tanto su aparición a media tarde de un caluroso día de septiembre, y la protegían tal cantidad de jinetes armados que cabría imaginar que más que un simple delegado comercial de la Casa, quien recorría la isla era el mismísimo virrey en persona.

Seis horas antes habían llegado ya dos pesadas carretas de las que una nube de sirvientes extrajo y montó bajo las palmeras de la playa una gigantesca tienda de campaña amueblada con mesas, sillas y una lujosa cama de baldaquín, y los boquiabiertos lugareños no pudieron por menos que extasiarse ante un derroche de riquezas que habría hecho palidecer a cualquier jeque árabe.

Aferrado a la mano de su padre, Sebastián Heredia Matamoros no daba crédito a lo que estaba viendo, y su asombro acabó por convertirse en estupor al advertir que una simple jofaina para lavarse las manos estaba repujada en plata.

–¿Cómo puede alguien ser tan rico? –quiso saber.

–Robando –replicó agriamente su padre, que al instante dio media vuelta para perderse de vista playa abajo–. ¡Maldito hijo de puta! –fue lo último que masculló al alejarse.

A la caída de la tarde don Hernando Pedrárias Gotarredona, rubio, fuerte, macizo, de baja estatura y severos ojos muy verdes, tomó asiento en un inmenso sillón a disfrutar a gusto del famoso crepúsculo de Juan Griego, cenó a la luz de antorchas utilizando una cubertería de oro macizo, y escuchó entre absorto e indiferente el breve concierto que le dedicaron los tres únicos «músicos» locales.

Por último, se retiró a descansar, puesto que en cuanto el sol hiciese su aparición en el horizonte la práctica totalidad de los habitantes del pueblo tenía orden de comparecer ante su tienda, sin que ni siquiera los niños, los enfermos o los ancianos pudieran excusar su asistencia a menos que se tratara de un grave caso de enfermedad.

Allí estuvieron todos a la hora indicada.

Todos menos él, que continuó durmiendo –o fingiendo que dormía– mientras los convocados aguardaban sentados sobre la arena o a la sombra de las palmeras, y el capitán Sancho Mendaña paseaba a grandes zancadas, mordiéndose el mostacho para no seguir los instintos que le dictaba su conciencia, y que no eran otros que trepar a lo más alto del fortín, hacer girar los cañones y convertir en cenizas tan provocativo símbolo de la injusticia humana.

–¡Que yo me haya jugado la vida frente a los piratas para esto! –gruñía una y otra vez–. ¡La madre que lo parió!

Cuando al fin don Hernando Pedrárias se hubo lavado, vestido, desayunado y rezado con recogido fervor sus oraciones matutinas, tomó asiento en el amplio sillón y fue haciendo desfilar en silencio ante su mesa a cada una de las familias establecidas en Juan Griego.

Se dedicaba a observarlas con severa atención, hojeaba a continuación el informe que un pasante le entregaba, y a todos aquellos que no habían nacido en la isla les advertía con voz grave y profunda que si las cosas no se arreglaban antes de un mes se vería obligado a revocarles su permiso de estancia en las colonias, enviándoles de vuelta a Zamora, Soria o Badajoz en el siguiente barco.

–La Corona no desea que el Nuevo Mundo se convierta en refugio de vagos y maleantes –puntualizaba con un leve punto de ironía en la voz– y por lo tanto estoy decidido, por la autoridad que me ha sido concedida, a librarle de una vez por todas de inútiles parásitos.

A quienes habían nacido en la isla les recordaba que el castigo por no cumplir con sus impuestos era de seis años de cárcel, por lo que «aconsejaba» que las barcas se hicieran cuanto antes a la mar.

–La paciencia de la Corona tiene un límite –concluía indefectiblemente–. Y ese límite está a punto de agotarse.

No obstante, su altiva actitud cambió casi por ensalmo en el momento mismo en que se presentó ante él la humilde familia Heredia, ya que cabría asegurar que el hasta ese momento en apariencia insensible delegado general de la Casa de Contratación de Scvilla en Margarita, se enamoró desesperadamente de Emiliana Matamoros en cuanto le puso los ojos encima.

Fue como si un oscuro rayo silencioso le hubiera fulminado de improviso, puesto que pareció perder el habla, las manos le temblaron en el momento de recoger el documento que le entregaba su amanuense, y ni siquiera se atrevió a alzar la vista, como si comprendiera que sus ojos no podrían por menos que delatar la terrible magnitud de la conflagración que acababa de estallar en su interior.

El objeto de sus ansias ni siquiera necesitó esa mirada para hacerse una clara idea de lo que le acontecía, dado que aquélla era una reacción que venía advirtiendo en los hombres casi desde que tenía uso de razón, y hacía ya años que se había hecho a la idea de que perdieran el habla en su presencia.

El único que jamás la perdió —puesto que siempre había sido hombre de contadísimas palabras—, fue precisamente su marido, y quizá por eso mismo acabó casándose con él.

Pero aquella calurosa mañana de septiembre, Emiliana Matamoros tomó plena conciencia de que, descalza como estaba y pobremente cubierta con su único vestido de desteñido percal, se había convertido no obstante en la dueña absoluta de los sueños y la voluntad del hombre al que podía considerarse en aquel momento dueño de la isla.

Durante más de veinte años Sebastián Heredia Matamoros vivió preguntándose cómo había podido ocurrir tal cosa, y aunque su corazón siempre se resistía a aceptar la realidad, lo cierto fue que su madre se había dejado comprar en cuerpo y alma por quien estaba esquilmando a su propia gente, hasta el punto de que, cuando cinco días más tarde don Hernando Pedrárias Gotarredona decidió emprender el regreso a su palacio de La Asunción, a su lado se sentaba Emiliana Matamoros, y frente a ellos la rebelde y enfurecida Celeste.

Sebastián corrió a esconderse en la espesura del cabo Negro tras jurar y perjurar que antes de poner un pie en aquella carroza se tiraba al mar con una piedra al cuello, al tiempo que su padre permanecía encerrado en una mazmorra del fortín de La Galera acusado de ser el instigador de la «huelga» de los buscadores de perlas de la isla.

Una semana más tarde, y cuando Sebastián se encontraba sentado en el porche de su casa contemplando con ojos agotados ya de lágrimas cómo el sol comenzaba a descender hacia el horizonte, el capitán Sancho Mendaña acudió a acomodarse a su lado, y tras permanecer largo rato en silencio acabó por colocar su enorme y callosa manaza sobre la morena pierna del chicuelo.

–Muchas cosas he visto a lo largo de toda una vida en estas tierras –susurró al fin roncamente–. ¡Muchas!, y tras perseguir durante meses a aquel loco furioso de Mombars el Exterminador, y ser testigo de sus increíbles atrocidades, supuse que ya nada conseguiría asombrarme. –Sacudió la cabeza, y un atento observador podría haber advertido que se le empañaban los ojos–. Pero esto, ¡Dios!, esto jamás me habría atrevido a imaginarlo.

El atribulado rapaz no supo qué responder, porque parecía que las palabras se le habían agotado al igual que las lágrimas, y al cabo de unos instantes, y como si lo que decía nada tuviera que ver con él, el capitán Mendaña añadió:

–Pon a punto la barca de tu padre y abastécela de víveres, agua y velas de repuesto. La gente del pueblo te proporcionará cuanto precises sin hacer preguntas. Yo corro con los gastos.

–¿Por qué? –quiso saber el muchacho.

–Porque el sábado por la noche estará de guardia un centinela al que le suelen dar extraños ataques –replicó el otro como si no quisiese entender la auténtica razón de la pregunta–. Poco antes de las once saldrá a tomar el aire y caerá como fulminado junto a la puertecilla lateral. –Se volvió a mirarle con aquella extraña fijeza en la que se diría que jamás parpadeaba–. Saca a tu padre y que se marche a Cuba, Puerto Rico o Panamá. ¡Donde quiera!, menos a tierra firme. –Le apretó con más fuerza la pierna al añadir–: Y sobre todo, que jamás vuelva a Margarita. Es lo único que pido para no tener que detenerle.

–Pero ¿por qué hace esto? –insistió tercamente el muchacho.

–¡Oh, vamos, rapaz, no seas pendejo! –se encorajinó el otro–. ¿Por qué «carrizo» crees que lo hago? Te he visto nacer y tu padre siempre ha sido mi único amigo. ¿Esperas que le deje pudrirse ahí dentro para que ese hijo de puta pueda disfrutar sin miedo de su zorra? –Pareció caer en la cuenta de lo que acababa de decir e intentó arreglarlo–. ¡Perdona! –suplicó–. Sigue siendo tu madre.

–Ya no –fue la seca respuesta del chiquillo, que poco después inquirió como si aquélla fuera una pregunta a la que jamás conseguiría encontrar respuesta–: ¿Por qué lo ha hecho? Ya sé que mi padre es pobre, pero la quería muchísimo, y éramos felices.

El capitán Sancho Mendaña meditó mientras observaba cómo el sol se escondía definitivamente en el horizonte, y se le advertía plenamente consciente de la importancia que lo que iba a decir tenía para aquel chaval de enormes ojos inquisidores al que en verdad había visto nacer y crecer centímetro a centímetro.

–La miseria suele ser mala consejera –musitó al fin–.

Y tal vez tu madre haya pensado más en el futuro de sus hijos que en el presente de su marido. Es una mujer de mucho carácter, y sabrá arreglárselas para conseguir que ese cerdo os procure una posición desahogada para el resto de vuestras vidas.

–¡No a mí! –fue la decidida respuesta del muchacho.

–Piénsatelo.

–No tengo nada que pensar –replicó de inmediato el chicuelo–. Me iré con mi padre.

El capitán Mendaña le acarició con profundo afecto la mejilla y le miró directamente a los ojos.

–Sabía que dirías eso –admitió–. Jamás suelo equivocarme con los hombres, y tú ya eres un hombre. –Sonrió como burlándose de sí mismo–. Con las mujeres ya es otra cosa. Raramente acierto.

En los días que siguieron la mayoría de los habitantes de Juan Griego acudieron a casa de los Heredia llevando todo aquello que sabían que podrían necesitar durante una larga travesía hasta las costas de Puerto Rico o La Española, y la mayoría de ellos se limitó a depositar su aportación en el porche sin pronunciar una sola palabra, conscientes de que cuanto dijeran sólo contribuiría a aumentar el dolor del destinatario.

El carpintero de ribera y su ayudante se aplicaron duramente a la tarea de calafatear y revisar la barca dotándola de un nuevo mástil, y maese Amador se desprendió generosamente de una vela recién estrenada que sus hijas habían tardado meses en tejer.

En la noche del sábado todas las luces del pueblo se apagaron más temprano que de costumbre y sólo en el torreón del fortín de La Galera brillaba un candil en la habitación del capitán Sancho Mendaña.

A las once menos cuarto se apagó también.

Cinco minutos más tarde un centinela abrió la pequeña puerta lateral de las mazmorras, aspiró profundamente una bocanada del cálido aire de la noche, observó el oscuro cielo, y cayó redondo haciendo resonar contra el empedrado una gruesa llave.

Una sombra surgió de entre las sombras, se apoderó de la llave y desapareció en el interior de la maciza construcción, para reaparecer a los pocos instantes conduciendo de la mano a un hombre que avanzaba como un sonámbulo que no tuviese la más mínima idea de quién era ni hacia dónde le conducían.

Sebastián se vio obligado a arrastrar a su padre hacia el lugar en que se encontraba la barca, puesto que podría creerse que el pobre Miguel Heredia ni siquiera había tomado conciencia de cuanto ocurría, y su única querencia era encaminarse a la casa en la que su aturdida mente imaginaba que debían de estar aguardándole su mujer y su hija.

—Pero ¿adónde me llevas? —susurraba una y otra vez, desconcertado—. ¿Adónde me llevas?

Encerrados en sus casas, cien pares de ojos observaban el paso de aquel par de desgraciados abatidos por la vergüenza y el dolor, y la mayoría de los niños que habían compartido los juegos con Sebastián —y muchas de sus madres— no pudieron contener las lágrimas al verlos embarcar.

Tres figuras surgieron de la espesura para empujar la embarcación en dirección al agua, el chiquillo acomodó a su abatido padre en proa, izó la vela y enfiló la barquichuela directamente hacia mar abierto.

El *Jacaré* era un barco que cabría calificar de «mentiroso».

Con casi cuarenta metros de eslora, siete de manga, y montando en total treinta y dos potentes cañones, visto a nivel del mar a más de dos millas de distancia, y en especial cuando venía de frente, ofrecía no obstante la pacífica apariencia de un inofensivo falucho de cabotaje.

Las razones de tal efecto óptico eran varias, y resultaba evidente que habían sido muy bien estudiadas, puesto que la primera de ellas se centraba en el hecho de que se trataba de un navío muy bajo de bordas, casi sin obra muerta y con el casco pintado de azul, lo que dificultaba terriblemente la labor de calcular su verdadero tamaño en cuanto el mar se encontraba apenas agitado.

La segunda, y probablemente principal, se basaba en el curioso hecho de que, a diferencia de los galeones en que predominaban las grandes velas cuadradas, se encontraba aparejado con triangulares velas «latinas», y por lo general con sólo la mitad de longitud de sus tres mástiles, lo cual invitaba de inmediato a suponer que una nave de tan escaso velamen y altura de palos carecía por completo de potencial de ataque.

No obstante, la tripulación del *Jacaré* estaba adiestrada de tal forma que la otra mitad de los mástiles –que se mantenían sujetos con abrazaderas metálicas a los principales– podían alzarse en cuestión de minutos para quedar firmemente sujetos en el falso tope, con lo que la nave desplegaba como por arte de magia una superficie de velamen que casi duplicaba en un instante la anterior.

El veloz navío se precipitaba entonces en un abrir y cerrar de ojos sobre sus confiadas presas, al tiempo que descubría las portas de sus cañones y mostraba al enemigo la magnitud de su armamento.

Su nombre, *Jacaré*, que en la lengua de los primitivos indios caribes significaba «caimán», se encontraba por tanto plenamente justificado, ya que aquella curiosa embarcación, que más recordaba un *jabeque* berberisco que un auténtico buque pirata, era en realidad como el sigiloso caimán que aparenta dormitar en el recodo del río enseñando apenas los ojos y la punta del morro, pero que en un momento dado da un ágil salto abriendo sus terroríficas fauces para cerrarlas mortalmente sobre su confiada víctima.

Su capitán, armador y propietario, que respondía al curioso apodo de Jacaré Jack, era, a decir verdad, un perfecto reflejo de su nave, o quizá esta última fuese una obra de arte hecha a la medida de la auténtica personalidad de su dueño, puesto que al primer golpe de vista, el rechoncho y calvorota escocés más parecía un aburguesado notario, un maestro indolente o incluso un fraile enamorado de la buena mesa, que un famoso pirata del que se aseguraba que había hundido más de veinte galeones, y cuya reluciente cabezota ansiaban ver colgar de una jarcia todos los gobernantes de la región.

Cuantos le conocían sabían también, y algunos lo habían sufrido en propia carne, que tras aquella inocente fachada de hombre pacífico y paciente se ocultaba un brutal salteador de rutas marinas que en cuanto desenvainaba el sable no volvía a introducirlo en su funda a no ser que estuviera tinto en sangre.

No en vano Jacaré Jack presumía de haber compartido asaltos y aventuras con personajes de la catadura del astuto Henry Morgan, el elegante Chevalier de Grammont, e incluso el mítico y odiado Mombars, uno de los filibusteros más sádicos y desalmados de cuantos hicieran ondear bandera negra en la punta de sus mástiles a lo largo de la historia.

Pero como buen «perro de mar», Jacaré Jack respetaba a rajatabla las leyes de los temidos Hermanos de la Costa, por lo que la brumosa mañana en que un vigía gritó desde la cofa que había avistado a un náufrago a estribor, ordenó de inmediato al timonel que cambiara el rumbo.

No fue en realidad un náufrago, sino dos los que izaron a bordo, y en un primer momento al pirata le sorprendió descubrir que quien se encontraba al timón de la maltrecha chalupa y, pese a su desesperada situación, se mostraba fuerte y animoso, era apenas un adolescente, mientras que, por su parte, el hombretón que dormitaba en proa apenas parecía capaz de pronunciar una frase mínimamente coherente.

—¿Quiénes sois, de dónde venís, y adónde vais? –fue su primera pregunta.

—Me llamo Sebastián Heredia, y éste es mi padre –respondió de inmediato el avispado mocoso–. Venimos de Margarita y nos dirigimos a Puerto Rico.

—¿Puerto Rico? –repitió el pirata dejando escapar una divertida carcajada–. ¡Pues sí que estás tú bueno! Por el rumbo que llevabas, tu próxima escala sería Guinea, en África.

—Nos sorprendió una tormenta –alegó en su descargo el chicuelo–. Jamás he visto tantos rayos.

—Pues por lo que parece a tu padre le cayó uno en

la mollera. –El pirata se llevó el dedo a la sien e hizo un inequívoco ademán de taladrársela–. ¿Acaso es que está algo...?

–Es una larga historia –fue la áspera respuesta.

Jacaré Jack observó divertido al descarado rapaz, se volvió luego a su segundo de a bordo, Lucas Castaño, un adusto panameño que siguiendo su inveterada costumbre ni siquiera había abierto una sola vez la boca, y por último señaló con calma:

–Me encantan las historias, no tengo nada mejor que hacer en todo el día, y me gusta saber las razones por las que acojo a alguien en mi barco o lo tiro por la borda. –Sonrió de oreja a oreja–. Así que desembucha.

Sebastián Heredia Matamoros le contó esa mañana al capitán Jacaré Jack la parte de su historia que deseaba contar, y la que no deseaba contar el paciente pirata se la fue sonsacando astutamente palabra por palabra, de tal forma que cuando al fin la campana de popa anunció a la tripulación que había llegado la hora del almuerzo, golpeó contra la base del mástil su enorme cachimba tallada a mano en el fémur de un almirante inglés, y asintió lentamente.

–Una fea y triste historia, sí señor –admitió convencido–. Una tremenda «hijoputada» que me reafirma en la idea de que no te puedes fiar ni de tu madre. Podéis quedaros –añadió–. Ayudarás al cocinero, y, cuando se recupere, tu padre echará una mano en cubierta.

Ése fue el modo en que, recién cumplidos los doce años, Sebastián Heredia se convirtió en «marmitón» y grumete útil para todo a bordo de un barco pirata, con el aditamento de que a sus múltiples ocupaciones tenía que sumar la cada día más penosa de cuidar a un pobre hombre que parecía totalmente incapaz de escapar de la postración en que se había sumido, hasta el punto de que se iba consumiendo como un pescado puesto a «jarear».

En efecto, Miguel Heredia Ximénez se pasaba las horas y los días sentado en cubierta, con la espalda apoyada en el tambucho de proa, afilando pacientemente cuchillos, espadas, hachas y navajas, tan absorto y con tan profunda dedicación a su tarea que cabría suponer que eran sus brazos y sus manos los únicos que permanecían en el lugar, mientras que el resto de su persona había volado a mil millas de distancia, aunque a decir verdad no había volado a parte alguna, sino que se había limitado a permanecer en Margarita, puesto que su mente parecía negarse a aceptar que cuanto le había sucedido era cierto.

Tal vez si la muerte se hubiese llevado para siempre a toda su familia, Miguel Heredia habría sido capaz de resignarse y aceptarlo como algo inevitable, puesto que la muerte, por muy prematura que fuese, era una opción siempre presente en la vida de un hombre de su tiempo, pero una traición tan fría y calculada por parte del ser al que había entregado su vida, constituía un golpe brutal y tan absolutamente inesperado que no existía lugar en su cerebro en que alojarlo, aunque sólo fuera para que se quedara allí y olvidarlo con el paso del tiempo.

Sobre cubierta había grabado un nombre: «Celeste», y a menudo, cuando bajaba la vista hacia él, los ojos se le empañaban, y pese a que en cuanto tenía un momento libre su hijo acudía a tomar asiento frente a él, y durante las comidas no se movía de su lado hasta que comprobaba que se había acabado cuanto tenía en la escudilla, cuidándole como podría haber hecho con un niño enfermo, el atribulado muchacho no conseguía encontrar palabra que proporcionara el menor consuelo a su padre.

Y es que no existe forma humana de dar a otros lo que uno no tiene para sí, y el chiquillo continuaba sin encontrar respuestas a las amargas preguntas que bullían en su mente.

Tal vez de haber estado solo Sebastián habría conseguido aturdirse lo suficiente con el trabajo diario como para olvidar a ratos sus angustias, pero alzar el rostro y ver a todas horas la inclinada frente de su padre obsesionado en afilar espadas hasta convertirlas casi en navajas de afeitar, le impedía evadirse y le traía a la memoria el recuerdo de pasadas escenas familiares que le encogían el alma.

Mientras tanto, el *Jacaré* continuaba navegando sin rumbo fijo ni destino aparente, «vagabundeando» por las tranquilas aguas caribeñas sin apenas velamen y los mástiles reducidos a la mitad, aguardando «como caimán en boca de caño» la apetitosa presa que cometiese la estúpida imprudencia de cruzarse en su camino.

Nadie a bordo solía mostrar jamás el más mínimo síntoma de impaciencia, señal inequívoca de que el orondo capitán había sabido seleccionar bien a su gente, y eran más las horas que los desharrapados piratas pasaban durmiendo o jugando a los dados, que aquellas en que se veían obligados a realizar algún tipo de faena.

Durante los más calurosos mediodías, y siempre que el mar estuviera en calma, se arriaba el trapo y se mantenía la nave al pairo para que cuantos quisieran pudiesen darse un refrescante chapuzón, y fue durante uno de aquellos agradables períodos de gratificante diversión cuando al fin un vigía aulló desde la cofa anunciando la presencia de un navío que provenía del este.

Pese a encontrarse evidentemente en aguas peligrosas, los recién llegados tardaron casi una hora en advertir que una nave muy baja de bordas se encontraba al pairo en mitad de su camino, aunque cuando al fin repararon en su presencia, lo único que hicieron fue desviar apenas el rumbo tres grados al sur, tal vez con el propósito de evitarse sorpresas desagradables.

El capitán Jack observaba a los recién llegados con ayuda de su pesado catalejo, mientras el corazón de

Sebastián golpeaba con fuerza amenazando con escapársele por la boca.

Su padre ni siquiera hizo el más mínimo gesto.

Muy lentamente, pese a desplegar todo su trapo al viento, la pesada carraca que apenas montaba más de media docena de cañones de mediano calibre fue cruzando ante la decepcionada panda de semidesnudos piratas, y cuando al fin el muchacho inquirió la razón de semejante desprecio pese a que llevaban casi dos semanas aguardando una presa, el siempre silencioso Lucas Castaño se dignó hacer un supremo esfuerzo para replicar agriamente:

—Los buenos barcos son los que «van», no los que «vienen».

—¿Van? ¿Adónde?

—A España. Los que van llevan oro, plata, perlas y esmeraldas. Los que vienen sólo traen cerdos, vacas, picos y palas. Se ve que éste ha extraviado el rumbo.

Dio media vuelta para alejarse hacia la popa, ya que al parecer había consumido toda su provisión de palabras de la semana, y el chicuelo continuó inmóvil, observando cómo uno de aquellos maravillosos buques cargados de fantásticas mercancías que los margariteños solían recibir como agua de mayo, se iba perdiendo lentamente de vista en la distancia.

Aguardó más de dos horas a que el sudoroso capitán concluyera su larga siesta diaria, y con la disculpa de ofrecerle un poco de limonada se aproximó para señalar, yendo directamente al grano:

—Por la carga de esa carraca se obtendrían en Margarita más de mil buenas perlas.

El calvorota gordinflón le observó de reojo.

—¿Qué intentas insinuar? —quiso saber.

—Que me parece absurdo continuar esperando una presa que tal vez tarde meses en aparecer, cuando la que acaba de pasar vale una fortuna.

–¿Acaso me tomas por buhonero? –pareció ofenderse el otro–. Yo únicamente ataco los barcos que van. –Agitó la mano–. Y excepcionalmente algún galeón en el que pueda viajar un miembro de la nobleza por el que exigir un buen rescate. –Señaló hacia el horizonte–. Pero por toda la tripulación de ese armatoste no conseguiría ni cien doblones.

–No se trata de la tripulación, sino de la carga –insistió el tozudo chicuelo sin inmutarse–. Un buen machete cuesta en Juan Griego por lo menos dos perlas, y en esas bodegas deben amontonarse docenas de ellos.

–Puede que los haya –admitió con socarronería su interlocutor–. Pero ¿acaso pretendes que desembarque en la playa de Juan Griego para ponerme a gritar: «¡Machetes! ¡Vendo machetes! ¡Al rico machete toledano!» –Se llevó la pipa a la boca como dando por concluida tan estúpida conversación–. ¡No me hagas reír!

–¡No! –admitió con seriedad el mocoso–. Ya sé que no puede hacer eso porque el capitán Mendaña le haría volar por los aires. Pero sí puede fondear fuera del alcance de sus cañones y correr la voz. Serían los pescadores los que acudirían como moscas, y en tres días le habrían cambiado hasta el último clavo por perlas de este tamaño.

Ahora fue él quien dio media vuelta para ir a tomar asiento junto a su padre, pero lo hizo de tal forma que de reojo podía observar la taciturna expresión de un escocés que parecía estar digiriendo con notable esfuerzo sus palabras.

Cuando ya el horizonte no era más que una rojiza línea en la que no se advertía presencia alguna del navío, el capitán Jacaré Jack despegó su enorme trasero de la hamaca, se apoyó en la barandilla del castillete de popa y rugió con el estruendoso vozarrón que sólo empleaba para dar órdenes:

–¡Arriba los palos! ¡Izad todo el trapo! ¡Caña a babor! ¡Vamos a darle caza a esos pendejos!

–¿A una carraca? –se asombró el timonel.

–¡A una carraca no, estúpido! –fue la respuesta–. A un millar de perlas.

Para el jovencísimo Sebastián Heredia constituyó un inolvidable espectáculo la forma en que los hasta aquel momento apáticos tripulantes del *Jacaré*, se lanzaron de improviso sobre las jarcias y las velas, pues resultó evidente que cada uno de ellos sabía perfectamente qué tenía que hacer y lo ejecutaba con tanta rapidez, limpieza y economía de fuerzas que diez minutos más tarde la afilada proa cortaba el agua como la aleta de un delfín enloquecido.

Inclinado sobre su banda de estribor en ángulo tal que el agua amenazaba con invadir parte de la cubierta, y con la mayoría de los tripulantes aferrándose a la baranda de babor para hacer contrapeso, el estilizado navío se deslizaba sobre el mar como una gigantesca gaviota de pecho azul y blancas alas que hubiera avistado un pececillo nadando bajo la superficie.

Cayó la noche sin que avistaran a su presa, se redujo la marcha dando de nuevo estabilidad a la cubierta, y tres horas más tarde el serviola cantó una luz a proa, por lo que el capitán ordenó mantenerse a oscuras y en silencio, limitándose a seguir la estela de la carraca sin que ésta sospechara siquiera su presencia.

Con la primera claridad del alba se encontraban a menos de media milla de su popa, por lo que el capitán Jacaré Jack ordenó izar su estandarte de guerra y disparar un cañonazo de aviso.

En cuanto el capitán del *Nueva Esperanza* distinguió los treinta y dos enormes cañones y en especial la negra y flameante bandera, tomó la prudente decisión de abatir velas y mantenerse al pairo, puesto que no hacía falta ser un genio de la estrategia naval para comprender que presentar batalla habría constituido un auténtico suicidio.

Según las leyes no escritas del mar, un pirata ante el que se rindiera incondicionalmente el enemigo tenía la obligación de respetarle, y cuantos solían navegar por el Caribe sabían muy bien que la enseña de la calavera entre las fauces de un caimán pertenecía a un capitán escocés que siempre había respetado dichas leyes.

Por lo general se suele tener la errónea creencia de que los piratas siempre izaban la misma bandera negra con una calavera sobre dos tibias cruzadas, cuando en realidad tal enseña sólo perteneció a un zanquilargo irlandés llamado Edward England, apodado «el capitán sin barco», un pobre infeliz de tan bondadoso carácter y escasa agresividad que sus sanguinarios secuaces acabaron por abandonarle a su suerte en una solitaria playa de Madagascar, donde años más tarde murió agobiado por el remordimiento a causa de los salvajes crímenes que bajo su amada enseña había perpetrado su antigua tripulación.

Era cosa sabida que en el momento de armar un navío y lanzarse a la aventura de saltear las rutas del mar, los capitanes se lo pensaban mucho a la hora de elegir los distintivos que diferenciarían su enseña de la de sus competidores, puesto que de ello podía depender el éxito o el fracaso de su misión, ya que a nadie se le ocultaba la evidencia de que nada tenía que ver la reacción de una tripulación que avistase la calavera rodeada por tres flores de lis del respetuoso francés Chevalier de Grammont, con el esqueleto alzando una copa del cruel L'Olonnois, o la calavera limpia y sin adornos del diabólico Mombars.

Ante Jacaré Jack o Chevalier de Grammont valía la pena correr el riesgo de arriar velas y abatir las armas, mientras que frente a Mombars o L'Olonnois lo único que se podía hacer era intentar huir, presentar batalla o tirarse de cabeza al mar con una piedra al cuello como último medio de escapar a las bestiales torturas con que aquellos inconcebibles sádicos acostumbraban divertirse.

No es de extrañar, pues, que en cuanto al capitán del *Nueva Esperanza* le despertó el cañonazo de aviso y distinguió en la bruma del amanecer el estandarte del caimán, se pusiera de inmediato al pairo ordenando a sus hombres que se alinearan en cubierta con las manos sobre la borda para que nadie abrigase la mínima duda sobre sus pacíficas intenciones.

El primero que subió a bordo de la vieja y maloliente carraca fue el panameño Lucas Castaño, quien tras saludar respetuosamente al flemático cántabro que parecía tomarse el asalto como si más bien se tratara de una corta e imprevista escala con el fin de hacer aguada, inspeccionó detenidamente las bodegas para regresar al *Jacaré* refunfuñando entre dientes por la inutilidad del estúpido esfuerzo.

–¡Basura! –dijo.

–¿Qué clase de basura? –quiso saber su capitán.

–¡Cosas para trabajar! –fue la impaciente respuesta de un hombre para el que cada palabra era un tesoro–. Picos, palas, cubos, anzuelos, sacos, machetes... ¡Mierda!

El escocés se volvió hacia Sebastián Heredia, que se encontraba casi a sus espaldas, para señalar con el vozarrón que reservaba para las amenazas:

–Sube a bordo, echa un vistazo y si crees que obtendrás esas perlas, proseguiremos con el plan. –Le apuntó con el dedo–. Pero si calculas que no lo conseguirás, dejaré que continúen su camino y me limitaré a ordenar que te den veinte latigazos por hacerme perder el tiempo. ¿Está claro?

–¡Muy claro! –se apresuró a reconocer el muchacho, tragando saliva.

–¡De acuerdo, entonces! Pero escúchame bien, carajito de mierda: si me obligas a seguir con esta pendejada y al final no veo sobre mi mesa un millar de perlas, serán cincuenta los latigazos. –Sonrió como si se tratara de una divertida broma–. Y te aseguro que sólo he conocido a un hombre que haya sobrevivido a cincuenta latigazos de los que arrea Lucas Castaño: un negro gigantesco con la piel más rasposa que la de un tiburón.

–¡Me parece bien con una sola condición...! –se apresuró a replicar el chicuelo.

–¡Ya empezamos! ¿Y es?

–Que todo lo que obtenga por encima del millar, será para mí.

El escocés se pasó la mano por la calva, se secó el sudor con la manga de la resobada casaca roja, y observó al zarrapastroso muchachuelo como si le costara aceptar que pudiese existir una criatura tan descarada y vacía de mollera.

Por último, le lanzó una patada al tiempo que dejaba escapar una risotada.

–¡Mitad y mitad! –dijo–. En todo lo que pase de mil vamos a medias. ¡Y ahora, lárgate!

Sebastián Heredia trepó al *Nueva Esperanza*, se inclinó ceremoniosamente ante el cántabro como pidiéndole permiso para examinar a fondo su barco, y desapareció en las bodegas con el fin de hacerse una clara idea de cuántas perlas podrían ofrecerle en Juan Griego por tan ingente cantidad de mercancías.

Pasó casi una hora bajo cubierta, pero al fin asomó la desmelenada cabeza por encima de la borda para gritar alborozado:

–¡Más que de sobra, capitán! ¡Más que de sobra!

–¿Estás seguro? –quiso saber el aludido.

–¡Seguro!

–¡Bien! –admitió Jacaré Jack–. Sabes lo que te juegas. –Se volvió a su segundo, al que se diría que todo aquello le parecía una pérdida de tiempo y una indignidad impropia de auténticos piratas, y añadió–: Ordena al capitán que tire al mar los cañones. No quiero sorpresas. Luego, que ponga rumbo a Margarita. Nosotros lo seguiremos.

Lucas Castaño lanzó un reniego con el que patentaba su desacuerdo, pero, como de costumbre, obedeció en el acto, por lo que poco después del mediodía reemprendían la marcha no sin antes haber trasladado al *Jacaré* media docena de jamones, veinte sacos de cereales y diez barriles de vino de Cariñena.

–Tenga en cuenta –le hizo notar quisquillosamente Sebastián Heredia a su capitán mientras observaba la descarga–, que todo eso vale por lo menos treinta perlas...

El *Nueva Esperanza* fondeó cuatro días más tarde en mitad de la bahía, aunque lejos del alcance de los cañones del fortín de La Galera, mientras que por su parte el *Jacaré* optaba por mantenerse en continuo movimiento, patrullando entre punta Tunar y cabo Negro, con escaso velamen desplegado, pero con los mástiles alargados al máximo, listo para izar de inmediato todo el trapo a la menor señal de peligro.

Los lugareños se arremolinaron muy pronto en la playa, curiosos y alarmados por el insólito acontecimiento que venía a romper la monotonía de la vida diaria, y la expectación llegó al máximo en el momento en que la vieja carraca botó al agua una chalupa en la que se aproximó a tierra la familiar figura de Sebastián Heredia Matamoros, quien, tras abrazar afectuosamente a la desconcertada concurrencia, corrió hacia el fortín desde el que el ceñudo capitán Mendaña le observaba con ayuda de un potente catalejo.

–¿Se puede saber qué diablos haces tú aquí? –fue por lógica la primera pregunta del militar cuando el chicuelo llegó, jadeante, hasta donde se encontraba–. Te prohibí que volvieras a la isla.

–Se lo prohibió a mi padre, no a mí –replicó con descaro el rapaz–. Y él no tiene la menor intención de poner el pie en Margarita.

–¿Dónde está?

Sebastián hizo un significativo gesto en dirección al estilizado navío que patrullaba aguas adentro.

–A bordo –dijo.

–¿A bordo del *Jacaré*? –se asombró el otro–. ¿Cómo es posible?

–Nos recogió cuando estábamos a punto de hundirnos –fue la respuesta–. Y nos tratan muy bien.

A continuación el espabilado chiquillo hizo un somero relato de cuanto había ocurrido desde el momento en que abandonara la isla, para concluir con una seriedad impropia de su edad:

–Por eso, lo primero que he hecho es venir a verle. No quiero hacer nada que pueda perjudicarle. Le debo demasiado.

–No me debes nada –fue la rápida respuesta del oficial–. En cuanto a perjudicarme, está claro que no estoy en disposición de evitar que un barco fondee frente a la costa siempre que se mantenga fuera del alcance de mis cañones. –Sonrió con marcada intención–. Lo único que está en mi mano es enviar un mensaje a La Asunción, para que a su vez envíen un mensaje a Cumaná solicitando un buque de guerra lo suficientemente poderoso para enfrentarse al *Jacaré*.

–¿Cuánto tardaría en llegar? –quiso saber Sebastián.

–Como mínimo, dos semanas. Como máximo, nunca. Y el máximo es lo más probable.

–¿No hay buques de guerra en las proximidades?

–No, que yo sepa –fue la respuesta–. Pero en la isla sí que hay suficientes soldados como para defenderla de un simple puñado de piratas, o sea que aconseja a tus amigos que se alejen de la costa. –El rudo capitán Mendaña tomó asiento sobre uno de los cañones, dejó a un lado su pesado catalejo y revolviendo con afecto la ya de por sí siempre revuelta cabellera del descarado bribonzuelo por el que experimentaba un sincero aprecio, añadió–: No me gustan los piratas, pero supongo que deberían gustarme más que los funcionarios de la Casa, porque al menos los piratas se arriesgan a que los ahorquen, mientras esos cerdos roban mil veces más y encima la justicia les protege. –Le tiró con fuerza de las orejas–. Con eso pretendo decir que si los piratas le roban a la Casa y, además, venden las cosas a un precio justo a una gente que está muy necesitada, por mí adelante. No pondré un pie en el agua para impedirlo, siempre que ninguno de ellos ponga el pie en tierra.

El chiquillo tendió la mano como si se tratara de un adulto sellando un pacto.

–¿Es un trato? –quiso saber.

El otro se limitó a propinarle un sonoro coscorrón que le obligó a lanzar un breve lamento y rascarse enfurruñado el lugar dolorido.

–¿Qué trato ni qué trato...? –exclamó el asombrado militar–. ¿Desde cuándo un capitán del rey hace tratos con un enano de mierda? ¡Habráse visto!

–¡No se enfade!

–Cuando te pasas, me enfado. Y ahora vete al carajo y recuerda que no quiero veros a menos de dos millas de la costa.

Sebastián hizo un gesto de asentimiento, se encaminó hacia la escalinata de piedra que habría de llevarle de nuevo hasta la playa, pero ya con el pie en el primer escalón se volvió para inquirir con un tono de voz muy diferente:

–¿Sabe algo de mi hermana?

–Que vive en casa de ese malnacido. –El capitán Mendaña hizo una corta pausa para añadir con una leve sonrisa de ironía–: Pero no te preocupes. Ya te dije que tu madre sabrá ingeniárselas para que no le falte de nada.

–Y yo también le dije que ya no es mi madre –fue la seca respuesta–. Mi madre ha muerto.

Continuó su camino bajo la atenta mirada del oficial, y cuando se reunió de nuevo con cuantos le aguardaban en la playa, saltó sobre una barca varada alzando los brazos para pedir silencio.

–Ese barco está lleno a rebosar de cuanto podáis necesitar –dijo–. Y a partir de mañana todo se liquidará a la décima parte de lo que cobra la Casa. Pero tened presente que como pago únicamente aceptamos perlas.

Fue un negocio redondo.

El primer gran negocio en la vida del avispado Sebastián Heredia, que llegó incluso a vender los cabos, los cubos y las velas del *Nueva Esperanza*, y si no llegó a vender las anclas fue por el simple hecho de que las necesitaba para mantenerlo fondeado, ya que cada amanecer acudían de todos los rincones de la isla lugareños ansiosos de adquirir a precio de saldo cuanto siempre habían necesitado y jamás habían obtenido.

Las barcas se hacían a la mar en plena noche, llevando a bordo incluso a las mujeres y los niños para comenzar a faenar en los «placeres» con la primera claridad del alba, y mientras los buceadores se sumergían una y otra vez, sus acompañantes iban abriendo con rapidez las ostras en busca de las redondas y relucientes perlas.

En cuanto reunían un buen puñado izaban velas y ponían rumbo a Juan Griego para saltar a bordo del *Nueva Esperanza* y hacer el trueque.

Cuando ya en la vieja carraca no quedó ni siquiera un clavo, hasta el punto de que resultó evidente que tendría que permanecer en la bahía en espera de que le enviasen un nuevo juego de velas, Sebastián Heredia regreso a bordo del *Jacaré* y depositó ante su sonriente capitán dos sacos de mediano tamaño.

–En éste está lo que prometí –señaló–. Y en este otro el sobrante. ¡La mitad es mía!

–Lo que Jacaré Jack promete, Jacaré Jack cumple –fue la respuesta–. Coge tu parte.

Cuando el chiquillo hubo retirado lo que le correspondía, el escocés ordenó repartir el resto según las normas preestablecidas en las tradicionales leyes de los Hermanos de la Costa, ya que a él, como armador del barco, le correspondía una tercera parte del botín, y al segundo de a bordo un diez por ciento, mientras lo que quedaba se dividía de acuerdo con la categoría y antigüedad de cada tripulante, respetando siempre una parte para enfermedades e imprevistos.

Esa noche hasta el último hombre se emborrachó a bordo, y la mayoría de los incontables brindis se hicieron a la salud del mozalbete que había sabido proporcionarles tan inesperada fortuna sin necesidad de derramar ni una gota de sangre.

Al día siguiente, ya sobrio y después de ordenar poner proa a mar abierto, el capitán Jacaré Jack hizo un leve gesto a Lucas Castaño de que subiera al puente de mando, y ante la evidente sorpresa del panameño señaló:

–Creo que sería una buena idea apoderarse del mayor número posible de barcos antes de que corra la voz de que es mucho más rentable y menos peligroso apresarlos cuando vienen que cuando van.

–¿Acaso se le ha pasado por la cabeza repetir la hazaña? –se escandalizó su segundo.

–¿Y por qué no? –fue la lógica respuesta–. Éste es un filón que conviene aprovechar mientras dure.

–Indigno de un pirata que se precie –le hizo notar Lucas Castaño.

–¡Escucha, pendejo! –replicó calmosamente su capitán–. De lo único que se tiene que preocupar un pirata que se precie es de hacerse rico antes de que le ahorquen. Y éste es un buen método, así que continúa tan mudo como hasta ahora y llegarás a viejo.

Lucas Castaño se abstuvo de volver a abrir la boca a ese respecto, con lo que el *Jacaré* fue el primer navío de aguas profundas que cambió la estrategia de la piratería caribeña, ya que en lugar de patrullar entre la isla de La Tortuga y las Bahamas a la espera de los enormes galeones cargados de tesoros que emprendían a finales de verano la ruta norte de regreso a España, escogió «trabajar» las aguas de Barbados y las Granadas al acecho de inermes cargueros que, como el *Nueva Esperanza*, se arriesgaban a realizar la travesía de «ida» sin contar con la protección de la Gran Flota que una vez al año partía de Sevilla rumbo a las Indias.

Hacia ya casi un siglo que los pilotos españoles tenían muy claro que para ir al Nuevo Mundo a bordo de poco maniobrables galeones que montaban casi exclusivamente velas cuadradas, magníficas para navegar con vientos de popa pero poco prácticas a la hora de aprovechar los vientos de través, sólo existían dos rutas lógicas: la de «ida», aprovechando los vientos alisios que comenzaban a soplar en octubre o noviembre, y que en poco más de un mes solían llevarlos «empopados» desde las Canarias hasta Barbados, y la de «vuelta», dejándose empujar por los vientos que a mediados de verano comenzaban a soplar desde las Bahamas y les conducirían a las Azores y desde allí a las costas españolas.

De este modo en apariencia muy simple se estableció un continuo flujo de hombres y mercancías entre Sevilla, como único puerto de la metrópoli reconocido y válido según el mandato real, y un continente tan extenso que aún no se tenía una idea muy clara de cuáles eran sus auténticos límites.

A los corsarios ingleses, franceses y holandeses, que habían recibido de sus respectivas coronas la orden expresa de impedir que España se fuera haciendo cada vez más poderosa a base de recibir oro, perlas, diamantes y esmeraldas de sus riquísimas colonias, lo único que por lógica importaba era cortar el suministro de entrada de tales riquezas, aunque fuera por el expeditivo procedimiento de enviar dichos galeones al fondo del mar, y debido a ello sus victorias fueron sin duda espectaculares, ya que no se trataba de apresar a un enemigo o vencerlo en un combate equilibrado, sino sólo de destruir inermes buques de transporte empleando para ello los mejores navíos de guerra del momento.

De tanto en tanto, y si la situación resultaba propicia y presentaba escaso riesgo, optaban por apoderarse del botín, pero ésa no constituía en absoluto la misión que les habían encargado sus soberanos al concederles la famosa patente de corso, por lo que, de hecho, un corsario no tenía el menor reparo en hundir toda una flota aunque ello no le reportara provecho alguno, ya que a decir verdad no eran más que una especie de «terroristas de estado» de su tiempo al servicio de intereses puramente políticos.

Eso hacía que la mayoría de los auténticos piratas los aborrecieran, ya que la destrucción indiscriminada de ingentes riquezas que de otro modo podían favorecer a muchos se les antojaba un estúpido despilfarro y un peligro para la seguridad, opinando, con innegable buen sentido, que todo el oro, la plata o las esmeraldas que fueran a parar al fondo del mar ni siquiera a los peces beneficiaban, mientras que las innumerables vidas que se perdían en tan bárbaros ataques sólo servían para que las autoridades españolas lanzasen al mar nuevos barcos de guerra que combatían por igual al «honrado pirata» que al salvaje corsario.

Eso no significaba, sin embargo, que de tanto en tanto algunos de los más inescrupulosos de tales piratas decidieran unirse a los corsarios a la hora de enfrentarse a una potente escuadra o asaltar una plaza fuerte, aunque dejando siempre muy claro que si la misión de unos era la de destruir, la de los otros seguía siendo la de saquear.

Con el transcurso del tiempo, y vistas las múltiples

ocasiones en que tuvieron lugar tales alianzas, las víctimas, y más tarde los historiadores, olvidaron las diferencias que en un principio separaron a piratas y corsarios, acabando por meterlos a todos en el mismo saco, aunque era, eso sí, un saco cuya sola mención causaba espanto.

Jacaré Jack pertenecía desde siempre a la estirpe de los piratas puros; es decir, la de los escasamente sanguinarios salteadores de las rutas del mar cuya única ambición se centraba en la idea de hacerse lo más rico posible en el menor tiempo posible con vistas a un tempranero retiro para disfrutar en paz del fruto de tan duro esfuerzo.

El escocés sabía muy bien que a un barco hundido no se le puede saquear por segunda vez, y que un capitán maltratado jamás vuelve a rendirse pacíficamente, por lo que procuraba que a la hora de los abordajes sus hombres no hicieran uso más que de la fuerza estrictamente necesaria.

De ese modo consiguió con el tiempo que su negra bandera del caimán y la calavera hiciese lanzar un suspiro de alivio a quienes la veían aproximarse, convencidos como estaban de que dentro de la inseguridad de unos mares plagados de enemigos, aquella bandera confería una relativa tranquilidad.

De octubre a marzo patrullaba por tanto la ruta de ida, a unas cien millas al este de Barbados, plantaba cara a los navíos solitarios, les vaciaba las bodegas y, cuando el contenido de la carga superaba sus posibilidades, se limitaba a conducirlos a una escondida ensenada entre los islotes de Rameau, Bateaux y Barandal, en las Granadinas del Sur, un lugar tan bien protegido por traidores arrecifes que quien no conociera perfectamente los estrechos canales que los sorteaban acababa por embarrancar entre los corales quedando a merced de sus cañones.

En la cercana y mucho mayor, aunque deshabitada,

isla de Mayero, había establecido lo que pomposamente llamaba sus «cuarteles de invierno», aunque justo es reconocer que bajo tan rimbombante denominación sólo se ocultaban dos docenas de chozas de adobe con techo de paja generosamente abastecidas, eso sí, de putas, ron y excelente comida.

De ese modo, con medio año de vacaciones –de abril a septiembre– en una isla paradisíaca, y otro medio de un trabajo sumamente productivo y escaso de riesgos, Jacaré Jack conseguía mantener feliz y satisfecha a la mayoría de su tripulación, aunque se daba el sorprendente caso de que algún que otro inevitable descontento se mantenía aferrado a la vieja idea de que la auténtica piratería debía ser algo más que aquella extraña mezcolanza de buhonería y bandolerismo.

La respuesta del escocés a tales quejas solía ser siempre la misma:

–Yo soy el que manda, y quien no esté de acuerdo y quiera marcharse que alce la mano para poder colgarlo de una verga, ya que no estoy dispuesto a permitir que un hijo de puta deserte para que vaya contando por ahí dónde nos escondemos.

Como resulta lógico imaginar, jamás se dio el caso de que alguien levantara la mano, y la placentera vida siguió su curso durante unos años en que Sebastián Heredia Matamoros fue creciendo en compañía de algunos de los hombres más rudos del planeta.

A los dieciséis hablaba ya tres idiomas y había aprendido cuanto debía saber sobre el arte de la navegación y el uso de las armas, y apenas había cumplido los diecisiete cuando una solícita y experimentada mulata le puso amablemente al corriente del difícil arte de contentar a las mujeres.

También era un experto en toda clase de juegos de azar, y era capaz de mantenerse sobrio con tres jarras de ron entre pecho y espalda.

Como en su calidad de «jefe de operaciones» seguía disfrutando de una parte importante del botín, se le habría podido considerar un jovencito muy afortunado, de no haber sido por el hecho de que su padre continuaba constituyendo una pesada carga que venía a recordarle continuamente la amarga tragedia que ensombreciera su infancia.

Y es que el paso de los años no había servido para cambiar un ápice la obstinada actitud de mutismo y alejamiento de Miguel Heredia Ximénez, que se había convertido en un ser cada vez más huraño y encerrado en sí mismo, y pese a que ya jamás mencionaba a su mujer o su hija, resultaba evidente que no se apartaban ni un segundo de su mente, convirtiéndose en una obsesión que llevaba camino de volverle loco.

El cariño y la dedicación con que Sebastián le cuidaba había acabado por calar incluso en el corazón de una pandilla de facinerosos que tal vez no hubieran pestañeado a la hora de rebanarle el cuello a un paralítico, pero a la que conmovía el ver como hora tras hora, día tras día y año tras año, el simpático y alborotador muchachuelo era capaz de dejarlo todo por acudir a tomar asiento junto a su padre para hablarle de mil cosas aun a sabiendas de que raramente obtendría respuesta.

Sólo una cosa parecía hacer feliz a alguien de quien se diría que incluso respirar le costaba un gran esfuerzo, y era el hecho de lanzarse al mar cuando se encontraban fondeados en aguas poco profundas, para dedicarse durante todo un día a bucear hasta quedar extenuado.

Eran ésas las únicas noches en que dormía plácidamente y sin sobresaltos, como si el bajar a las profundidades le devolviera momentáneamente a los felices tiempos en que toda su preocupación se centraba en encontrar hermosas perlas con que sacar adelante a su familia.

Su hijo se mantenía entonces atento a la presencia de tiburones y barracudas, tal como acostumbraba a hacer años atrás, siempre con la mano sobre el arpón y con el afilado machete a la cintura, como un ángel guardián que tuviera plena conciencia de que aquel ser indefenso era todo cuanto le quedaba en esta vida.

A menudo, el silencioso Lucas Castaño tomaba asiento al otro extremo de la chalupa, dedicado a la tarea de pescar o dormitar en apariencia ajeno a todo, aunque no resultaba difícil comprender que pese a que tuviera los ojos cerrados bajo su viejo sombrero de carcomida paja, siempre estaba dispuesto a saltar a la menor señal de peligro.

Durante las largas temporadas de descanso Miguel Heredia prefería continuar viviendo a bordo del *Jacaré*, lejos del alboroto de putas y borrachos, siempre a solas consigo mismo y con la machacona repetición de sus dolorosos recuerdos, ya que jamás demostró el menor interés por el ron, el juego o las mujeres, y todo cuanto hacía era afilar armas o atesorar cuidadosamente las perlas que iba encontrando en un pequeño arcón de madera que él mismo había tallado con ayuda de una pequeña navaja.

Conmovía verle.

Como contrapartida, su hijo demostraba demasiado a menudo una entusiasta afición a los dados y las mujeres, y si bien con éstas su éxito parecía garantizado, la caprichosa Fortuna se le mostraba por lo general esquiva, cosa que no le preocupaba en exceso, dado que las rapiñas a los barcos de la Casa de Contratación le producían bastante más de lo que pudiera dilapidar por muy mal que se le diera el juego.

Visto todo ello cabría asegurar que el ambiente en que se estaba criando Sebastián Heredia Matamoros no era, desde luego, el más apropiado para la correcta educación de un adolescente, pero por uno de esos extraños contrasentidos que la vida ofrece a menudo, el muchacho consiguió mantener un curioso equilibrio entre la sordidez y la violencia del mundo que le rodeaba y los principios morales que le habían inculcado siendo niño.

Poco importaba que quien le hubiera inculcado tales principios hubiera sido la primera en traicionarlos, o quizá fuera precisamente por haber sufrido tan dolorosamente las consecuencias de dicha traición que el margariteño decidió, probablemente de un modo inconsciente, conservarlos.

Lucas Castaño, que era sin duda quien mejor le conocía a bordo, estaba íntimamente convencido de que sin la continua presencia de su padre el chicuelo se habría transformado en un desarraigado más de cuantos componían la abigarrada tripulación, pero el férreo lazo que le mantenía tan fuertemente unido al pobre enfermo era sin duda lo que le había impedido dejarse arrastrar al abismo.

La vida de la extraña comunidad seguía, por tanto, un curso que podría considerarse en cierto modo «normal» y que no se vio alterado hasta el caluroso amanecer de un día de verano –que era curiosamente cuando solían retirarse a los «cuarteles de invierno»– en que el vigía de guardia en la costa norte acudió a comunicar la inquietante noticia de que la mejor de las chalupas había desaparecido la noche anterior.

Cuando se pasó lista se llegó a la rápida conclusión de que al parecer un par de gavieros franceses habían decidido desertar.

Gastón y Nené Rousselot, más conocidos a bordo por el apodo de los Marselleses, eran dos hermanos muy diferentes entre sí, pero que compartían una desmesurada afición a meterse de continuo en todo tipo de pendencias.

De cada diez latigazos que Lucas Castaño se había

visto obligado a propinar en los últimos años, seis habían ido a parar a las espaldas de alguno de ellos, pero aun así rara era la ocasión en que no encontraran la menor excusa para organizar una sonora trifulca.

En cuanto se tomaba tres vasos de ron, Nené era capaz de enzarzarse a puñetazos incluso con su propio hermano –o quizá sería mejor decir que preferentemente con su propio hermano– y lo peor del caso estribaba en el desconcertante hecho de que, sin que se pudiera saber con certeza la razón, siempre se las arreglaban para hacer extensivo su enfrentamiento al resto de la concurrencia.

No era de extrañar que después de tantos años de no enfrentarse más que a unos rivales que conocían sobradamente sus triquiñuelas, los levantiscos franceses hubieran decidido desertar en busca de nuevas «víctimas», aunque el orondo capitán escocés llegó de inmediato a la conclusión de que con su reconocida afición al alcohol y las grescas no tardarían en contar a quien quisiera oírles dónde se ocultaba el tan buscado *Jacaré* y su escurridiza dotación.

–O los cazamos –dijo–, o viviremos aguardando a que vengan a cazarnos. Así que en marcha.

–¿Hacia dónde?

–Son franceses, ¿no? –fue la lógica respuesta a la pregunta–. La cabra tira al monte y los franceses a donde se hable su lengua. Me juego los cuatro pelos que me quedan a que han puesto rumbo a Martinica.

Con la última luz del atardecer el *Jacaré* levó anclas para sortear sin peligro los traidores arrecifes de los islotes, y la noche lo sorprendió ya con todo el trapo al viento y la proa cortando el agua rumbo al nordeste.

Jacaré Jack era suficiente buen marino como para llegar a la conclusión de que tripulando una frágil chalupa los Marselleses no se arriesgarían a navegar por mar abierto, de modo que elegirían sin duda sortear las islas por sotavento, conscientes de que de ese modo podrían ocultarse en cualquier diminuta cala a la menor señal de peligro.

Decidió por tanto no ir tras ellos en lo que consideraba una inútil persecución, y optó por poner proa a las aguas libres de barlovento para aprovechar la mayor velocidad de su nave con vistas a interceptar la chalupa en el amplio canal de Santa Lucía, a la vista ya de las costas de Martinica.

Sebastián Heredia jamás había visto tan furioso al escocés.

A decir verdad, fue una de las primeras veces en que tuvo ocasión de vislumbrar su auténtico carácter, puesto que aunque por lo general daba muestras de una indolencia rayana en la abulia, durante los días que siguieron no se movió un instante del puente, patroneando el veloz jabeque con tal maestría que invitaba a creer que tomaba parte en una extraña regata en que estaba en juego cuanto poseía.

—Nadie se la juega al capitán Jack —era lo único que mascullaba de tanto en tanto—. Nadie se la juega, y no pararé hasta convertirlos en carnada para los tiburones.

Hasta el último grumete le respaldaba, puesto que no había un solo hombre a bordo que no tuviese alguna cuenta pendiente con los aborrecidos Marselleses, y el hecho de tomar conciencia de que estaban poniendo en peligro la placentera existencia que tanto esfuerzo les había costado conseguir, contribuía de forma harto notable a que las viejas heridas comenzaran a supurar nuevamente.

Incluso el silencioso Lucas Castaño renegaba, con lo cual parecía estar todo dicho.

Pese a que casi milagrosamente Sebastián y Miguel Heredia eran los únicos a bordo que jamás habían sufrido en carne propia los furiosos arrebatos de locura de tan imprevisible pareja de salvajes, el muchacho se sentía de igual modo indignado por lo que consideraba una sucia traición, y fue su padre quien, decidiéndose a hablar por primera vez en mucho tiempo, logró que toda su animadversión hacia los desertores desapareciera como por arte de encantamiento.

–Compadéceles... –se limitó a murmurar cuando más excitado se encontraba el margariteño–. Su fin será terrible.

–¿Cómo lo sabes?

–Lo sé.

No dijo más, pero resultó evidente que lo sabía porque siendo un ser humano que aparentaba ignorarlo todo sobre cuanto ocurría en su entorno, en ocasiones se diría que su propio aislamiento le había llevado a «conocer» mundos distintos que cuantos se encontraban junto a él jamás conseguirían siquiera imaginar.

Y es que no existe locura más insondable que la de quien elige volverse loco por voluntad propia.

Era su manifiesta impotencia a la hora de luchar contra la dolorosa elección que había hecho su padre lo que más amargaba a Sebastián, que parecía estrellarse contra un muro de piedra cada vez que pretendía aproximarse a alguien cuyo corazón no era ya más que una máquina de bombear sangre, y cuyo cerebro se había sumido en un insondable pozo de recuerdos.

Pese a ello, o quizá por ello mismo, toda la capacidad de cariño que el muchacho depositara tiempo atrás en su pequeña pero hermosa familia había acabado por concentrarse en su progenitor, ya que por Emiliana Matamoros sólo experimentaba un hondo rencor, al tiempo que la imagen de su hermana se iba difuminando poco a poco en su mente por mucho que se esforzara en fijarla de modo indeleble.

Al fin y al cabo, cuando se separaron Celeste era aún una niña cuyos rasgos parecían cambiar continuamente.

A los tres días de haber levado anclas, y tras pasar

toda una noche al acecho fondeados en una diminuta ensenada de Santa Lucía, el *Jacaré* se lanzó como un pelícano sobre la pequeña embarcación que tripulaban los desprevenidos Marselleses.

Lo que en todo momento Sebastián consideró una simple frase hecha –«No pararé hasta verlos convertidos en carnada para los tiburones»–, resultó ser una espantosa realidad, puesto que apenas les puso la mano encima el ahora irreconocible capitán Jack ordenó que los desertores fueran arrojados al agua atados a gruesos cabos y llevando encajados entre los muslos un par de anzuelos de gigantescas proporciones cuyas afiladísimas puntas les sobresalían a la altura del pene.

Con su propio cuchillo les rajó las piernas de modo que manara abundante sangre, y después de ordenar que el estilizado navío navegara muy lentamente, se sentó en popa a observar cómo sus aterrorizadas víctimas chapoteaban en el agua dejando un rojo rastro que no tardaría en atraer a los ansiosos escualos.

A los diez minutos hizo su aparición la primera aleta, que se limitó a seguir el reguero de sangre sin lanzarse al ataque, como si la oscura y enorme bestia sospechara ante tan inesperado desayuno.

A bordo, nadie pronunciaba una sola palabra, y en el agua, tanto Gastón como Nené parecían haber comprendido que era inútil suplicar, por lo que parecían resignados a su terrible destino, confiando tal vez en que su cercano fin fuera lo más rápido y menos doloroso posible.

Pero quien quiera que fuese que había inventado tan sádico suplicio sabía bien lo que hacía, puesto que un tiburón lanzado al ataque podía partir en dos de una dentellada a su víctima acabando con su vida en un instante, mientras que si esa víctima era arrastrada como un cebo viviente, su final resultaría agónico, lento y terrorífico.

De improviso, un segundo escualo surgido de las profundidades se lanzó sobre la pierna izquierda de Nené, arrancándosela de cuajo a la altura del muslo, y como si ésa fuera la señal que esperaba, la primera bestia se precipitó sobre la otra pierna.

La sangre tiñó el mar, y ahora sí que el desgraciado Marsellés lanzó un aullido desgarrador que se perdió en la distancia hasta desaparecer en las lejanas playas de la isla y en las entrañas de cuantos contemplaban tan espeluznante espectáculo.

Pero lo peor aún estaba por venir.

Sin darle tiempo a morir desangrado, la más activa de las fieras se lanzó de nuevo sobre la, en apariencia, inofensiva presa, y fue entonces cuando se tragó por completo el anzuelo, de tal forma que quedó indefectiblemente unida a Nené Rousselot, con las gigantescas mandíbulas semicerradas sobre su estómago y su espalda, clavados los afilados dientes en una blanda carne que se abría y desgarraba a medida que se debatía en un inútil intento por liberarse del acero que se le había incrustado en el paladar.

Lo que quedaba del Marsellés no era más que una informe masa de sangre, carne y tripas que rugía y lloraba mientras saltaba de un lado a otro como una pelota entre las fauces de un perro enloquecido, por lo que llegó un momento en que el desencajado Sebastián Heredia no pudo hacer otra cosa que inclinarse sobre cubierta y vomitar por primera vez en su vida.

Acudió luego a tomar asiento junto a su padre, que continuaba ajeno a cuanto no fuera afilar un largo machete, y allí permaneció hasta que Lucas Castaño cortó los gruesos cabos para permitir que lo poco que quedaba de ambos hermanos acabara siendo disputado por una bandada de embravecidos tiburones que parecían haber acudido desde los cuatro puntos cardinales.

Durante el difícil año que siguió a la cruel ejecución, Sebastián Heredia maduró más aprisa que durante toda su época anterior a bordo del *Jacaré*, y no sólo porque creciera en altura y fortaleza, o porque aprendiera más sobre el arte de la guerra y el amor, sino porque su mente pasó a ser la de un adulto que empezaba a comprender hasta qué punto tenía la obligación de plantearse un futuro muy diferente, alejado de tan poco recomendable compañía.

Cada noche se acostaba resuelto a abandonar de inmediato aquella absurda forma de vida, pero cada mañana se levantaba descubriendo que un día más posponía la decisión, en parte debido a que en lo más íntimo de su ser estaba absolutamente convencido de que, al igual que no había dejado escapar a los hermanos marselleses, el capitán Jack tampoco permitiría que «un muchacho alocado y un viejo loco» rondasen por el mundo sabiendo en qué lugar se ocultaba durante seis meses al año uno de los barcos más buscados del Caribe.

—El *Jacaré* siempre ha sido «el país de irás y no volverás» —le había señalado Lucas Castaño cierto día en que parecía más propenso que de costumbre a malgastar saliva—. Debes entender que si no tuviéramos un refugio en el que nos supiéramos absolutamente seguros, nuestra vida sería un infierno.

¿Cómo convencer a un desconfiado escocés y a la totalidad de una malencarada tripulación, de que ni su padre ni él revelarían jamás la posición exacta de la isla?

¿Qué garantías podrían dar de su mutismo en caso de ser apresados por los esbirros de la Casa de Contratación?

Y ¿quién certificaba que el espejismo de una tentadora recompensa no les impulsaría a traicionar a quienes habían sido durante tantos años sus compañeros de fatigas?

La honorabilidad no había sido nunca una de las virtudes esenciales de los miembros de la hermandad de la piratería activa, y por tanto no era de esperar que aquella jauría de resabiados «perros de mar» estuviese dispuesta a aceptar de buen grado la honorabilidad de uno de sus miembros.

De marcharse, tendrían que hacerlo igualmente de noche y a hurtadillas, con el consiguiente peligro de acabar sirviendo de carnada a los tiburones, y ése era un riesgo que el muchacho no se encontraba en absoluto dispuesto a asumir.

Y ¿adónde irían aun en el caso de tener la plena seguridad de que conseguirían escapar?

«Volvamos a casa», era lo único que en un par de ocasiones había dicho al respecto el siempre ausente Miguel Heredia Ximénez, y ese «volver a casa», a reencontrarse con su hermana, era lo único que en verdad deseaba de igual modo su hijo.

¿Qué habría sido de ella?

Calculó que debía de estar a punto de cumplir los quince años, pero por mucho que se esforzaba no conseguía imaginársela como una adolescente en vías de convertirse en mujer, y cuando acudía a su mente lo hacía con aquel mismo aire de niña traviesa con que solía seguirlo, como una sombra, a todas partes.

Sebastián sonreía al recordar que, en cuanto la barca de su padre doblaba el cabo para enfilar la amplia ensenada de Juan Griego, lo primero que distinguían era la menuda figura de la chicuela, que aguardaba sentada al pie del fortín de La Galera, y que de inmediato comenzaba a agitar alegremente los brazos como preludio de que, desde aquel instante y hasta el momento mismo de irse a la cama, se convertiría en la sombra de un hermano mayor al que seguiría a todas partes con la terca insistencia de un perro fiel.

Demasiado a menudo Sebastián se había visto obligado a soportar las burlas de sus amigos, que no entendían cómo era posible que no consiguiera desprenderse ni un segundo de aquella pegajosa mocosa que más que mocosa parecía un moco propiamente dicho, pero era tal el descaro, la gracia y el coraje con que la chicuela se enfrentaba a los malencarados chicarrones que al fin a la agreste pandilla no le quedaba más remedio que aceptar, a regañadientes, su presencia.

Y es que, con apenas cuatro años, Celeste Heredia Matamoros ya demostraba una tremenda fuerza de carácter que sabía enmascarar, no obstante, con una inocente sonrisa y unas respuestas francamente ingeniosas.

¿Cómo sería y en qué se habría convertido viviendo en un palacio y rodeada de gentes tan distintas?

En ocasiones Sebastián recordaba la furia que brillaba en sus rebeldes ojos en el momento de ser arrastrada por la fuerza a la carroza del delegado de la Casa de Contratación de Sevilla, y no podía por menos que preguntarse si el brusco cambio en su forma de vida habría afectado de igual modo su descarada e imprevisible personalidad.

Era en noches como ésa cuando se acostaba decidido a abandonar el barco e ir en su busca.

Luego la inmensidad del mar le devolvía a la amarga realidad de que, pese a considerarse un auténtico «hombre libre», un salvaje pirata sin ningún tipo de ataduras, se había convertido en prisionero de su propio oficio, y las jarcias a las que solía aferrarse a la hora de contemplar el vasto horizonte no eran, en realidad, más que los frágiles barrotes de una prisión de la que le resultaría muy difícil evadirse.

Seguían pasando, monótonos, los días.

Y las semanas.

Y los meses.

Era una larga condena.

Demasiado larga a los ojos de alguien que le exigía mucho más a la vida.

Por fin, una brumosa tarde de la que no se podía asegurar si amenazaba tormenta o estaba a punto de comenzar una de aquellas temibles calmas chichas que solían poner a prueba los nervios más templados, advirtieron la presencia de un navío en el horizonte.

Lo observaron.

Se trataba de un galeón de mediano tamaño excesivamente alto de bordas en relación a su eslora, que avanzaba a buen ritmo derecho hacia ellos, aunque enseguida pareció tomar precauciones variando el rumbo con la aparente intención de cruzar a poco más de dos millas por la banda de barlovento.

–¡Arriba los mástiles! –ordenó el escocés al advertir aquella maniobra–. Y tened a punto las velas altas.

–¡Vamos a atacar? –preguntó sorprendido Lucas Castaño.

Su capitán negó con un leve ademán de la cabeza.

–¡No! Pero con el velamen que carga se esfuerza demasiado para caer por barlovento, cuando lo lógico sería pasar de largo por sotavento. ¡No me fío!

–¿Cree que se trata de una trampa?

–Con bordas tan altas podría esconder muy bien tres hileras de cañones. ¡Ojo pelao...! –exclamó dirigiéndose a los hombres que se agolpaban en cubierta listos para acatar sus órdenes–. A la menor señal de que vira hacia nosotros, arriba todo el trapo, caña a babor y pies para que os quiero.

—¿No podríamos hacerles frente? —quiso saber Sebastián.

El calvorota le observó como si se tratara de un estúpido.

—¿Aquí y ahora? ¡Ni locos! Si se trata de un cebo, carga al menos cincuenta cañones de treinta libras, con los que nos haría pedazos, y no hay peor batalla que la perdida de antemano.

Permanecieron a la expectativa, silenciosos y en tensión, con los ojos clavados en el mascarón de proa de una nave que se diría tripulada por fantasmas, puesto que no se distinguía ni un solo ser humano sobre su puente de mando.

—¡No me gusta! —admitió al fin Lucas Castaño—. No me gusta nada.

—Preparad balsas de humo —musitó apenas el escocés, y la voz fue corriendo de hombre en hombre a lo largo de la cubierta.

Las citadas «balsas» no eran en realidad más que enormes fardos de paja impregnada en aceite y pólvora que al incendiarse generaban una densa humareda que dificultaba la visión de los artilleros, favoreciendo así la huida de los navíos en apuros.

El galeón, en cuya proa pudieron distinguir al poco el desafiante nombre, *Vendaval*, continuaba su rápido avance, abriéndose poco a poco hacia estribor como si buscara alejarse lo más posible del *Jacaré*, pero en el momento en que se encontraba a poco menos de una milla de distancia, el capitán Jack refunfuñó, sorbiéndose sonoramente los mocos:

—¡O comienza a virar justo ahora, o con ese velamen no podrá llevar a cabo la maniobra sin pasar de largo!

Era un magnífico marino, no cabía duda.

El mejor en su oficio, y del que todos a bordo tendrían siempre mucho que aprender, puesto que apenas había concluido la frase, la proa del *Vendaval* giró lentamente a babor.

El escocés lanzó de inmediato un sonoro rugido:

–¡Arriba todo el trapo, caña a estribor, balsas al agua!

Tres minutos más tarde el *Jacaré* le ofrecía ya únicamente la popa al *Vendaval* y pareció dar un salto para lanzarse hacia adelante cortando el agua como el más afilado de los cuchillos de Miguel Heredia, mientras ocho fardos de paja marcaban su estela ardiendo sobre el agua y elevando al cielo densas columnas de un humo negro y apestoso.

Los cañones del galeón dispararon sólo en una ocasión, sin el menor peligro para la integridad del jabeque que se perdía de vista en la distancia mientras sus tripulantes se divertían dedicando al enemigo expresivos cortes de manga con los que mostraban a las claras el ínfimo respeto que producía su evidente potencial de fuego, ya que ellos disponían del navío más veloz del Caribe.

Al caer la tarde no se distinguía rastro alguno del buque agresor, y fue ése el momento que el capitán eligió para hacer repicar la campana hasta que la totalidad de la tripulación se agolpó al pie del alcázar de popa.

–¡Ahora nos toca a nosotros! –dijo.

–¿Vamos a atacar? –inquirieron al unísono varias voces que no conseguían ocultar un tono de auténtico entusiasmo.

–¡Naturalmente! –replicó el escocés al tiempo que se volvía hacia Lucas Castaño–. ¡Bandera negra! –pidió.

Un rumor de aprobación recorrió la cubierta, y a los pocos instantes la mayoría de los hombres sonrió al advertir que la enorme enseña de la calavera y el caimán ascendía flameando hasta lo más alto del bauprés.

–Todos los cañones a la banda de babor –señaló a

continuación el calvorota mientras volvía a sorberse los mocos con absoluta tranquilidad–. Lo hemos ensayado cien veces, pero debéis tener muy en cuenta que no tendremos ocasión de largarles más que una sola andanada. ¡O le acertamos de lleno, o tendremos que volver a correr como conejos!

–¿Velas negras? –quiso saber de inmediato el jefe de los gavieros.

–Más tarde... –respondió su capitán–. Ahora lo que importa es correr, y con éstas marchamos mejor.

Cuatro horas después trinquetes y mesana fueron cambiados sobre la marcha por lonas embreadas, sin que por ello el *Jacaré* disminuyera en exceso su andadura, avanzando en paralelo al rumbo original del *Vendaval* con la evidente intención de sobrepasarlo aprovechando la mayor velocidad de una embarcación concebida desde la quilla a la cofa para correr.

Bajo la protección de las tinieblas que habían acabado por apoderarse del mar de las Antillas, con el casco pintado de azul y ni la mínima luz a bordo, el *Jacaré* era una mancha en la densidad de esas tinieblas, hasta el punto de que ni el más avizor de los serviolas podría haber advertido su presencia a menos de doscientos metros de distancia.

Al mismo tiempo, la práctica totalidad de la batería de estribor giró sobre sí misma para que la cureña de cada uno de sus cañones fuera elevada poco más de un metro sobre cubierta de forma que pudieran disparar por encima de la borda de babor, justo entre los espacios que dejaban libre las jarcias y los palos. De ese modo se conseguía duplicar la potencia de fuego de una banda, aun a costa de dejar la opuesta desguarnecida.

Pero es que el veterano capitán Jack sabía lo que hacía.

Pasada la media noche calculó que ya debían de haberle ganado suficiente espacio al galeón, por lo que ordenó virar casi en ángulo recto con vistas a cortarle el paso y aguardar su llegada.

Sobre las tres de la madrugada observó el cielo, pareció olfatear el aire y al poco pidió que se aflojaran escotas, permitiendo que el navío comenzara a perder velocidad hasta casi inmovilizarse.

Por último hizo arriar el resto del velamen blanco dejando sólo el embreado, con el que bastaba para maniobrar sin dificultad el dócil jabeque.

Quedaron en silencio y al acecho, como correspondía a una nave depredadora siempre dispuesta a caer sobre su víctima cuando más desprevenida se encontrara.

«Como caimán en boca de caño.»

Con los ojos muy abiertos y el oído atento al menor rumor que no fuera el mar o el viento, hasta el minúsculo cocinero filipino y su granujiento «marmitón» permanecían a la espera, confiando en que su experimentado capitán hubiese sabido calcular con exactitud el rumbo que habría de seguir el insensato galeón que había tenido la estúpida ocurrencia de enfrentarse en mar abierto al mítico *Jacaré*.

Sebastián Heredia advirtió sorprendido que muy pocos de sus compañeros parecían nerviosos, sino que, por el contrario, les veía más bien alegres y confiados, como si el hecho de estar a punto de presentar batalla a un «buque-trampa» que les superaba claramente en capacidad artillera, no constituyese más que una simple anécdota que un día tendrían ocasión de contar a sus nietos.

La negra noche en que sólo una minúscula luna con forma de recorte de uña parecía querer hacerle competencia a las estrellas, tampoco tenía la virtud de acobardarles, y pese a que las órdenes estrictas eran guardar silencio, de tanto en tanto algún que otro tripulante susurraba una frase chistosa y hubo incluso quien se permitió el lujo de roncar sonoramente.

Por fin, un insistente rumor se extendió por cubierta. Llegaba el enemigo.

−¡Cazar mesana y trinquetes! ¡Timón dos puntos a estribor!

Sin más trapo al viento que las pesadas velas embreadas, el *Jacaré* comenzó, no obstante, a ganar velocidad iniciando su singladura en dirección a las blancas velas que apenas se distinguían sobre la imprecisa línea del horizonte, por lo que cada hombre ocupó su puesto de combate, y de la bodega se subieron dos docenas de linternas cubiertas con espesas capuchas para que no dejaran entrever la más leve claridad.

−¡Mechas cortas! −había sido la expresa orden del capitán Jack, lo que alertó a los gavieros de que, en cuanto se diese la voz de fuego, el airoso navío se estremecería hasta la cofa, por lo que tendrían que aferrarse desesperadamente a las drizas si no querían correr el riesgo de precipitarse al vacío.

El *Vendaval* progresaba altivo y silencioso, ajeno a cualquier clase de peligro. El jabeque iba a su encuentro buscando sobrepasarlo por sotavento.

Fue cuestión de minutos.

Apenas un cuarto de milla los separaba, y si en ese momento el galeón hubiera variado su rumbo un solo punto a babor habría resultado muy difícil evitar una violenta colisión en la que la frágil nave pirata habría resultado, evidentemente, la más perjudicada.

Pero nadie a bordo del buque enemigo tuvo oportunidad de vislumbrar siquiera el peligro que se le venía encima.

Y es que no se trataba de un barco.

Se trataba de una sombra más entre las sombras.

Corrió la voz de aflojar escotas, con lo que el jabeque disminuyó poco a poco su andadura al tiempo que su cubierta recuperaba la horizontalidad, y fue ése el momento en que Lucas Castaño depositó en la mano de

Sebastián un pedazo de estopa al tiempo que musitaba:

–Tápate los oídos.

El muchacho obedeció con rapidez, puesto que la proa del galeón comenzaba a colocarse ya a su altura, y al cabo de pocos instantes el vozarrón del capitán Jack resonó como un trueno:

–¡¡Fuego!!

Se alzaron las capuchas de las linternas, se prendieron las mechas, y a medida que iban cruzando frente a la banda de babor del *Vendaval*, los cañones fueron dejando escapar su mortífera carga uno tras otro consiguiendo que hasta su última cuaderna y su última tabla se estremecieran.

El acre humo impidió por unos instantes la visión de la nave enemiga, pero al recuperarse pudieron comprobar, a la luz de los incendios que se habían iniciado a bordo, que el pesado galeón iba quedando a sus espaldas mientras su palo de mesana caía al mar con estrépito.

–¡Cazar escotas, arriba todo el trapo y caña a babor!

El *Jacaré* se alejó a toda prisa del campo de batalla, pero su alborozada tripulación comenzó de inmediato a lanzar alaridos de júbilo al advertir cómo las llamas prendían en el amplio velamen del *Vendaval*, que había detenido de inmediato su marcha para mantenerse al pairo mientras su desconcertada dotación corría de un lado a otro intentando reparar desperfectos y sofocar incendios.

–Si en diez minutos no estalla la santabárbara, son nuestros –puntualizó Lucas Castaño.

Comenzaron a girar en amplios círculos manteniéndose siempre a un par de millas de distancia a la espera de que en cualquier momento su presa volara por los aires, pero por la cuenta que le traía el enemigo se dio buena maña a la hora de lanzar chorros de agua sobre el fuego, de tal forma que media hora más tarde las tinieblas se adueñaron nuevamente del mar de los caribes.

–¿Qué hacemos ahora? –quiso saber Sebastián.

–Esperar.

Faltaba ya muy poco para el amanecer, por lo que el muchacho se encaminó al sollado en que su padre había permanecido la mayor parte de la noche tan ajeno a la contienda que se libraba sobre su cabeza como parecía estarlo de todo cuanto ocurría en el mundo.

–Hemos ganado –fue lo primero que dijo Sebastián.

–Alguien habrá perdido –replicó lacónicamente su padre.

–Ellos nos atacaron.

–Nosotros somos los piratas.

–¿Y si nos hubieran hundido?

–Lo sentiría por ti.

Resultaba evidente que para Miguel Heredia Ximénez hundirse con el *Jacaré* no habría significado más que el final de todos sus padecimientos, ya que en verdad le tenía sin cuidado ganar o perder una batalla que sabía de antemano que no le serviría para recuperar a su familia.

Sebastián permaneció en silencio a su lado hasta que su padre recostó de nuevo la cabeza en la almohada, cerró los ojos y comenzó a respirar acompasadamente, momento en que regresó a cubierta para descubrir que una levísima claridad comenzaba a anunciarse por la amura de babor.

El alba dejó al descubierto un mar grisáceo y tranquilo, un cielo encapotado que dejaba escurrir una suave llovizna y, allá a lo lejos, el triste espectáculo de un sucio e inerme galeón que flotaba como un corcho ahumado, incapaz de maniobrar por mucho que lo intentara.

Sus mástiles aparecían achicharrados y ni una sola botavara se mantenía en su lugar, mientras que de lo que en un tiempo fueron airosas velas no quedaban más que sucios girones chorreantes.

El *Jacaré* giró una vez más como ave de rapiña dispuesta a caer sobre una presa moribunda, y al poco el capitán Jack ordenó lanzar un cañonazo de aviso.

Casi al instante ondeó una enorme bandera blanca.

El *Jacaré* botó la mayor de sus chalupas, en la que Lucas Castaño y ocho hombres fuertemente armados se aproximaron al *Vendaval*.

Les permitieron subir a bordo sin oponer resistencia, y hasta que el panameño no hizo señas de que se había descargado hasta el último cañón no se inició la maniobra de arbolearse al enemigo.

Lo primero que sorprendió a Sebastián al poner al fin el pie sobre la destrozada cubierta, fue descubrir que media docena de atemorizadas mujeres y un grupo de niños les observaban desde el castillete de popa.

–¡Dios santo! –exclamó–. Han presentado batalla con mujeres y niños a bordo. ¡No es posible!

Idéntico desconcierto pareció apoderarse del resto de la tripulación del *Jacaré*, que no supo cómo reaccionar hasta que el escocés se decidió a inquirir con tono airado:

–¿Quién es el capitán?

Tres hombres señalaron hacia uno de los cadáveres que se alineaban bajo el castillete de proa.

–El más alto.

Lucas Castaño se aproximó, observó detenidamente al difunto, le hizo girar hasta que quedó mirando al cielo con los ojos muy abiertos, y al cabo de unos instantes se los cerró con sorprendente calma para agitar una y otra vez la cabeza y acabar por erguirse comentando con manifiesta socarronería:

–¡Extraño cadáver, vive Dios! Ha muerto con el pecho destrozado por la metralla, pero milagrosamente su preciosa casaca no ha sufrido el menor rasguño... –observó severamente a los presentes para insistir ahora con tono amenazador–: ¿Quién es el capitán?

Un hombretón desaliñado que vestía una sucia camiseta a rayas y se cubría el ojo izquierdo con un negro parche, se destacó de inmediato dando un paso adelante.

—Yo soy... Capitán Rui Santos Pastrana, marqués de Antigua, al servicio de su Graciosa Majestad.

—Su Majestad no me hace ni pajolera gracia —replicó con manifiesta acritud el escocés—. Y mucha menos gracia me hace que alguien me ataque sin haber izado previamente bandera de combate... —Se aproximó a su interlocutor y alzó el parche que le cubría el ojo, como para cerciorarse de que efectivamente era tuerto—. ¿Conoces el castigo que imponen las leyes del mar a quien actúa con semejante doblez y villanía?

—No existen leyes cuando se trata de combatir a quienes por propia voluntad se han puesto fuera de la ley —replicó el español con evidente desprecio—. Mis órdenes son hundir todo barco pirata o corsario que encuentre en mi camino.

—Pues mal camino llevas, majadero —le hizo notar el otro—. Y si el simple hecho de ser un sucio ladino que oculta sus verdaderas intenciones no bastara para colgarte de una verga, tu insensatez a la hora de poner en peligro la vida de criaturas inocentes, lo amerita... —El escocés hizo un leve gesto con la cabeza a tres de sus hombres—. ¡Ahorcadlo! —masculló.

—¡No...! —Una de las mujeres que asistían lloriqueantes a la escena se precipitó por la escalerilla para correr hasta arrojarse a los pies del capitán Jack, al tiempo que aullaba, fuera de sí—: ¡No por Dios, señor, no lo matéis! —Se volvió y señaló el grupo de niños—. ¿Qué será de mis hijos?

—¿Sus hijos? —repitió el aludido en el colmo de la estupefacción—. ¿Pretendéis hacerme creer, señora, que este cretino se ha atrevido a lanzarse sobre una nave pirata llevando a bordo a su mujer y sus hijos?

–Así es, señor. Esos dos más pequeños son nuestros hijos... ¡Por favor!

Todos se volvieron hacia dos chiquillos que apenas levantarían un metro del suelo y que observaban la escena con empañados ojos dilatados por el espanto.

Por primera vez desde que lo conocía, Sebastián Heredia abrigó el convencimiento de que el flemático capitán Jack se encontraba en verdad desconcertado.

El escocés dudó por un instante, pero al fin se aproximó a los chicuelos, se acuclilló ante el más pequeño y le observó con expresión adusta.

–¿Realmente es tu padre? –inquirió con voz ronca.

El niño asintió.

–¿Y cómo se llama?

–Papá.

El calvorota tardó en reaccionar; continuó inclinado y por fin lanzó un profundo resoplido.

–¡Buen nombre, vive Dios! El mejor que existe. –Tomó al mocoso por la barbilla y, obligándole a alzar el rostro, añadió–: ¿Sabes una cosa, enano? Si hubieses respondido que se llamaba Rui Santos Pastrana, marqués de Antigua, dentro de cinco minutos serías huérfano. Pero «papá» es un nombre demasiado bonito para que quien lo luce cuelgue de una verga... –Se irguió pesadamente, observó uno por uno a todos los presentes y por último se volvió a Lucas Castaño–. Córtale la mano derecha para que jamás vuelvan a encomendarle el mando de un barco. Luego cada uno de los hombres de a bordo recibirá veinte latigazos. Con las mujeres podéis hacer lo que queráis, sin maltratarlas, y trasladad al *Jacaré* todo lo que tenga algún valor, porque en cuanto comience a oscurecer nos vamos.

–¡Que nadie toque a la niña!

Todos se volvieron a observar, perplejos, a Miguel Heredia Ximénez, que se encontraba en pie junto a la borda con un largo y afilado machete en la mano. Su expresión era de absoluta firmeza y sus ojos brillaban al tiempo que señalaba con el dedo a una muchachita de poco más de trece años que aparecía junto al resto de las mujeres.

–¡Diantre! –exclamó el capitán Jack con tono jocoso–. ¡Si hablas y todo! ¡Qué callado te lo tenías! Pero te advierto que ésa no debe ser ya ninguna niña. En realidad es la única mujer que vale algo.

–Debe de tener la edad de mi hija –fue la firme respuesta–. ¡Y al que se atreva a tocarla, lo castro! ¡Queda advertido!

El escocés le observó entrecerrando los ojos burlonamente, reflexionó unos segundos y concluyó por encogerse de hombros.

–¡Está bien! –admitió–. Teniendo en cuenta que es lo primero que me pides, y que no me apetece la idea de mandar sobre una pandilla de castrados, te concederé ese deseo a condición de que no vuelvas a abrir la boca durante los próximos cinco años. –Pareció dar por concluida la discusión, y tomando por la muñeca a la lloriqueante marquesa de Antigua, la arrastró hacia su camareta del *Jacaré* al tiempo que exclamaba–: ¡Qué difícil resulta a veces esto de ser capitán pirata, señora! ¡Qué difícil!

La mujer le siguió enjugándose las lágrimas, aunque dando por bueno cualquier sacrificio con tal de salvar la vida del estúpido padre de sus hijos, mientras que por su parte Miguel Heredia trepaba al castillete de proa y se colocaba junto a la muchacha dejando bien a la vista su machete.

Lucas Castaño le entregó a Sebastián los dos pesados pistolones que lucía a la cintura e hizo un significativo gesto hacia lo alto.

–¡Ve con él! –dijo–. Aquí hay mucho coño e madre capaz de arriesgarse a que lo castren si lo que está en juego es un buen virgo. ¡Yo tengo trabajo!

Fue, desde luego, un trabajo duro y para el que se vio obligado a pedir ayuda, puesto que no resultaba en absoluto sencillo ni agradable cortarle en frío la mano a un hombre y hacerle más tarde una «camisa a cuadros» en la espalda a toda una tripulación.

Sentado junto a su padre, y con las armas amartilladas, Sebastián Heredia Matamoros asistió impasible a la dura y amarga escena de callada violencia, puesto que pese a la ferocidad del castigo ninguna de las víctimas dejó escapar siquiera un lamento, a la par que de igual modo las mujeres se dejaban conducir como borregos a las camaretas de la oficialidad, por las que fueron desfilando uno tras otro la práctica totalidad de los ansiosos tripulantes del *Jacaré*.

Cuando al caer la tarde Lucas Castaño acudió a recuperar sus pistolas, Sebastián se limitó a musitar:

–No es justo.

El panameño le observó sorprendido.

–¡Lo es, muchacho! ¡Lo es! –le contradijo–. Si esos godos de mierda nos hubieran vencido, a estas horas estaríamos sirviendo de pasto a los peces. Cuando iza bandera negra y el enemigo se rinde, el capitán respeta las leyes, y ni castiga ni viola ni mata. –Lanzó un escupitajo con el que pretendía demostrar la magnitud de su desprecio–. Pero si le juegan sucio responde de igual modo, y en eso siempre será el mejor.

Se dejó deslizar por una gruesa maroma hasta caer sobre la cubierta del *Jacaré*, y el margariteño se limitó a alzar el rostro hacia su padre.

–¿Tú qué opinas? –quiso saber.

–Que tiene razón.

Sebastián se volvió por último hacia la pálida muchacha que no había hecho un solo movimiento, como si imaginara que de ese modo nadie repararía en su presencia, pero a cuyos pies se distinguía con nitidez un amplio charco de amarillentos orines que demostraba hasta qué punto le resultaba imposible contener su terror.

—¿Cuántos años tienes? —quiso saber el margariteño.

Se diría que la sencilla pregunta tardaba horas en abrirse camino hasta el cerebro de la atontada criatura, que por último acertó a balbucear:

—Catorce.

—¿De dónde eres?

—De Cuenca.

—Y ¿adónde vas?

—A Puerto Rico.

—¿Por qué?

—Mi padre tiene un mesón en San Juan. Voy a reunirme con él porque mi madre murió.

El muchacho la observó, tan pálida y demacrada que parecía a punto de desmayarse, y le asaltó la curiosa sensación de que tal vez su hermana se le pareciese, aunque muy pronto cayó en la cuenta de que por tiempo que hubiese pasado y muchas vueltas que hubiera dado el mundo, la rebelde Celeste no habría podido cambiar hasta el punto de convertirse en un ser de apariencia tan vulnerable y frágil.

Celeste había demostrado siempre ser muy capaz de enfrentarse a cualquier chicuelo con una piedra en la mano, y por lo que recordaba de ella el margariteño habría podido jurar sin miedo a equivocarse que jamás se hubiera orinado encima bajo ninguna circunstancia.

Celeste tenía carácter.

Un carácter del diablo.

Aquella otra aterrorizada muchacha no era hermosa, y ni siquiera podía considerársele aún una mujer, pero había algo en su aparente desamparo —tal vez sus enormes y asustadizos ojos grises— que al parecer impulsaban a más de uno de aquellos brutales perros de mar a aferrarla por la delgada cintura para arrastrarla hasta la más perdida de las camaretas, puesto que tal como solía asegurar Lucas Castaño, la virginidad era un bien escaso y, por lo tanto, apetecible.

En el momento justo en que el sol comenzaba a rozar la línea del horizonte, el capitán Jack ayudó a una marquesa envuelta en una sucia sábana a saltar a la cubierta del barco de su esposo, para gritar con el ronco vozarrón de las ocasiones especiales:

–¡Quien no esté a bordo en cinco minutos acabará en San Juan de Puerto Rico! –Hizo una breve pausa y añadió–: ¡O en la horca!

En el galeón no había quedado absolutamente nada que pudiese valer un mal maravedí, por lo que cuando al fin ambos navíos se separaron, no era más que una triste caricatura de lo que había sido hasta la noche anterior.

Los hombres del *Vendaval* maldecían por lo bajo mientras se curaban los unos a los otros los latigazos de la espalda, al tiempo que las mujeres intentaban consolarse por haber tenido que soportar en silencio que toda una pandilla de salvajes las utilizaran a su capricho y hasta la saciedad.

Cuando al fin el *Jacaré* se perdió de vista en la distancia, no existía imagen más desoladora en el mundo que la del desarbolado navío que se mecía mansamente bajo un oscuro cielo cada vez más plomizo.

Poco tiempo después el capitán comenzó a «agusanarse».

Sin que nadie pudiera conocer exactamente las causas, se le fueron abriendo una tras otra llagas supurantes, y pese a la infinidad de mejunjes y pomadas que se aplicó, nada pudo evitar que al cabo de un tiempo diminutos gusanos blancos hicieran su aparición entre una carne tumefacta y maloliente, lo que obligaba a pensar en un extraño cadáver que hubiera decidido descomponerse mientras aún se encontraba en condiciones de hablar y maldecir.

–¡Debe de ser cosa de la jodida marquesa…! –insistía una y otra vez rechinando los dientes mientras el solícito portugués Manoel Cintra, que solía hacer las veces de «cirujano» de a bordo, le aplicaba sus dolorosos e inútiles ungüentos–. ¡Estaría podrida la muy puta!

Fuera por culpa de una enfermedad venérea o de cualquier desconocido parásito tropical que hubiera decidido desovar en sus heridas, lo cierto era que el antaño bromista y valiente pirata se fue transformando a ojos vista en un ser airado y temeroso, que se rebelaba abiertamente contra la idea de acabar devorado por tan repugnantes criaturas.

–Siempre acepté la posibilidad de que me mataran

durante un abordaje –decía–. E incluso que me ahorcaran en caso de que consiguieran ponerme la mano encima, ya que al fin y al cabo ése suele ser un final glorioso para quienes se dedican a este duro oficio. Pero pudrirme en vida… ¡Dios! ¡Eso sí que nunca lo hubiera imaginado!

Cuando Sebastián quiso saber la razón por la que consideraba que morir ahorcado podía constituir de alguna forma «un final glorioso», la respuesta del malhumorado capitán fue firme y tajante.

–Porque si no existiera el riesgo de acabar en la horca, cualquier mendrugo se metería a pirata, con lo que estas aguas se encontrarían infestadas de cagones. Quien está dispuesto a matar tiene que estar, ante todo, dispuesto a morir… –Hizo un breve gesto hacia sus heridas–. Pero no de este modo.

Un hombre atormentado que pasaba las noches en vela y los días mordiendo con fuerza su cachimba para no dejar escapar el menor lamento, no se encontraba a todas luces en condiciones de comandar a una tripulación de indeseables y aventureros, por lo que al amanecer de una agónica noche en que el capitán Jack pareció haber llegado a la conclusión de que la situación se le escapaba de las manos, mandó llamar al margariteño a la camareta de popa e indicándole con un gesto que cerrara la puerta a sus espaldas, le espetó sin más preámbulos:

–Te voy a encomendar una difícil misión.

–Lo que usted mande, capitán.

–Según Manoel Cintra, sólo existe un hombre en el mundo que pueda curarme; un médico que vive en Cartagena de Indias. Irás allí y me lo traerás.

–¿Y cómo voy a convencerle?

–Como se convence a todo el mundo: con dinero. –Le tomó la mano y se la apretó con fuerza–. ¡Ofrécele lo que pida, pero tráemelo, porque estos malditos bichos me están matando!

El muchacho observó aquel rostro demacrado y aquel cuerpo enflaquecido y mustio que parecía pertenecer a un hombre que nada tuviera que ver con su antiguo capitán, y por último inquirió:

–Y ¿por qué me ha elegido a mí? ¿Por qué no envía a Lucas Castaño? Por lo que me ha contado, conoce bien Cartagena de Indias.

–Porque le necesito para que mantenga la disciplina a bordo. –Sonrió con una amarga mueca–. Y porque tú eres más listo.

–¡Gracias!

–¡No hay de qué! –Le apuntó directamente con un dedo que parecía un garfio–. Pero ten muy presente que tengo una tercera razón para escogerte.

–¿Y es?

–Tu padre –replicó el escocés con absoluta naturalidad–. Se quedará a bordo, y si me traicionas le haré padecer todos los males del infierno. Te consta que sé cómo hacerlo.

–No tiene por qué recurrir a esa clase de amenazas –fue la entristecida respuesta–. Le debo mucho, y soy un hombre agradecido.

–Los cementerios se alimentan de gentes que confiaron en el agradecimiento ajeno, muchacho –señaló el escocés–. Hay quien opina que la mejor forma de agradecer un favor es una buena puñalada.

–Yo no.

–Así lo espero, pero por si llegan vientos de proa, tu padre se queda donde está... –Le golpeó repetidamente el antebrazo en lo que pretendía ser un intento de mostrarse amistoso–. Y ahora pídele a Lucas que ponga rumbo a Cartagena y te explique cuanto pueda sobre cómo desenvolverte allí.

Seis días más tarde fondearon en el corazón de las islas del Rosario, un bellísimo archipiélago de aguas cristalinas, playas de ensueño e islotes diminutos en los que el Creador debió de inspirarse a la hora de proporcionarle un confortable hogar a Adán y Eva, y tras botar una de las chalupas y llenarla casi hasta las bordas de toda clase de peces, el panameño señaló hacia el oeste.

–A unas cuatro horas de navegación, bordeando la costa, distinguirás una enorme bahía protegida por dos fuertes. Entra sin miedo y pon rumbo al puerto de pescadores, que es el que está a babor de un convento que se distingue en lo alto de todo, en lo que llaman la Popa, ya que se ve desde muy lejos. Vende el pescado pero recuerda que en las tripas del mero están las perlas. Desembarca con él, como si fuera un encargo, y encamínate directamente a una torre que verás al frente. Allí pregunta por la casa del judío Isaías Toledo. Todo el mundo la conoce.

Sebastián Heredia Matamoros obedeció al pie de la letra las indicaciones del segundo de a bordo, aunque al cruzar frente a los amenazantes cañones de los fuertes de San José y San Fernando, que guardaban una amplia ensenada en que habrían cabido cómodamente todas las escuadras del mundo y distinguir la severa presencia de los centinelas que le observaban junto a las baterías de gruesos cañones, no pudo evitar un cierto nerviosismo.

Poco después, al poner proa rumbo a la ciudad que se alzaba hacia el oeste y aproximarse a sus blancos edificios, dejó escapar una exclamación de asombro al distinguir con toda nitidez la maciza silueta de la majestuosa fortaleza de San Felipe, que dominaba por completo la ciudad y constituía, sin duda, la más prodigiosa construcción militar que nadie hubiera sido capaz de diseñar.

El tan temido fortín de La Galera, a cuyos pies había nacido y se había criado, se le antojó apenas algo más que una caseta de perro junto a aquella mole cuyos altos y gruesos muros se sucedían de modo escalonado, tan erizados de cañones que cabía imaginar que si en un momento dado disparasen al mismo tiempo no quedaría un solo metro cuadrado de la enorme bahía en que no cayese un proyectil.

Cartagena de Indias, la hermosísima ciudad que cada año atesoraba las infinitas riquezas que llegaban desde el último rincón del continente, a la espera de ser remitidas a Sevilla a bordo de la Gran Flota, había sido concebida por los ingenieros de cuatro generaciones de reyes españoles como la más gigantesca «caja fuerte» que el ser humano hubiera creado hasta ese momento, tan altiva e inexpugnable, que el solo hecho de navegar por las quietas aguas de su bahía constituía de por sí una experiencia inolvidable.

La parte de la ciudadela que daba a mar abierto se encontraba protegida por muros erizados de cañones que alcanzaban en ocasiones los veinte metros de anchura, pero por si ello no bastara, las pesadas piezas de largo alcance de San Felipe advertían al iluso de que intentar tomar por asalto Cartagena de Indias era tanto como intentar asaltar el infierno.

Miles de prisioneros se habían afanado día y noche durante más de un siglo para conseguir que las piedras encajaran entre sí con matemática precisión, y era cosa sabida que nadie conocía exactamente cuántas recámaras secretas se ocultaban en el laberinto de unos pasadizos que se adentraban hasta las mismísimas entrañas de la tierra, llegando incluso a los lejanos sótanos del convento de los dominicos.

En realidad, la fortaleza de San Felipe constituía una segunda ciudad dentro de la ciudad; un postrer reducto inexpugnable por si se daba el caso de que el resto de las defensas flaqueaba, y era en lo más recóndito de sus mazmorras donde se guardaban durante meses los tesoros hasta que llegaba el momento de embarcarlos.

El puerto bullía de vida y agitación, de modo que nadie pareció reparar en la llegada de una pequeña barca de pesca, y tras malvender su carga regateando lo justo para no despertar sospechas, Sebastián Heredia metió en un viejo saco el pesado mero y se encaminó sin prisas hacia la torre que dominaba la entrada del puente.

Media hora después golpeaba el aldabón de una gruesa puerta que se abría al fondo de una estrecha callejuela a tiro de piedra del palacio del gobernador, y casi al instante le abrió un criado indígena que, tras observarle de arriba abajo, le dio paso a un frondoso patio en el que parloteaban una docena de multicolores guacamayos.

–Maese Isaías no está –fue todo lo que dijo–. Pero le atenderá su hermana.

Al cabo de unos instantes hizo su aparición la mujer de tez más pálida y cabellos más rubios que el margariteño hubiera visto nunca, y aunque no podía decirse de ella que fuera particularmente hermosa, había «algo» en su forma de hablar y comportarse que llamaba la atención de forma irresistible, pues no cabía duda de que se trataba de una criatura singular y «diferente», que poco o nada tenía en común con las mujeres caribeñas.

Observó al recién llegado con una extraña mezcla de interés y desagrado ante lo desaliñado de su aspecto, y tras repetir que maese Isaías se encontraba de viaje, puntualizó que poseía los suficientes conocimientos como para atender cualquier demanda de tipo profesional.

–Hace años que colaboro con mi hermano –dijo–. ¿En qué puedo ayudarle?

Aquélla era una circunstancia que el muchacho no había previsto en absoluto, y que tuvo la virtud de desconcertarle, no tanto por el hecho de que la persona con la que esperaba entrevistarse se encontraba ausente, sino sobre todo porque no tenía la menor idea de cómo plantearle la situación a una mujer.

–Volveré otro día –masculló al fin.

–Puede que mi hermano tarde en regresar –fue la áspera respuesta–. Si se encuentra enfermo más vale que me diga cuanto antes qué le ocurre.

–¡No! No estoy enfermo –se apresuró a replicar el margariteño–. No se trata de mí.

–¿De quién entonces?

Sebastián dudó.

–De un pariente –dijo al fin–. Alguien que necesita que le visiten cuanto antes.

–¿Qué síntomas tiene?

–Gusanos.

–¿Gusanos? –respondió la extraña mujer, un tanto desconcertada–. ¿Qué clase de gusanos? No serán por casualidad *sututus*, ¿verdad?

Ahora fue Sebastián el desconcertado; observó una vez más los inquietantes y casi transparentes ojos, se agitó incómodo y por último se encogió de hombros, admitiendo su ignorancia, y dijo:

–No tengo ni idea de lo que es un *sututu*.

–Son larvas diminutas que algunas moscas de las selvas de tierra adentro depositan sobre la piel de la espalda. ¿Su pariente vive en la selva?

El margariteño negó con un gesto.

–En el mar. Y no son larvas diminutas: son gusanos grandes y gordos que le salen de llagas malolientes que le cubren casi todo el cuerpo... ¡Un asco!

–¡Ya...!

La mujer fue a tomar asiento en un banco de piedra, tendió la mano para que un enorme guacamayo rojo viniera a posarse mansamente en su antebrazo, hizo un leve ademán para que su visitante se acomodara en un banco vecino, y por unos instantes permaneció en silencio, meditando al tiempo que acariciaba la cabeza del pajarraco, como si buscara en su memoria antecedentes de tales síntomas.

–Extraño –musitó al fin casi como si hablase consigo misma–. Muy extraño tratándose de un hombre de mar. –Agitó la cabeza en un gesto que evidenciaba aun más que sus propias palabras la magnitud de su desconcierto–. ¿Qué edad tiene? –quiso saber.

–Cuarenta y cinco años; tal vez cincuenta. No sabría decirle.

–Poco pariente parece si no sabe su edad, pero ése no es mi problema. –Le miró tan fijamente que parecía querer leer en el fondo de su mente–. ¿Nació en Europa o en las Indias?

–En Europa.

–¿Qué parte de Europa?

–En algún lugar del norte... –fue la tímida respuesta de Sebastián, que buscaba no comprometerse–. No sé dónde exactamente.

La mujer tendió el brazo para que el ave se alejara en un corto vuelo hasta una rama próxima, y tras estudiar de nuevo a su interlocutor con aquella mirada, que parecía estar hurgando en lo más recóndito de su cerebro, acabó por mascullar con infinita calma al tiempo que lo tuteaba:

–Empiezo a sospechar que formas parte de alguno de esos barcos piratas que a menudo rondan por estas costas. O tal vez, lo que sería peor, de un corsario, pero te advierto que a mí, tanto una cosa como otra me tienen sin cuidado, porque lo que me preocupa es mi paciente, no su oficio... –Sonrió apenas, y su sonrisa resultaba en verdad muy atractiva–. ¿Pirata o corsario...? –inquirió por último.

–Pirata.

–Lo prefiero. Si quieres que te sea sincera, aborrezco la hipocresía de los corsarios. ¡Bien! –añadió como para sí misma–. Tendré que estudiar a fondo el tema de tu «pariente». ¿Cuándo podría verlo?

El muchacho negó con firmeza.

–El capitán no piensa poner el pie en tierra bajo ninguna circunstancia –señaló–. Entre la horca y los gusanos, prefiere los gusanos.

–Dale tiempo al tiempo –fue la irónica respuesta–. Si las cosas son como parecen, pronto preferirá la horca. –Se puso lentamente en pie, como dando por concluida la entrevista–. Necesito un par de días para consultar los libros y ver qué se puede hacer.

–¿Y quién me garantiza que cuando vuelva no me estarán esperando los soldados?

Su interlocutora le observó despectivamente y se diría que le costaba aceptar que alguien fuera capaz de insinuar que pudiera traicionarle.

–Raquel Toledo –replicó al fin con manifiesta acritud–. Ten en cuenta que lo que me has dicho es como si se lo hubieras dicho a un sacerdote, y aunque no suelen ser gente de mi agrado, admito que saben guardar un secreto. Disfruta de la ciudad sin llamar la atención y regresa dentro de dos días.

Sebastián Heredia extrajo de la cintura un afilado cuchillo, rajó el buche del mero, mostró un puñado de hermosas perlas «de garbanzo» y dejó cinco sobre el banco de piedra.

–Esto es a modo de adelanto –dijo–. El resto, cuando haya curado al capitán.

–Yo no he dicho que vaya a curarlo –fue la seca respuesta–. Sólo que voy a intentarlo. Y ahora vete. –Cuando ya el muchacho se alejaba hacia el enorme portón, le chistó suavemente y añadió–: Y la próxima vez procura venir al oscurecer. No es bueno que vean a un pirata entrar y salir de mi casa a plena luz del día. –Sonrió burlona–. Aunque a decir verdad, tú más pareces seminarista que pirata.

El margariteño abandonó el enorme caserón entre desconcertado y ofendido, puesto que aún no tenía muy claro qué era lo que había ocurrido en el umbroso patio de los escandalosos guacamayos.

Esperaba encontrarse con un viejo judío de larga barba y nariz aguileña, tal vez parecido al ladino Samuel, el prestamista de La Asunción al que en más de una ocasión había tenido que recurrir su padre cuando los «placeres de perlas» no rendían lo esperado, pero he aquí que se había enfrentado a la mujer más inquietante y sorprendente que se hubiera echado a la cara a lo largo de su vida.

Aparte de las sencillas lugareñas de Juan Griego, Sebastián Heredia no había tenido relación en su vida más que con las alegres y descaradas prostitutas de los «cuarteles de invierno», y si pretendía ser sincero consigo mismo, jamás se le había pasado por la mente el hecho de que pudiera existir una mujer que leyera libros, entendiera de medicina y hablara con el aplomo y la seguridad con que Raquel Toledo lo hacía.

No era ya cuestión de un físico que resultaba a la vez atractivo y repelente, ni de la exquisita forma que tenía de pronunciar las palabras más simples con un levísimo acento exótico; era más bien como un aire de no pretendida pero incontestable superioridad, que obligaba a un mísero pescador de perlas margariteño reconvertido en pirata a abrigar de inmediato la impresión de que un insondable abismo separaba su propio mundo del de aquella criatura tan sumamente especial.

Fue a tomar asiento en el repecho de una de las murallas que dominaban la ancha playa salpicada de palmeras, y no pudo por menos que preguntarse si aquella tal Raquel Toledo, hermana de judío converso, judía conversa ella misma, no sería en realidad una de aquellas temibles brujas de las que tantas historias solían contarse a bordo del *Jacaré* durante las largas horas de inactividad.

Si sabía leer, no creía en Jesucristo, podía preparar misteriosas pócimas capaces de combatir a los recalcitrantes gusanos, y tenía al mismo tiempo unos ojos inquietantes y un cabello tan rubio que parecía casi blanco, estaba sin duda mucho más cerca de ser considerada una auténtica bruja de lo que habría podido estarlo cualquier otra criatura de la que el pobre muchacho hubiera oído hablar a lo largo de su corta existencia.

–No me gusta esto –musitó por fin para sus adentros–. No me gusta nada.

Permaneció largo rato rumiando sus pensamientos hasta que el hambre comenzó a acuciarle, por lo que se encaminó sin prisas a la amplia explanada que se abría frente al puerto y en la que docenas de vociferantes mujeres preparaban al aire libre toda clase de guisos condimentados a base de guindilla muy picante, como si el agobiante calor que se había adueñado de una ciudad por la que no corría a aquellas horas ni un soplo de viento, no bastara para obligar a sudar a chorros.

Con dinero en la bolsa y un ansia infinita de ver y sentir cosas nuevas, el margariteño se sumió muy pronto en la vorágine de la ciudad más caliente, viva y palpitante del Caribe, corazón de un Nuevo Mundo que había heredado de la ya decadente Santo Domingo la capitalidad no oficial del continente.

Cartagena de Indias aglutinaba no sólo las riquezas provenientes de cada rincón del imperio, sino a sus muy diversas gentes, y por sus anchas plazas y sus recoletas callejuelas pululaban de igual modo indígenas semidesnudos y emplumados que elegantes damiselas que protegían sus delicadas epidermis bajo enormes sombrillas ricamente bordadas y que hacían girar continuamente a un ritmo acompasado.

Capitanes de fortuna, marinos, escribanos, curas, monjas, mercaderes, esclavos negros, emperifolladas prostitutas, chulos y buscavidas iban y venían en un continuo trasiego desde casi el amanecer hasta poco después del mediodía, hora en que las calles parecían vaciarse como por ensalmo, puesto que bajo el sofocante calor de las primeras horas de la tarde ni el más arriesgado perro callejero parecía tener el coraje suficiente para aventurarse bajo un sol que derretía el cerebro.

Durante casi tres horas la ciudad más viva se convertía en la más muerta, o al menos la más dormida, y bajo los samanes y las copudas ceibas de parques y plazas roncaban a pierna suelta todos cuantos no habían encontrado un lugar más idóneo para disfrutar de una bien merecida siesta.

Luego, cuando ya el sol comenzaba a rozar las copas de las palmeras, de la lejana isla de Barú, que cerraba la hermosa bahía por poniente, Cartagena despertaba de nuevo con la primera brisa de la tarde a una actividad que resultaba aún más frenética que la de la primera hora de la mañana.

Pero era ésta una actividad mucho más placentera, hecha sobre todo de risas y cantos, de largos paseos por la playa y dulces devaneos amorosos al son de tambores, bandurrias y maracas, puesto que resultaba evidente que antes que activa, Cartagena de Indias era una ciudad sensual que invitaba, como ninguna otra, a entregarse abiertamente a los más puros placeres de la carne.

Cada callejuela era un mundo, cada plazuela un universo, y la puerta de cada casa una auténtica invitación a la aventura.

Sebastián se entregó de excelente ánimo y con vivo entusiasmo a aquel loco universo de aventuras galantes, canciones, ron, juego y sana alegría, un tanto sorprendido por el hecho de que existiera una ciudad que parecía pretender ignorar que piratas, corsarios, filibusteros y ejércitos enemigos la tenían en su punto de mira, ya que en cualquier momento la plácida noche corría el peligro de transformarse en noche de violencia y muerte, de sangre y fuego, de crimen y saqueo, puesto que no existía un solo depredador de mares o tierras que no soñara con apoderarse de los infinitos tesoros que se almacenaban en los sótanos de la fortaleza de San Felipe.

Cada atardecer una gruesa y pesada cadena cerraba la entrada de la bahía impidiendo el paso a todo tipo de embarcaciones, y media docena de rápidas chalupas salían a patrullar por mar abierto dispuestas a dar la voz de alarma en cuanto detectasen la presencia de navíos enemigos, pero era cosa sabida que en ocasiones dichos enemigos preferían dar un gran rodeo y atacar desde tierra firme confiando en sorprender así a los desprevenidos cartageneros.

Éstos, no obstante, parecían confiar plenamente en la más que probada inviolabilidad de San Felipe, cuyos gruesos portones se cerraban a cal y canto en cuanto el sol rozaba la línea del horizonte, y a cuyos altos muros nadie podía aproximarse, so pena de muerte, a partir de ese momento.

«En San Felipe, la única orden de alto es abrir fuego», solía decirse, y aunque más de un inocente borracho había caído víctima de las balas de los celosos centinelas, todo el mundo estaba de acuerdo en que aquélla era una sana costumbre que jamás se debía abandonar.

San Felipe les protegía, y cada habitante de la ciudad tenía la obligación de proteger y respetar a San Felipe.

Pero abajo, en las playas, las callejuelas y las plazas, bastaba con tener buena voz, ritmo para bailar o una botella de ron, para pasar a formar parte de alguna de las infinitas «parrandas» que se adueñaban de cada esquina bajo el calor de la noche.

Durante cuarenta y ocho maravillosas horas Sebastián Heredia Matamoros olvidó por completo que no era más que un pirata con la cabeza puesta a precio y un muchacho infeliz al que su propia madre había traicionado de la forma más ignominiosa.

Durante cuarenta y ocho horas disfrutó de la nueva sensación de sentirse un hombre «normal» que no arrastraba un pasado amargo, un presente difícil y un incierto futuro.

Durante cuarenta y ocho horas fue un pescador dispuesto a compartir generosamente sus ganancias invitando a ron a los cantantes y regalando vistosos pañuelos multicolores a las complacientes lugareñas.

No obstante, durante esas mismas cuarenta y ocho horas apenas pudo apartar de su mente la inquietante figura de la extraña mujer de los ojos de hielo y el cabello pajizo.

Rebaños de lánguidos corderos salpicaban de rojo el cielo de la bahía en el momento en que emprendió de nuevo el camino que conducía al portalón que daba paso al patio donde los guacamayos se habían sumido ya en el silencio del frondoso jardín y donde Raquel Toledo le recibió luciendo un largo vestido negro de generoso escote que se le antojó a primera vista impropio de una mujer de su personalidad y su condición social.

–He estudiado tu caso –fue lo primero que dijo la dueña de la casa–. Y he llegado a la conclusión de que me resultará imposible dar un diagnóstico definitivo sin examinar personalmente al enfermo. Encuentra la forma.

–¿Cómo?

–Ése es tu problema, no el mío –respondió ella ásperamente–. Como comprenderás, no estoy dispuesta a subir a bordo de un barco pirata, pero sí a reunirme con tu «capitán» en un lugar en el que ni él ni yo corramos peligro.

–¿Y su hermano?

–Puede tardar semanas en volver. Y te dirá lo mismo –respondió ella. Agitó de improviso una pequeña campanilla que tenía a su lado, y en cuanto una criada negra hizo su aparición en la puerta de la casa, ordenó secamente–: Ya puedes servir la cena.

Aquélla fue sin duda la cena más inolvidable de la vida de Sebastián Heredia Matamoros, cena servida en medio de una docena de adormiladas aves que, no obstante, dejaban escapar de tanto en tanto un sonoro chillido; cena consumida a la luz de las velas bajo frondosos araguayanes, aspirando el denso aroma de las papayas y los mangos, y el inquietante perfume de una mujer que de improviso parecía transpirar sexualidad por cada poro de su cuerpo.

En apariencia fría, altiva y distante, Raquel Toledo se mostró, no obstante, como la más ansiosa y apasionada de las amantes, y acostumbrado a la brusca procacidad de las descaradas prostitutas de la isla, el margariteño no pudo por menos que sorprenderse y maravillarse ante cuanto podía dar de sí una larga noche en brazos de alguien tan increíblemente experto como demostró ser la judía conversa.

Le enseñó en horas lo que ni las más baqueteadas barraganas habrían podido enseñarle en años, puesto que el sofisticado concepto del placer carnal de que hacía gala con absoluta naturalidad Raquel Toledo iba mucho más allá de lo que cabía esperar de cualquier otra mujer de su época.

De sorpresa en sorpresa, el en ocasiones atemorizado muchacho fue pasando casi sin darse cuenta de poseedor a poseído, puesto que su hábil guía se decidió a tomar muy pronto las riendas del sutil proceso, conduciéndole por tan ignorados y reconfortantes vericuetos, que cuando al fin la primera claridad del día hizo su aparición en el horizonte, se derrumbó exhausto y casi incapaz de aceptar que se pudiera llegar a realizar tantas y tan prodigiosas hazañas amatorias en el transcurso de una sola noche.

Cuando a la tarde siguiente embarcó en la frágil chalupa para poner rumbo a las lejanas islas del Rosario, aún tenía la impresión de haber sido utilizado hasta la saciedad por alguien para quien los hombres no parecían ser más que simples objetos de uso cotidiano.

«No sé por qué diablos le preocupa subir a bordo de

un barco de piratas –se dijo–. El auténtico peligro lo correrían los piratas, porque la creo muy capaz de llevarse por delante a toda una tripulación sin despeinarse.»

El *Jacaré* le salió al paso a unas cuatro millas del archipiélago, y en cuanto puso pie en cubierta Sebastián acudió a la camareta del capitán para ponerle en antecedentes de cuanto había ocurrido, aunque sin hacer mención, naturalmente, de los confusos acontecimientos de la noche anterior.

–¿Crees que se puede confiar en ella? –fue lo primero que quiso saber el escocés–. Por lo que tengo entendido la última oferta era de cinco mil doblones por mi cabeza.

–Tengo la impresión de que ella aprecia en más la suya –replicó el margariteño con intención–. Y la considero lo suficientemente inteligente como para comprender que a la menor señal de traición se la volaríamos de un tiro.

–¿Cómo es?

–Rara.

–¿Qué quieres decir con eso de «rara»?

–Que no se parece a ninguna otra mujer que haya conocido… –Sebastián hizo una breve pausa–. Ni a ningún hombre.

–Es judía.

–Conversa. Y no creo que eso influya demasiado. Es por ella misma. –El muchacho lanzó un hondo suspiro y acabó por admitir–. Si quiere que le diga la verdad, aún no sé qué pensar. A su lado me siento minúsculo.

–¿Minúsculo? –repitió el escocés como si no diera crédito a lo que estaba oyendo–. Se supone que había conseguido hacer de ti un hombre, y me sales con ésas. ¿De qué diablos hablas?

–De Raquel Toledo, capitán… –Sebastián bajó mucho la voz, como si temiera que alguien más pudiera oírle, para añadir casi en un susurro–: Me violó.

El calvorota le observó estupefacto.

–¿Que te violó? –repitió en el mismo tono casi inaudible al tiempo que cerraba el puño y hacía un significativo gesto con el brazo–. ¿Pretendes decir que te violó... violó?

–¡No, capitán! ¡No sea bruto! No me refiero a eso –protestó el otro–. ¿Cómo iba a violarme una mujer?

–¿Y yo qué sé? Puede que se trate de un sodomita disfrazado. –Se encogió de hombros admitiendo su ignorancia–. ¡Dicen que se han dado casos!

–¡No se trata de ningún sodomita! –se encorajinó el margariteño–. Es una mujer. La mujer más mujer del mundo.

–¿Entonces...? ¡Explícate!

A regañadientes, y sintiéndose entre avergonzado, culpable y orgulloso, el muchacho hizo un detallado recuento de las casi increíbles aventuras eróticas de la noche anterior, lo que tuvo la virtud de dejar al rudo y sanguinario pirata boquiabierto, permitiendo que al menos durante un largo rato se olvidara del sordo sufrimiento que le producían las llagas y los gusanos.

–¡No puedo creerlo! –repetía una y otra vez–. ¿De veras que hacía eso? ¡Pero bueno...! A ver si yo me entero: de modo que te bañó, te ató a la cama, y luego, con la lengua... ¡Vaina, y yo comido por los gusanos! Si le hace eso a un grumete, ¿qué demonios le haría a un capitán? –Lanzó un profundo resoplido–. Tengo que conocerla –concluyó–. Yo no me puedo morir sin conocer a alguien que practica esas cosas.

–¿Y cómo hacemos?

–¡Déjame pensar!

Al día siguiente el capitán Jack mandó llamar a Sebastián casi de amanecida para impartirle unas órdenes muy concretas que debía seguir al pie de la letra, de tal modo que al poco el margariteño se despidió una vez más de su padre para reembarcar en la chalupa y poner proa rumbo a la bahía de Cartagena.

Ya a la vista de los castillos que protegían la bocaina tuvo que mantenerse al pairo durante más de una hora, ya que soplaba una suave brisa que llegaba de tierra y en ese momento hacían su entrada tres gigantescos galeones que venían escoltados por un rápido buque de línea de más de setenta «bocas de fuego».

Con tan engorrosos navíos de cuadrado velamen no resultaba en absoluto tarea fácil maniobrar para alcanzar lo más profundo de la ensenada con vientos contrarios, por lo que el margariteño se vio en la obligación de admitir que aquellos capitanes y aquellas tripulaciones conocían bien su oficio, puesto que uno tras otro los cuatro buques fueron desfilando para cruzar entre las fortalezas de San Fernando y San José, que saludaban su arribo con una salva de cañonazos.

Penetró tras ellos, preguntándose si sus bodegas se encontrarían repletas de oro de México o plata del Perú, o si por el contrario rebosarían de mercurio llegado de Almadén con destino a las minas de Potosí.

Puso luego rumbo al puerto de pescadores, y al oscurecer le temblaba la mano en el momento de golpear con el pesado aldabón en forma de gárgola la gruesa puerta del caserón de los guacamayos.

Raquel Toledo le recibió vaporosamente vestida de un blanco inmaculado, pero tras la copiosa y placentera cena, servida de nuevo en el jardín, volvió a caer sobre él como la araña sobre su indefensa e hipnotizada presa, para poner en práctica una vez más toda clase de hechizos, hasta el punto que se habría dicho que la profundidad de los conocimientos de aquella etérea mujer en las más complejas formas del arte amatorio carecía de límites.

–¿Dónde has aprendido tanto? –inquirió al fin, el agobiado Sebastián en uno de los cortos períodos de descanso que ella se avino a concederle.

–En los libros –fue la segura respuesta.

–¿En los libros? –repitió incrédulo el pobre mucha-cho–. Jamás imaginé que hubiera libros que hablaran de estas cosas.

–Pues los hay. En todos los países y todos los idio-mas –replicó ella, divertida–. Pero la literatura galante oriental suele ser la mejor y la más educativa –le susu-rró al oído–. Y la única que jamás pasa de moda. Cam-bian los tiempos, cambian las culturas y cambiarán los reyes, pero la forma de conseguir que «esto» responda a mis caricias y pueda hacerme feliz durante horas, nun-ca cambia.

–¿Y tienes muchos de esos libros?

–¡Estanterías repletas…!

Pasaron en ello toda esa noche, el día siguiente y la siguiente noche, y al amanecer del segundo día, Sebastián y Raquel Toledo, que vestía ahora sencillas ropas de campesina, se encaminaron al puerto para embarcar en la chalupa y alcanzar la bocaina en el mo-mento mismo en que se alzaba la cadena para dar paso a las primeras embarcaciones que abandonaban la bahía.

Pusieron de inmediato rumbo al sur navegando sin prisas en dirección a las islas del Rosario empujados por la misma brisa de tierra que soplara dos días antes.

Tres horas más tarde el margariteño se cercioró de que no se divisaba ni una vela en el horizonte, y viró a babor para enfilar directamente hacia la gran isla de Barú y fondear finalmente a una veintena de metros de una diminuta playa rodeada de palmeras y manglares.

Al poco, el capitán Jack hizo su aparición surgien-do de la espesura para agitar la mano alegremente:

–¡No hay peligro! –gritó.

En el momento en que la proa de la embarcación estaba a punto de tocar la arena, Raquel Toledo extrajo de la pesada bolsa que llevaba consigo un enorme pisto-lón, y mientras lo amartillaba señaló con sorprendente frialdad:

–En cuanto ponga el pie en tierra vuelve al mar y recuerda que si alguien se aproxima le vuelo la cabeza a tu querido capitán. ¿Está claro?

Como a Sebastián Heredia ya nada de cuanto hiciera o dijera aquella desconcertante mujer podía sorprenderle, se limitó a hacer un leve gesto de asentimiento para permitir que saltara de la barca y se aproximara, con el arma en una mano y la bolsa en la otra, al punto en que la esperaba el escocés.

En cuanto llegó a su altura, la judía ordenó secamente:

–¡Desnúdese!

–¿Que me desnude? –se escandalizó su interlocutor–. ¿Aquí?

–Los monos no van a asustarse. Ni yo tampoco –fue la brusca respuesta–. Así que no perdamos tiempo.

Resultaba completamente inútil discutir con una mujer que parecía más acostumbrada a dar órdenes que el mismísimo capitán del *Jacaré,* por lo que éste se limitó a dudar por unos segundos, para acabar por obedecer y quedar en mitad de la playa tal como vino al mundo.

Sin dejar de empuñar el arma Raquel Toledo comenzó a girar en torno a él estudiando con suma atención cada una de las llagas.

Por último, extrajo de la enorme bolsa un afilado estilete, abrió una de las llagas y recogió el pus y los gusanos en una pequeña bandeja de metal.

–Ya puede vestirse –dijo mientras iba a tomar asiento a la sombra de una palmera y se dedicaba a examinar muy de cerca el ir y venir de los repugnantes animalejos.

Poco después, el capitán Jack, mohíno y cabizbajo, se acuclilló frente a ella.

–¿Qué opina? –quiso saber.

–Que tiene suerte de estar vivo. Pero si continúa por estos lares, esa suerte le abandonará muy pronto. –Alzó los ojos y le miró de frente–. A mi entender tan sólo hay una posibilidad de curación: un clima frío. Mientras siga aquí, con estos calores, estos insectos y esta humedad, no hay nada que hacer.

—¿Está segura?

—¡En absoluto! La infección está demasiado extendida como para abrigar cualquier tipo de seguridad, pero ése es, sin duda, el mejor consejo que puedo darle. Le he traído una pomada que le aliviará los dolores, pero para acabar con los gusanos tendría que añadirle un veneno que acabaría matándole.

—¿Me está pidiendo que lo abandone todo?

—Yo no le pido nada —replicó Raquel Toledo con aquella firmeza e impasibilidad que la hacía parecer tan distante—. Le doy una opinión basada en años de experiencia. Si continúa en las Indias no sobrevivirá más de un par de meses, téngalo por seguro. El resto es cosa suya.

El capitán Jack permaneció largo rato observando con obsesiva atención la enorme llaga que se extendía por gran parte de su antebrazo izquierdo, y por último se irguió para ir a recostarse contra el tronco de una palmera vecina.

—Ha demostrado ser una mujer muy valiente —musitó al fin—. No sólo por arriesgarse a venir aquí, sino por ser capaz de decir las cosas con tanta sinceridad aun a sabiendas de que se enfrenta a un capitán pirata.

—Reyes, piratas o mendigos, cuando enferman no son más que enfermos, y como a tales los trato a todos, por igual. —Sonrió, y era la suya una sonrisa cálida, afectuosa y en cierto modo tranquilizadora—. No pretendo darle falsas esperanzas —añadió—. Pero creo firmemente que si regresa a Europa tiene grandes posibilidades de llegar a viejo.

—¿Le parece bien Escocia?

—Nunca he estado allí, pero creo que puede ser un lugar muy apropiado.

El capitán Jack desprendió de la cintura una pesada bolsa y la colocó ante ella.

–Éste es el pago a su valor. Las perlas son por la consulta. –Avanzó luego hasta el borde del agua, hizo un gesto para que Sebastián se aproximara, y cuando comprendió que podía oírle sin necesidad de alzar en exceso la voz, señaló–: Devuelve a la señora a su casa y disfruta cuanto puedas por dos noches. ¡Sólo dos noches!

El muchacho sonrió de oreja a oreja.

–Es que más no resisto –replicó.

A los pocos días de que Sebastián regresase a bordo, el capitán Jack lo mandó llamar una vez más a su camareta, y en cuanto se encontraron a solas inquirió directamente y sin preámbulos:

–¿De cuántas perlas dispones?

–No tengo la menor idea –admitió el desconcertado muchacho con absoluta sinceridad.

–Pues yo sí –replicó de inmediato el otro–. Entre la parte del botín que te ha correspondido y lo que me hayas podido «escamotear» en el reparto, calculo que te deben quedar por lo menos quinientas. ¿Estás de acuerdo?

El margariteño trató de hacer memoria, y tras dudar por un instante, asintió con un casi imperceptible ademán de la cabeza.

–Es posible –dijo.

El capitán Jack le observó largamente y se diría que estaba meditando una vez más sobre algo que debía tener ya harto meditado, pero que, pese a ello, le costaba gran esfuerzo aceptar.

–Por ese precio te vendo el barco –musitó al fin.

–¿El *Jacaré*...? –preguntó asombrado Sebastián Heredia.

–El *Jacaré*, con toda su tripulación y la bandera –fue

la firme respuesta–. Te conozco bien y me consta que sabrás mantener su espíritu sin deshonrarla. –Hizo una breve pausa que aprovechó para apretar los dientes conteniendo una exclamación de dolor, y por último sonrió forzadamente–. En los tiempos que corren –susurró apenas– hacerse con un prestigio, aunque se trate de un prestigio de pirata, no es cosa fácil, y por ello te recomiendo que si decides quedarte con el barco, te quedes también con mi nombre y mi bandera. Te evitará problemas.

–Nunca me pasó por la mente la idea de convertirme en pirata para toda la vida –le hizo notar el otro, un tanto desconcertado–. Lo que en verdad me habría gustado es ser maestro.

–Lo que tú seas capaz de enseñar me cabe en el agujero de esta muela –replicó el escocés con irónica crueldad–. Y en este oficio hay un dicho: «Pirata un día, pirata mil.» No es algo que se abandone como unas botas usadas.

–En ese caso, ¿por qué quiere dejarlo?

–Porque me obligan. Cierto es que siempre dije que lo mejor es retirarse antes de que te alarguen en exceso el pescuezo, pero también es cierto que cada año que pasas a la sombra de tu propia bandera vale por diez a la sombra de la del rey… –El calvorota lanzó un hondo suspiro de resignación–. Echaré de menos esta vida –admitió amargamente–. Pero a fe que últimamente ya no es vida, y estoy convencido de que la judía tiene razón y sólo el frío matará a estos asquerosos bicharracos… –Lanzó un sonoro escupitajo, para añadir casi agresivamente–: ¿Qué opinas de mi propuesta?

–Tengo que pensarlo.

–Te doy dos días.

Sebastián agradeció salir al fresco aire de primera hora de la mañana, lejos del hedor de la recámara de un muerto en vida, para ir a acomodarse en el alcázar de popa, muy cerca del punto en que solía sentarse el capitán, tal vez tratando de hacerse una idea de lo que significaría ser dueño de un barco y ordenar una maniobra sin que nadie le contradijera.

Se trataba, sin duda, de una magnífica oferta, puesto que las perlas nunca serían más que bolitas de nácar con las que adornar un cuello femenino, mientras que el *Jacaré* sería siempre el más audaz y altivo navío que había cruzado los océanos.

Se preguntó si sería capaz de gobernarlo.

Al barco, sí.

A sus tripulantes, probablemente no.

Al fin y al cabo, eran piratas.

Viejos piratas de colmillo retorcido que a menudo le triplicaban en años y que probablemente no dudarían a la hora de lanzarle por la borda para pasar a convertirse en propietarios de tan fabuloso navío.

Y sobre todo eran gentes que necesitaban que los mandara alguien capaz de utilizarlos como carnada para los tiburones, por lo que el muchacho dudaba de su capacidad de decisión en caso de verse obligado a dar una orden semejante.

Recorrió con la vista la cubierta observando bajo un nuevo prisma los familiares rostros, como si tratara de averiguar de cuál de ellos cabría esperar una traición, y a la postre llegó a la inquietante conclusión de que casi la mitad de aquella zarrapastrosa pandilla de facinerosos no pestañearía a la hora de clavarlo en un gigantesco anzuelo.

−¿En qué piensas?

Se volvió hacia Lucas Castaño, que al parecer llevaba un largo rato observándole apoyado en la borda, y Sebastián conocía lo suficiente al panameño para captar a simple vista, que tenía pleno conocimiento de los motivos de su preocupación, por lo que se limitó a señalar hacia la camareta del capitán y preguntar:

−¿Te lo ha dicho?

–Yo se lo sugerí.

–Pero deberías ser tú quien tomara el mando si decide marcharse.

–La mayor parte de mi dinero lo invertí en putas y ron –replicó el otro chasqueando la lengua como si se burlara de sí mismo–. El resto lo malgasté.

–No me veo como capitán pirata –le hizo notar el margariteño.

–Ya que eres pirata, más vale capitán que grumete –fue la respuesta no carente de lógica–. Y sin duda eres el más listo de a bordo.

–¿Serías mi segundo?

Ahora fue Lucas Castaño el que indicó con un gesto el camarote de Jacaré Jack al tiempo que replicaba:

–Lo he sido de él durante doce años, y matarle no me habría costado mucho más de lo que me costaría matarte a ti.

–Entiendo.

–Sigue pensando, entonces.

Se alejó hacia proa sin aparentar darle importancia a la charla para dejar a Sebastián rumiando a solas sus infinitas dudas.

Resultaba evidente que le atraía la posibilidad de convertirse en capitán de un prodigioso barco, pero tenía muy presente que tal hecho confería un nuevo rumbo a su vida, ya que siempre había considerado su estancia a bordo del *Jacaré* como una inevitable etapa de su juventud de la que no se sentía en absoluto culpable. Habían sido circunstancias ajenas a su voluntad las que le habían llevado a formar parte de aquella jauría de perros de mar, pero pasar a convertirse de la noche a la mañana en «heredero» del barco, la bandera y la fama del temido capitán Jacaré Jack le marcaría de un modo indeleble, y no quedaría ya un solo lugar, fuera en el mar o en tierra firme, donde no se le reconociera como un seguro candidato a la horca.

Observó a su padre, eternamente apoyado en el tambucho de proa y con la vista tan perdida como todo él –ya que Sebastián jamás conseguía adivinar por qué lejanos mares navegaba su mente– y le dolió no poder recurrir a su consejo en lo que sería tal vez la decisión más importante que se vería obligado a tomar nunca.

Tenía plena conciencia de que si finalmente aceptaba la propuesta del escocés estaría condenado a pasar el resto de su existencia sobre la cubierta de un navío, puesto que aunque el *Jacaré* se convirtiera en su reino, no dejaría de ser un diminuto reino abandonado en la inmensidad de los océanos.

Sus fronteras estarían eternamente determinadas por las bordas y la tierra –¡todas las tierras!– pasarían a convertirse en un lugar hostil y extraño en el que nunca aprendería a sentirse seguro.

Para la mayoría de los marinos, y por mucho que amaran su forma de vida, la tierra significaba el lugar al que volver, e incluso demasiado a menudo el ansiado puerto en que buscar refugio en caso de apuro, pero a un pirata siempre le atemorizaba el convencimiento de que no había lugar en el que fuera bien recibido ni puerto alguno que le abriera los brazos durante el fragor de la tormenta.

Sin saber por qué acudió de pronto a su memoria el indescriptible gozo que inundaba su alma cada vez que la barca de su padre bordeaba el cabo Negro y distinguían en la distancia a la pequeña Celeste y la vieja casa que se alzaba al pie del fortín de La Galera, ya que en aquel tiempo cada día era un día de regreso a su hogar donde esperaban su madre y su hermana, y un día de regreso a la playa en que le aguardaban sus amigos.

Cada día, virar el cabo era como asistir a una especie de fascinante prodigio, mientras que ahora, por muchos cabos que remontara jamás conseguía distinguir en la distancia nada que ni remotamente pudiera compararse al hogar que había perdido ni a la amada playa en que había jugado un millón de veces.

Aceptar convertirse en capitán de un barco donde ondeaba la bandera negra significaba tanto como renunciar a la posibilidad de reencontrar algún día una casa o una playa como las de su infancia, y renunciar definitivamente a toda posibilidad de recuperar su pasado no era algo que pudiera encarar fácilmente un muchacho de la edad de Sebastián Heredia Matamoros, por mucha que fuera la experiencia que pudiera haber acumulado a lo largo de aquellos difíciles años.

Pero había que reconocer que la tentación seguía siendo muy grande.

Sobre todo en el momento de observar cómo la proa del *Jacaré* cortaba mansamente el agua y parecía deslizarse sobre el mar como un gigantesco albatros que supiera con certeza que nada malo cabía esperar de ese mar por más que lo recorriera de un extremo a otro del horizonte.

Poseer un barco capaz de alcanzar el último confín del planeta sin aceptar más limitaciones que las que le impusiera la propia naturaleza ni más leyes que las que él mismo quisiera dictar, constituía, quizá, el sueño dorado de todo ser humano, por lo que Sebastián Heredia Matamoros pasó las cuarenta horas siguientes sopesando obsesivamente los pros y los contras de las muy divergentes singladuras que el destino le presentaba.

Por último llegó a la conclusión de que no podía tomar ninguna decisión sin haberlo consultado previamente con su padre, aun a sabiendas de que probablemente éste optaría por inhibirse de cualquier responsabilidad, tal como lo venía haciendo desde hacía años.

–Es un hermoso barco –musitó quedamente Miguel Heredia Ximénez tras escuchar con desacostumbrado interés las explicaciones de su hijo–. Y todo el que posee algo realmente hermoso vive con el temor de que se lo arrebaten. Si guardas tus perlas en lugares diversos, nadie podrá robártelas todas, pero un barco no puede dividirse. –Agitó la cabeza–. Un barco es como una mujer; alguien puede quitártelo.

–Sabré defenderlo.

–¿Estás dispuesto a matar para conservarlo? –fue la incisiva pregunta.

–No lo sé.

–Pues averígualo antes de tomar una decisión, porque de lo que puedes estar seguro es de que serán muchos los que estén dispuestos a matar para robártelo. –Le miró a los ojos–. ¿Crees que vale la pena?

–Depende del muerto.

–En la conciencia de un hombre honrado pesa más la muerte de un canalla que en la del canalla la muerte de un inocente.

Aquélla sería, tal vez, la enseñanza de su padre que más hondamente y por más tiempo quedaría grabada en la memoria de Sebastián Heredia, puesto que tan simple frase bastaba para establecer de forma inequívoca cuál era su escala de valores y su forma de ver la vida.

Para Miguel Heredia, como para la inmensa mayoría de los limpios de corazón, el bien y el mal pesaban de modo muy diferente y se medían de forma muy distinta según la voluntad de quién los midiera o los pesara, y lo que en verdad parecía preocuparle era que su propio hijo se viera en la obligación de contemplarlos a través de un prisma que nada tenía en común con aquel que había pretendido inculcarle siendo niño.

Le constaba, no obstante, que había perdido ya todo tipo de control sobre los destinos del muchacho, al igual que lo había perdido sobre su propio destino, por lo que se limitó a apoderarse una vez más de su desgastada piedra de afilar, dispuesto a reanudar su paciente trabajo al tiempo que mascullaba a modo de conclusión:

—Pedir consejo a un pobre de espíritu es como pedir limosna a un pordiosero; lo único que sacarás en limpio es humillarle.

Resultaba en verdad extraño que un ser humano se considerase pobre de espíritu, pero los años pasados sobre cubierta obsesionado con la estúpida tarea de afilar cuchillos habían llevado a aquel hombre —que en el fondo nunca había sido estúpido— a la amarga conclusión de que en verdad aquélla era su condición, y resultaba evidente que no tenía empacho alguno en reconocerlo.

Esa noche, poco antes de que medio gajo de luna enrojecida comenzara a rozar la línea del horizonte, Lucas Castaño vino a tomar asiento en proa junto al margariteño para inquirir:

—¿Y bien?

Sebastián le observó fijamente para inquirir a su vez:

—¿En quién puedo confiar?

—En ti mismo.

—¿En nadie más? —se horrorizó el muchacho.

—¿Te parece poco? —fue la irónica respuesta—. ¿De qué te valdría confiar en cien hombres si eres tú el que fallas? —El panameño hizo un significativo gesto hacia el castillete de popa—. Ahí duerme el capitán, atacado de fiebres y comido por los gusanos hasta el punto de que apenas tiene fuerzas para sostener un arma, pero ni uno solo de estos coños e madre tendría cojones para alzarle la voz. —Sonrió como un conejo al concluir—: Aprende a mandar.

—¿Y quién me enseña?

—Eso no lo enseñan ni en Salamanca, hijo. ¡Ni en Salamanca!

Al amanecer, el escocés llamó a Sebastián a su recámara.

—¿Qué has decidido? —quiso saber.

—Me quedo con el barco.

—¿Y la bandera?

–También.

–En ese caso, quédate de igual modo con mi nombre. Me harás un favor y te lo harás a ti mismo.

–¿Por qué? –se sorprendió el margariteño.

–Porque si el capitán Jacaré Jack continúa asaltando barcos en el Caribe, a nadie se le ocurrirá relacionarlo con un rico indiano que regresa a Aberdeen. Y si un mal día te echan el guante, a nadie se le pasará por la cabeza la idea de que semejante «mocoso» barbilampiño pueda ser el mismo Jacaré Jack que lleva más de veinte años surcando los mares.

–¡Muy astuto!

–Este barco navega mejor con viento de través.

–¿Qué quiere decir con eso?

–Que la fuerza del viento empopado ayuda a todos por igual, pero la astucia de saber aprovechar cualquier viento sólo ayuda a los listos. –Le guiñó un ojo–. ¿Dónde tienes las perlas?

–En la isla.

–Pasaremos a recogerlas y me desembarcarás en Inglaterra. A partir de ese momento, el barco es tuyo.

–¿En Inglaterra? –preguntó escandalizado Sebastián–. ¡Pero eso está…!

–Al sur de Escocia –le interrumpió el capitán Jack con humor–. Nada es perfecto. Ni siquiera mi patria… –Tendió la mano, que Sebastián estrechó con fuerza, y concluyó–: Esto es un trato, pero de momento será mejor mantenerlo en secreto. A algunos no vas a gustarle.

–¿Como a quién?

–Eso es algo que tendrás que averiguar por ti mismo, y lo que importa es que no lo averigües demasiado tarde… –Jacaré Jack hizo un leve ademán de despedida–. Y ahora pídele a Lucas que ponga rumbo a la isla y déjame descansar. Tal vez al saber que pronto estaré en casa concilie el sueño.

–¿Aún tiene casa en Aberdeen?

El escocés negó con tristeza.

–Crecí en las calles y a los doce años me embarqué, pero cualquier casa que me compre allí será mi casa, aunque había una, en cuyo portal solía refugiarme por las noches, con la que siempre soñé. –Sonrió con amargura–. Para eso quiero tus perlas.

De regreso a cubierta Sebastián buscó a Lucas Castaño para transmitirle la orden del escocés, y el panameño se limitó a torcer apenas los labios en lo que pretendía ser una sonrisa burlona.

–¿Vamos a buscar tus perlas?

–Es posible.

–Eso quiere decir que pronto tendremos nuevo capitán.

El aludido se encogió de hombros de un modo casi imperceptible.

–Es posible –admitió de nuevo.

–¡Feliz singladura, muchacho! –fue la sincera respuesta del segundo de a bordo mientras le golpeaba con afecto la espalda–. Y toda la suerte del mundo. Vas a necesitarla…

Como si con ello diera por zanjado un tema trascendental en la vida del barco, alzó el rostro para gritarle al timonel de guardia.

–¡Eh, tú, moro de los cojones! ¡Vira al noroeste! –Se volvió luego a dos hombres que jugaban a las cartas en un rincón de la cubierta para ordenar ásperamente–: Y vosotros, ¡atentos a la maniobra!

–¿A qué viene ahora ese cambio de rumbo? –quiso saber uno de ellos, levantándose de mala gana en mitad de la partida.

–A que donde manda capitán no manda hijo de puta… ¿Más preguntas?

No hubo más preguntas, puesto que al fin y al cabo poco importaba qué rumbo siguieran siempre que e mar estuviera en calma, los vientos fueran propicios y no se avistara vela alguna en el horizonte.

La mayor parte de los barcos partían de algún puerto y se dirigían a alguna parte, con lo que la vida de cuantos iban a bordo se regía por unas reglas marcadas por la necesidad de alcanzar pronto o tarde dicho destino, pero el escurridizo *Jacaré* se limitaba a vagar de un lado a otro, listo a caer sobre una desprevenida víctima o a emprender rápida huida si el enemigo resultaba excesivamente poderoso, y eso hacía que el simple hecho de navegar constituyera una monótona forma de vida de la que no cabía esperar grandes sorpresas.

Atrapar una presa solía ser cuestión de horas, pero aguardar a que hiciese su aparición podía demorarse semanas e incluso meses, y ésa era la principal razón por la que los tripulantes del *Jacaré* se habían hecho a la idea de que la estilizada nave era su hogar, y la paciencia su aliada.

Comían, dormían, baldeaban cubiertas, charlaban o jugaban a las cartas conscientes de que en su duro oficio de piratas eran más los tiempos de rutina que los de acción y a tal punto llegaba su abandono que con harta frecuencia aquella desharrapada tripulación más parecía una simple panda de vagabundos que una auténtica cuadrilla de facinerosos capaz de mandar al fondo del mar a toda una escuadra.

Sebastián Heredia comenzó a analizarlos uno por uno tratando de hacerse una idea de a cuántos se vería obligado a desembarcar antes de que a cualquiera de ellos se le pasara por la mente la apetitosa idea de hundirle un cuchillo en la espalda para hacerse con el mando, y le dolió llegar al convencimiento de que si pretendía dormir tranquilo no le quedaría más remedio que prescindir de casi la mitad de sus hombres.

A la vista ya del seguro refugio de las Granadinas, se lo comentó al capitán, quien se limitó a hacer un significativo gesto con ambas manos, con el que pretendía demostrar su indiferencia.

–Desde el momento mismo en que el barco sea tuyo podrás hacer lo que te venga en gana –dijo–. Pero ten presente una cosa: si te libras de algunos, los demás comprenderán que lo has hecho por miedo, y en ese caso nunca podrás esperar de ellos más que traición. –Le propinó una afectuosa palmada en la mano, como a un hijo al que estuviera dándole sus últimos consejos, para continuar con idéntico tono–: Para ser capitán de un barco como éste hay que poner los cojones sobre la mesa desde el primer día, y si no crees estar en condiciones de hacerlo lo mejor es que renuncies mientras aún estás a tiempo.

–¿Y qué hago cuando alguien se me rebele?

–Colgarlo del palo mayor. Está ahí para eso. Lo de sostener las velas es secundario.

Era aquélla una extraña forma de ver la vida, pero a Sebastián Heredia no le quedó más remedio que aceptar que, en efecto, era la única forma de encarar los problemas cuando se pretendía mandar sobre medio centenar de perros de mar de colmillo retorcido. Si daba por sentado que su oficio no era otro que apoderarse por la fuerza de la propiedad ajena, debía aceptar que cualquier otro intentase despojarle de la suya, y la única razón que le asistiría en ese caso sería, de igual modo, la de la fuerza.

Al elegir el difícil camino de convertirse en cabecilla de piratas, su única posibilidad de éxito se centraba en la necesidad de que llegaran a considerarle el mejor de todos ellos, y gracias a tan sencilla reflexión, cuando al amanecer del día siguiente lanzaron las anclas frente a la agreste isla de Mayero, había tomado ya una actitud ante la vida que habría de acompañarle por el resto de sus días: hiciera lo que hiciera, lo haría a conciencia, aunque no le gustase.

Recogió sus perlas de los seguros escondites en que las había ocultado, y las contempló por última vez sin el menor pesar ante la idea de desprenderse de ellas. Eran muy hermosas, desde luego, pero estaba acostumbrado a admirarlas desde que tenía uso de razón, y le constaba que, por muy grandes que fuesen y mucho que el hombre las valorase, no eran más que redondos pedazos de nácar que proliferaban por millares en los bajíos que circundaban Margarita.

Nada que pudiera compararse con un barco de cuarenta metros de eslora y más de treinta cañones.

Esa misma tarde, el capitán Jacaré Jack ordenó a sus hombres que tomaran asiento en la amplia explanada que se abría entre el mar y su cabaña, y apoyándose pesadamente en la baranda del porche los fue observando uno por uno con detenimiento, para concluir por señalar:

–Durante años os he mandado lo mejor que he sabido, y admito que me habéis obedecido lo mejor que habéis podido. –Lanzó un corto eructo–. Han sido buenos años que nos han proporcionado grandes beneficios, pero para mí han terminado sin que hayan sido los cañones enemigos los que me han echado a pique. –Sonrió con una cierta amargura–. Más bien diría que es la carcoma la que me está agujereando el casco bajo la línea de flotación.

Se escuchó un murmullo, los hombres se observaron desconcertados o tal vez temerosos ante la posibilidad de perder sus «puestos de trabajo», pero el escocés alzó los brazos pidiendo calma, para añadir guiñando un ojo con cierta picardía:

–¡Tranquilos! Es cierto que me voy, pero también es cierto que ya tenéis otro capitán. –Hizo un leve gesto hacia Sebastián Heredia, que había permanecido a la expectativa, para puntualizar–. ¡Éste es!

Ahora sí que el desconcierto dio paso al asombro e

incluso a la incredulidad, y tras incontenibles cuchicheos y alguna que otra exclamación de abierta hostilidad, el primer timonel, Zafiro Burman, avanzó unos pasos para encararse directamente al que había sido hasta ese momento su jefe indiscutible.

–¿Él…? ¿Y por qué él?

–Porque es el único que puede pagarme el barco. –Le observó de hito en hito–. ¿Acaso puedes tú?

–¡No! –admitió el otro llevándose la mano al enorme zafiro que le colgaba de una cadena al cuello–. ¡Sabes que no! Pero no es más que un mocoso…

–Bueno… –admitió el escocés como si la cosa no fuera en absoluto con él–. Supongo que eso es algo que está por ver. Lo cierto es que tiene perlas y tú no tienes más que ladillas. –Hizo un significativo ademán para que Sebastián subiera al porche–. ¡Es tu turno! –dijo–. Mi misión ha concluido.

El aludido obedeció y se acomodó a su lado para observar con el mismo detenimiento que el capitán Jack había empleado a unos hombres que no parecían demasiado felices ante la alternativa que se les ofrecía.

Por último dirigió una larga mirada a su padre, que estaba sentado a la sombra de un árbol, aparentemente ajeno a todo, y tras carraspear un par de veces, señaló:

–Cierto es que tengo perlas, y ello me permite comprar un barco que ninguno de los que ahora estáis aquí puede comprar. –Abrió los brazos como si se tratara de algo inevitable–. Pero me consta que a lo que no me dan derecho esas perlas es a que me aceptéis como capitán. –Hizo una breve pausa sin dejar por ello de mirarles con fijeza, para continuar con sorprendente calma–: Para mandar se necesitan muchas cosas –añadió–. Conocimientos, inteligencia, autoridad y, sobre todo, un par de huevos para enfrentarse a quien imagine que reúne más méritos para ocupar la camareta de popa… –Se interrumpió de nuevo, como si estuviera plenamente convencido de que cada vez que lo hacía conseguía fijar mejor la atención de sus interlocutores, y tras cerciorar-se de que era así, golpeó repetidas veces la barandilla con el dedo al puntualizar–: Si alguno de vosotros opina que tiene más derecho que yo a mandar el *Jacaré*, debe de-cirlo ahora para que podamos discutirlo, puesto que aún seguimos siendo iguales. –Utilizó el mismo dedo para apuntarles uno por uno–. Pero si nadie da un paso ade-lante, consideraré que me aceptáis, y a partir de ese ins-tante no habrá igualdad que valga, y al que se desman-de lo ahorco… ¿Ha quedado claro?

Fue Lucas Castaño el que acudió astutamente en su ayuda al replicar con tranquilidad:

–¡Perfectamente claro!

El margariteño le dirigió una sonrisa de agradeci-miento para insistir con idéntico tono:

–¿Hay en ese caso alguien a quien le apetezca dar ese paso?

Los hombres se miraron confiando en que fuera otro el que lo hiciera, y cuando resultó evidente que ninguno de ellos se decidía, todas las miradas se clava-ron en Zafiro Burman, como si consideraran que debía seguir manteniendo la iniciativa.

Sin embargo, y tras observarse largo rato las negras uñas de los pies, que parecían empeñadas en excavar en la arena, el primer timonel concluyó por encogerse de hombros fingiendo una indiferencia que estaba muy lejos de sentir.

–¡El tiempo dirá…! –exclamó al fin.

–¡No, Zafiro, no! –le atajó secamente el muchacho–. El tiempo no tiene nada que decir. Debes ser tú quien lo diga. –Se inclinó hacia adelante, como si de ese modo le pudiese observar con mayor nitidez–. ¡Y debe ser aho-ra! –concretó con un tono de voz que sonaba a amena-za–. ¿Me aceptas o no como capitán?

El otro pareció necesitar unos instantes para tomar

una decisión, pero al fin concluyó por asentir con un desganado ademán de la cabeza.

–De acuerdo –masculló–. Te acepto.

–¿Estás seguro?

–Seguro.

–¿Completamente seguro?

El tono era casi una provocación a la negativa, como si quien hablaba tuviese un especial interés en dar a su contrincante una última oportunidad de retractarse, pero el aludido optó por dar media vuelta y alejarse hacia los árboles al tiempo que replicaba con voz ronca:

–¡Completamente!

Sebastián permitió que se marchara sin dedicarle siquiera una mirada, y volviéndose al resto de la concurrencia, cambió el tono por otro mucho más amigable al comentar:

–A partir de este momento paso a ser el capitán Jacaré Jack, y su bandera pasa a ser mi bandera del mismo modo que su barco pasa a ser mi barco. Nada cambiará a bordo, ni nada en la forma de trabajar. Y ahora, procurad divertiros. Mañana embarcamos.

Pero a la mañana siguiente se encontró con una amarga sorpresa.

Su padre había desaparecido, y sobre su jergón sólo aparecía una breve nota mal escrita, que rezaba: «Ya no me necesitas. Vuelvo a casa.»

A Sebastián se le antojó que se trataba de un mensaje muy propio de su padre: escueto y carente de sentido, puesto que durante aquellos años había sido él quien necesitara de los cuidados de su hijo, sin tener en cuenta, además, que tampoco tenía casa alguna a la que regresar.

Corrió al embarcadero, donde no le sorprendió descubrir que una de las falúas había desaparecido, y aunque su primera intención fue levar anclas y partir tras su padre rumbo al sur, pronto cayó en la cuenta de que en realidad el barco no le pertenecería hasta que hubiera cumplido un último trámite, que no era otro que dejar sano y salvo al escocés en las costas de la lejanísima Inglaterra.

Esa misma tarde abandonaron la isla para poner rumbo al nordeste, en la que sería la singladura más triste en la vida del margariteño, puesto que aunque trataba de consolarse con la idea de que no se encontraba en disposición de hacer otra cosa, se sentía en cierto modo culpable al comprender que estaba permitiendo que un hombre enfermo y acabado se encaminase hacia su lógica e inevitable destrucción.

¿Qué podía hacer un pobre anciano prematuro cuando pusiera el pie en Margarita, si es que conseguía alcanzar sus costas en tan frágil embarcación?

Y ¿cómo reaccionaría al constatar que en la casa a la que creía regresar ya no había nada de cuanto había dejado años atrás?

El doloroso pasado que tantas veces había luchado por olvidar acudía ahora a la mente de Sebastián, obligándole a preguntarse una vez más qué habría sucedido a lo largo de todos aquellos años con su madre y su hermana.

¿Seguirían en la isla?

Lo más probable era que continuaran viviendo en el palacio del delegado de la aborrecida Casa de Contratación, que tiempo atrás había puesto un alto precio a las cabezas de cuantos tripulaban el osado navío que tan a menudo les despojaba de sus valiosas mercancías, y aunque le estremecía pensar en lo que pudiera ocurrir el día en que su padre se enfrentara al hombre que le había arrebatado tan cruelmente a su familia, aún más le estremecía pensar en lo que podría ocurrir cuando se enfrentara a su madre.

Sebastián nunca había conseguido dilucidar quién había sido el auténtico culpable de cuanto había ocurrido; si el hombre que se había valido de su dinero y su poder para seducir a la mujer de otro, o la mujer que se había dejado seducir por ese poder y ese dinero, arrastrando con ella, además, a una inocente criatura que ni siquiera tenía edad para decidir por sí misma su destino.

Evocaba una y otra vez la imagen de su padre afilando obsesivamente cuchillos, espadas y machetes, y no podía olvidar cómo miraba fijamente el vacío, por lo que le atemorizaba imaginar lo que sucedería cuando aquel ser atormentado se enfrentara a quienes habían destrozado de forma tan cruel e ignominiosa su pacífica existencia.

El *Jacaré* era el barco más rápido que surcaba en aquellos momentos los mares, pero aun así el muchacho tenía la extraña sensación de que apenas se movía, y acostumbrado como estaba a un Caribe en el que pronto o tarde se divisaba una costa lejana o aves marinas que anunciaban la proximidad de tierra firme, la inmensidad de aquel océano oscuro y muerto, de altas olas y vientos rugientes, le encogía el alma, no por miedo al mar, sino porque le obligaba a imaginar que no sería capaz de encontrar el camino de regreso y se vería obligado a quedarse para siempre en una Europa de la que no había oído contar más que miserias.

El hambre y las injusticias habían impelido a sus abuelos a buscar en el Nuevo Mundo las oportunidades que el viejo no les daría jamás, y desde que tenía uso de razón el margariteño se había hecho a la idea de que en la orilla opuesta del océano se abrían unas tierras áridas pobladas de astutos pícaros cuya única obsesión era medrar a costa del esfuerzo ajeno.

Por qué deseaba tanto el capitán Jacaré Jack regresar a un país inmisericorde del que había tenido que escapar siendo niño para no morir de hambre, era algo que Sebastián jamás entendería, pero tampoco experimentó la menor curiosidad por averiguar la razón, y cuando al fin una brumosa mañana el vigía anunció que las costas de Inglaterra se encontraban a la vista, ni siquiera se le pasó por la mente avanzar unas cuantas millas con el fin de echarles un vistazo.

–¡Abajo el trapo y mantenerse al pairo! –ordenó ásperamente–. Esta noche desembarcaremos al capitán.

Almorzó a solas con él en la camareta de popa, y resultó evidente que el escocés mantenía una difícil lucha interior entre el lógico deseo de regresar a su Aberdeen natal como hombre rico que no tendría que volver a preocuparse por el futuro, y la honda tristeza que le producía abandonar un barco y una forma de vida que le habían hecho feliz durante años.

–Lo peor de este cambio –dijo– se basa en la evidencia de que por mucho dinero que tenga, nunca podré sentirme tan libre como cuando era un simple pirata. Sé que acabaré volviéndome esclavo de ese dinero, mientras que antaño podía permitirme el lujo de arrojarlo por la borda.

–Pero vivirá sin el continuo temor a que una escuadra enemiga aparezca en el horizonte.

–Cuando lleves mucho tiempo navegando en el *Jacaré* –fue la calmosa respuesta– te encantará ver aparecer una escuadra enemiga en el horizonte. –Sonrió apenas, como si estuviera sonriendo a sus más íntimos recuerdos–. Sentirás miedo, pero te invadirá una indescriptible sensación de placer al comprender que puedes burlar su cerco esquivando sus cañones, porque este jodido jabeque es como la avispa que pica mil veces a un estúpido mulo que sólo sabe dar ciegas coces. –Se echó hacia atrás en su asiento y su expresión mostraba la magnitud de su orgullo al añadir–: Una vez hundí tres galeones frente a San Juan sin que ni siquiera me rasgaran las velas.

El muchacho asintió apenas, y dijo:

–Lucas Castaño me lo ha contado.

–Se comportó como un valiente, y ese día se ganó que le nombrara mi segundo. –Le golpeó con afecto la mano–. ¡Confía en él! –le aconsejó–. Es el único hombre a bordo del que siempre estarás seguro.

–Lo sé.

–En ese caso ya tienes más de lo que yo tenía cuando icé por primera vez mi bandera. Por aquel entonces aún no podía confiar en nadie. Y hablando de banderas –añadió indicando con un leve ademán de la cabeza la enseña que aparecía cuidadosamente doblada sobre una ancha cómoda de caoba–. ¡Ahí la tienes! ¡Cuídala!

–Lo haré. Ahora es la mía.

–En ese caso, nunca dejes que ondee junto a la de un corsario –musitó el escocés casi mordiendo las palabras–. Presumen de patriotismo, pero en realidad no son más que sucios asesinos que disfrutan más viendo incendiarse un barco y ahogarse a sus ocupantes que robándolo, y todo el que actúa así es que está loco. –Chasqueó la lengua en un gesto que evidenciaba la magnitud de su desaprobación–. Los eligen por eso: por locos y asesinos, y para colmo les conceden títulos de nobleza, mientras que a nosotros, honrados piratas que nos esforzamos por no hacer daño a nadie, nos ahorcan. –Negó una y otra vez con la cabeza, como si con ello quisiera mostrar la magnitud de su incredulidad al concluir–: Tristes tiempos estos en que se le concede más valor a las cosas que robas que a la gente que matas. ¡No lo entiendo!

Caía la tarde cuando se aproximaron a tiro de piedra de la costa, y era ya casi noche cerrada cuando se botó una pequeña chalupa.

El escocés se fue despidiendo uno por uno de sus hombres, y al llegar ante Lucas Castaño se fundió con él en un conmovedor abrazo; por último se cuadró ante Sebastián Heredia saludándole casi militarmente.

–¡Suerte, capitán! ¡El mando es suyo!

–¡Suerte!

Descendió por última vez por la corta escala, se apoderó de los remos y comenzó a bogar de cara al navío hasta que las sombras de la noche se cerraron sobre él y no se escuchó más que el rítmico chapoteo del agua.

Al rato, llegó, lejano, como nacido de las tinieblas, un grito emitido por una garganta temblorosa.

–¡¡Adiós...!! ¡¡Y buena caza...!!

–¡¡Adiós, capitán...!! –replicaron sus hombres al unísono.

Cuando ya todo fue silencio y oscuridad, Sebastián Heredia Matamoros, el ahora flamante nuevo capitán Jacaré Jack dio su primera orden, que no admitía discusión posible.

–¡Arriba el trapo! ¡Rumbo sursudoeste...!

Al cruzar frente al golfo de Vizcaya y el cabo de Finisterre se enfrentaron a una mar arbolada con rugientes vientos racheados que rolaban a su capricho, y fue aquélla una experiencia feroz e inolvidable para una tripulación habituada a otro tipo de climatologías, pero lo fue sobre todo para un navío concebido para muy diferentes condiciones de navegación.

A medianoche saltaron las bridas de hierro que aferraban en lo alto el «falso» palo de mesana al auténtico, y un gaviero se precipitó por la borda y desapareció en el acto en el momento en que intentaba cortar los cabos que sujetaban la vela que había caído al agua y se arrastraba formando una enorme bolsa que desestabilizaba la nave amenazando con hacerla zozobrar en cuanto un golpe de mar le llegara por la aleta contraria.

Fueron momentos de angustia en los que Sebastián Heredia tuvo que echar mano de todo su coraje para no perder los nervios, mientras que, por su parte, Lucas Castaño demostró una vez más que se trataba de un avezado marino que sabía cómo enfrentarse a cualquier situación sin perder la calma.

Se vieron obligados a arrojar al agua dos cañones que se habían destrincado de sus enganches y rodaban de un lado a otro amenazando con destrozar las bordas abriendo una vía de agua, y fue tanto el esfuerzo y tantos los golpes y caídas, que cuando al fin alcanzaron las costas de Portugal y amainó el temporal, se encontraban tan magullados que un simple pescador en un bote de remos podría haberlos derrotado en un abordaje.

–Ahora entiendo por qué la llaman la Costa de la Muerte –masculló Zafiro Burman observando las altas olas que quedaban atrás como si se tratara en verdad de un fantasma que pudiera perseguirles–. Eso no es un mar. ¡Es una hijoputada!

–Recuerdo un huracán cuando era niño –dijo el «recién estrenado» capitán Jacaré Jack–, y lo recuerdo como algo espantoso pese a que nos refugiamos en los sótanos del fortín de La Galera. Pero jamás se me ocurrió que pudiera lucharse contra algo parecido en mar abierto.

Tres días más tarde, cuando bordeaban ya mansamente las costas africanas, tomaron plena conciencia de que la nave estaba «tocada», y que se le iban abriendo bajo la línea de flotación pequeñas vías de agua que el carpintero intentaba reparar sobre la marcha con muy escaso éxito.

–Hay que sacar el barco a tierra y calafatearlo –sentenció al fin maese Bertrán, que parecía conocer cada cuaderna del *Jacaré* como si las hubiera tallado a mano personalmente–. En este estado no aguantará una travesía del océano.

–¿Cuánto tiempo necesitarás? –quiso saber el margariteño.

–Por lo menos una semana.

Su nuevo capitán indicó con un gesto la costa baja y arenosa que se avistaba en la distancia por la banda de babor.

–No parece que ahí exista un lugar apropiado –sentenció–. Y es tierra de moros que nos cortarían el gaznate al menor descuido.

—En cuatro o cinco días avistaremos las Canarias –intervino Lucas Castaño–. Seguro que en alguna de sus islas encontraremos una playa solitaria en que trabajar.

–Tampoco me fío mucho de los canarios –sentenció Sebastián Heredia–. Probablemente deben de saber que la Casa ha puesto precio a nuestras cabezas, y el *Jacaré* es un barco inconfundible.

–Habrá que correr el riesgo –puntualizó maese Bertrán, seguro de sí mismo–. O eso, o muy pronto tendremos seis cuartas de agua en las sentinas.

No le faltaba razón, puesto que aunque los hombres se turnaban achicando hora tras hora, no parecía haber forma humana de bajar el nivel del agua, y eran tales los crujidos y lamentos que dejaba escapar el maltrecho navío en su andadura, que en el silencio de las noches invitaba a pensar que estaba a punto de lanzar el último suspiro para dejarse ir al fondo.

Por fin hizo su aparición en la distancia un oscuro promontorio, luego otro, y finalmente los altos acantilados del norte de Lanzarote, separados de las bajas playas de la diminuta isla de la Graciosa por un canal de no más de una milla de ancho, y pese a que el lugar parecía idóneo para sacar un barco a tierra, puesto que no se distinguía presencia humana alguna, el margariteño tenía plena conciencia de que si había soldados en la isla se enfrentaría a insalvables problemas a la hora de repeler un ataque.

Sus hombres eran buenos combatientes en mar abierto y sabían cómo encarar cualquier dificultad siempre que tuvieran la cubierta de un navío bajo sus pies, pero no tenía la menor idea de cómo reaccionarían al saber que no podían confiar en la rapidez y maniobrabilidad del *Jacaré* para sacarles de un apuro.

–Una semana es mucho tiempo… –se repetía una y otra vez observando con gesto de preocupación hacia lo alto de los acantilados–. ¡Mucho tiempo!

Por fin tomó la decisión de saltar a tierra acompañado por los cinco mejores tiradores de a bordo, dejando el mando del barco a Lucas Castaño con órdenes estrictas de levar anclas a la menor señal de peligro.

Al oscurecer botaron la chalupa, bordearon la última punta de barlovento de la isla y, ya de noche cerrada, fueron a atracar en una larga playa salpicada de altas dunas entre las que no tuvieron problemas para ocultar la embarcación.

El amanecer les sorprendió ya tierra adentro, y tumbados cuan largos eran entre unas rocas observaron sorprendidos la hostilidad de un paisaje árido y pedregoso que aparecía literalmente salpicado de altos conos volcánicos que le conferían un aspecto irreal, como de un planeta distante, puesto que el color de la tierra y su casi absoluta carencia de vegetación poco tenía en común con las Antillas, donde la mayoría de ellos había nacido o se había criado.

No se distinguían árboles, riachuelos, ni siquiera una minúscula pradera en que pudiera pastar un simple borrico, y el aire resultaba tan seco que obligaba a carraspear continuamente.

–¡Qué extraño lugar! –masculló a espaldas de Sebastián alguien a quien debía costarle mucho trabajo imaginar una tierra sin selvas–. ¡Acojona!

Al poco les llegó, arrastrado por el viento, el lejano tañido de una campana, y se les antojó un sonido a todas luces incongruente, puesto que no parecía ser aquella tierra apropiada para que la habitaran más que lagartos.

Siguieron adelante con infinitas precauciones, y poco después divisaron, casi en equilibrio sobre el borde de uno de aquellos pelados volcanes dormidos, la amenazante silueta de una oscura fortaleza a cuyos pies se extendía un blanco villorrio dominado por una altiva iglesia de redonda cúpula.

–¡Pues hay gente! –musitó incrédulo el mismo que había hablado anteriormente, quien parecía no dar crédito a sus propias palabras–. ¿De qué carajo viven?

–De milagro, supongo –replicó Sebastián.

Permanecieron el resto del día al acecho, sin distinguir ni aun de lejos la menor presencia humana, y sólo a la caída de la tarde, cuando el sol dejó de castigar las rocas, divisaron a un hombre que avanzaba muy despacio hacia ellos conduciendo del ronzal al más extraño animal que hubieran visto nunca.

–¡Qué caballo tan feo! –exclamó el charlatán de siempre–. ¡Y cómo anda!

–¡Eso no es un caballo, animal! –le reprendió el margariteño–. Debe de ser un camello.

Al oscurecer se aproximaron a las primeras casas, permanecieron más de dos horas atentos a los ruidos y las voces, y por fin llegaron al firme convencimiento de que no habría allí más de media docena de hombres en edad de empuñar un arma.

–¡Volvamos! –ordenó al cabo Jacaré Jack–. No creo que con tan poca gente corramos peligro.

Regresaron al barco, lo vararon en la arena de una tranquila rada y, tras emplazar los cañones en tierra, listos para repeler cualquier ataque que llegara de lo alto de los acantilados, se afanaron en la tarea de reparar y calafatear el navío lo más aprisa y lo mejor posible.

Al tercer día distinguieron a unos cabreros que les observaban desde lo alto del impresionante farallón, aunque su aspecto no se les antojó inquietante, puesto que más bien parecían ser ellos los preocupados por la presencia de un poderoso navío que desplegaba bien a la vista una veintena de cañones.

No obstante, a la mañana siguiente les sorprendió observar una diminuta figura descender lentamente por la peligrosísima pared casi cortada a cuchillo.

Contuvieron el aliento, puesto que daba la sensación de que en cualquier momento aquel inconsciente se precipitaría de improviso al abismo, pero su sorpresa alcanzó el cenit cuando al fin advirtieron que se trataba de una jovencísima y atractiva muchacha quien ponía de aquel modo en peligro su vida.

Sebastián Heredia salió a su encuentro con el fin de echarle en cara su loco atrevimiento, pero la recién llegada no le dio ni siquiera ocasión de abrir la boca al inquirir ansiosamente:

—¿Vais hacia las Indias?

—Sí —admitió el cada vez más desconcertado margariteño—. ¿Por qué?

La chiquilla, puesto que apenas era algo más que una chiquilla aunque ya tuviera formas de mujer, extrajo del bolsillo de su humildísimo vestido un grueso sobre y se lo alargó.

—¿Me haríais el favor de entregarle esta carta a mi novio? —suplicó—. Se lo llevaron hace un año y no he vuelto a saber nada de él. Por aquí no pasan los barcos que regresan de las Indias.

Sebastián Heredia tomó el tosco sobre en el que sólo podía leerse con letra casi infantil: «Pompeyo Medina. Las Indias.»

—Pero ¿en qué parte de las Indias está? —quiso saber.

—No lo sé —replicó la muchachita con tierna candidez—. Pero las Indias no pueden ser muy grandes y estoy segura de que lo encontraréis. Es alto, moreno, con enormes ojos oscuros y un hoyo muy profundo aquí, en la barbilla. —Sonrió de un modo fascinante al inquirir—: ¿Le entregaréis mi carta?

—Haré lo que pueda —le prometió el margariteño.

—¡Gracias!

La recién llegada dio media vuelta y se dispuso a regresar por donde había venido, pero apenas había recorrido un centenar de metros cuando se volvió para gritar alegremente:

–¡Ah! Y decidle que le esperaré siempre. ¡Siempre!

Se alejó ahora definitivamente sin volver ni siquiera una vez el rostro, y Sebastián la siguió con la mirada como si acabara de asistir a una aparición inexplicable.

Cuando al fin regresó al barco sus hombres le rodearon expectantes.

–¿Qué quería esa loca? –inquirió casi con ansiedad Lucas Castaño.

Sebastián le mostró el sobre al responder:

–Probablemente seguir soñando un año más.

Cuando tres días más tarde botaron al fin el *Jacaré* para alejarse rumbo al sur, su nuevo capitán lanzó un hondo suspiro de alivio al comprender que había pasado el peligro, pese a lo cual aún continuaba preguntándose cómo era posible que existiesen tan extraños lugares como aquella isla, y tan inocentes muchachas como la que le había entregado aquella carta.

Un firme viento del nordeste que los empujaba sin esfuerzo aparente viró a las dos semanas hacia el oeste, y como el mar aparecía tranquilo, con largas ondas muy oscuras, y había un cielo límpido y sin nubes, la apacible singladura sólo comenzó a alterarse en el momento en que un vigía alertó que un cuerpo flotaba ante la proa.

Lo observaron mientras cruzaba mansamente por la banda de estribor.

Se trataba del cadáver de un escuálido muchachito que debía de llevar más de dos días en el agua, ya que aparecía casi devorado por los peces, y el incidente no habría merecido especial atención si no hubiese sido por el hecho de que tres horas más tarde divisaron un nuevo cadáver. Y a éste le siguió otro, y otro más, de tal forma que podría asegurarse que se trataba de una auténtica procesión de difuntos flotando boca abajo en un mar cada vez más tranquilo.

Y todos eran negros.

Hombres, mujeres y niños. Todos negros.

A algunos les faltaba un brazo o una pierna arrancados por los tiburones que merodeaban por las proximidades, y la ensangrentada rastra de tripas de un minúsculo hombrecillo flotaba tras él como si se tratara de una compacta familia de medusas.

Incluso a unos rudos perros de mar acostumbrados desde siempre a la violencia y la muerte el espectáculo se les antojó dantesco, puesto que resultaba evidente que eran aquéllas unas muertes sin violencia; inocentes víctimas, sin duda, de un trágico naufragio que a nadie había respetado.

No obstante, muy pronto cayeron en la cuenta de que no se advertía resto alguno de naufragio.

Ni un trozo de madera, ni un barril vacío o un girón de vela desgarrado... ¡Nada!

Sólo muertos.

—¡Negreros! —exclamó de pronto Nick Cararrota.

Sebastián Heredia se volvió al malencarado maltés que tenía fama de ser el mejor espadachín de a bordo, y sobre cuyo tormentoso pasado sólo se sabía que había hecho cuanto de prohibido o ilegal se puede llegar a hacer en este mundo.

—¿Qué quieres decir con eso de «negreros»? —quiso saber.

—Que probablemente nos precede un barco cargado de esclavos que debe haber zarpado de Senegal. —El repelente individuo, cuyo rostro estaba surcado de cicatrices, lanzó un escupitajo en dirección a uno de los cadáveres—. Cuando la mercancía comienza a enfermar se deshacen de ella antes de que estire la pata.

—¿Por qué?

—Porque si llega en mal estado a puerto nadie la compra, y si muere a bordo el seguro no paga. —Mostró sus mellados dientes en lo que parecía la amenaza de un lobo hambriento—. Sin embargo —concluyó—, si el capitán ordena arrojar a los enfermos al mar para que no contagien al resto de la carga, se lo considera echazón legal, y el seguro corre con los gastos.

–¿Seguro? –dijo Lucas Castaño, asombrado–. ¿Nos quieres hacer creer que existe una casa aseguradora que cubre este tipo de riesgos?

–¡Naturalmente! En Londres.

–¿Y tú cómo lo sabes?

El desfigurado maltés se limitó a encogerse de hombros aventurando una sonrisa que pretendía ser divertida al tiempo que respondía con tono irónico:

–Uno, que ha sido cocinero antes que fraile.

–¿Fuiste negrero?

–Sólo una vez –admitió sin pudor alguno el Cararrota–, y te garantizo que aunque se gana dinero a espuertas, es el oficio más miserable que conozco. ¡Y conozco muchos! No volvería a enrolarme en uno de esos jodidos barcos por nada del mundo.

Cayó el viento.

Y cayó la noche.

El mar se convirtió en gigantesco espejo en el que muy pronto comenzó a reflejarse la luna, y habría podido creerse que todos los elementos de la naturaleza se habían confabulado para que los hombres del *Jacaré* no pudieran dejar de contemplar un espectáculo cada vez más dantesco.

Acodado en cubierta, Sebastián dejó pasar gran parte de la noche observando aquel mar petrificado, temiendo ver aparecer una nueva masa fosforescente, puesto que llegaban a ser tantos los pececillos que se arremolinaban en torno a los cadáveres, que agitaban las aguas superficiales hasta el punto de conseguir que brillaran fantasmagóricamente a la luz de la luna.

Se le encogía el alma al comprender hasta qué punto la ambición humana superaba todas las barreras desde el momento en que había alguien capaz de echar vivo al agua a un muchachito enfermo con tal de cobrar las pocas libras que pudiera darle una compañía de seguros a cambio de su vida.

–Son ellos los que no merecen vivir –musitó para sí–. No merecen vivir a ningún precio.

Cerca ya del amanecer se escuchó un lejano lamento. El serviola acudió a despertar a Lucas Castaño, y éste despertó a su vez al margariteño, quien ordenó de inmediato que se encendiesen luces, se echasen las chalupas al agua y se iniciara la búsqueda del posible náufrago.

Muy pronto lo localizaron. Se trataba de un negro gigantesco, pero tan extenuado y aterido que apenas lo subieron a bordo perdió el conocimiento, que no recuperó hasta bien entrada la mañana.

Su relato, balbuceado apenas en una extraña mezcla de inglés, español y portugués salpicada de gran cantidad de palabras nativas de algún perdido país africano, vino a corroborar lo dicho por el maltés, porque lo único que sacaron en claro fue que el capitán del barco había ordenado que lo arrojaran al agua en cuanto se dio cuenta de que padecía un imparable ataque de disentería.

Cuando pretendieron que les dijera cuánta gente se encontraba a bordo ni siquiera se sintió capaz de dar una cifra aproximada.

–¡*Muita*! –fue todo lo que dijo–. ¡*Muita people*!

Sebastián Heredia regresó a su camareta, meditó sobre cuanto había oído, y por último asomó la cabeza al exterior para dar una orden seca y tajante:

–¡Arriba los palos e izad todo el trapo! Vamos a darle caza a esos coño e madre.

No podía ser mucha la ventaja que el buque negrero les llevaba, pero no soplaba ni una brizna de viento, por lo que incluso la andadura de un navío tan ágil como el *Jacaré* resultaba desesperante, y cuando con más claridad lo advertían era al calcular el tiempo que tardaban en dejar atrás un cadáver desde el momento mismo en que lo avistaban en la distancia, hasta que se perdía de vista por la popa.

Al margariteño le vino de improviso a la mente una historia infantil que su madre solía contarle sobre un niño perdido en un bosque que iba dejando caer piedrecitas para encontrar así el camino de regreso.

El buque negrero dejaba tras su estela idéntico reguero, mostrando con total nitidez su ruta, y ésta resultaba tan absolutamente inconfundible que por fin el vigía de cofa gritó alborozado que distinguía un punto en el horizonte, rumbo al oeste.

Cerró sin embargo la noche sin que consiguieran darle alcance, y con la llegada de las tinieblas el perseguido viró bruscamente hacia el sur intentando evadirles, pero en esta ocasión una luna enorme y vengadora acudió prestamente en ayuda de los perseguidores, de forma tal que no les resultó difícil avistar al barco negrero poco antes de que consiguiera escabullirse por la amura de babor.

Ya de madrugada se colocaron a menos de una milla de su banda de estribor, por sotavento, con lo que al poco les llegó un hedor tan espantoso que más de uno de aquellos avezados marinos acostumbrados a soportar impávidos las más terribles tormentas a punto estuvo de vomitar.

—Pero ¿qué ocurre? —quiso saber Zafiro Burman—. ¿Qué peste es ésa?

—El perfume del negrero —replicó con absoluta calma el maltés—. Me persiguió durante meses pese a que tiré la ropa, me corté el pelo al cero y me bañé cien veces. Ya te dije que es el trabajo más miserable del planeta.

Aún no había hecho el sol su aparición sobre la línea del horizonte cuando el capitán Jacaré Jack ordenó izar la bandera del caimán y la calavera para lanzar un cañonazo de aviso ante la negra nave, que era, a juicio de todos los presentes, el armatoste más enorme, feo y poco maniobrable que hubiera surcado nunca los mares.

No se trataba de una goleta, un bergantín, una fragata o una corbeta, sino que parecía una especie de engendro a mitad de camino entre una antigua carabela y una carraca, aunque demasiado ancha de manga y corta de eslora, con tres palos asimétricos tanto por la altura como por la distancia entre ellos, irregular y deforme hasta el punto de que cabría suponer que en su construcción no se había utilizado plano alguno, sino que había ido surgiendo según se le antojaba al más inepto y chapucero de los carpinteros de ribera.

Por qué había decidido alguien botar aquel trasto resultaba de igual modo inexplicable, pero allí estaba, balanceándose pesadamente como si se encontrara en mitad de una tormenta, pese a que el océano semejaba ese día una balsa de aceite.

Su tripulación no hizo el menor gesto de intentar la huida o presentar batalla, por lo que el *Jacaré* se arboleó por estribor para que media docena de sus hombres saltaran a bordo con el mismo ánimo que si hubieran tenido que lanzarse de cabeza a una cloaca, ya que la peste a sudor, excrementos y orines recalentados era como una bofetada que golpeara con la fuerza de un mazazo.

Aquel barco era el infierno.

Visto desde dentro se comprendían, no obstante, los motivos que sus armadores habían tenido para construirlo de aquella absurda manera, puesto que en realidad no era un navío concebido para trasladarse de un lado a otro, sino una especie de gigantesco ataúd flotante diseñado para almacenar en sus cuatro bodegas superpuestas la mayor cantidad posible de esclavos en las peores condiciones imaginables.

Hombres, mujeres y niños aparecían tendidos cuan largos eran sobre gruesas tablas inclinadas lo justo para que sus orines y excrementos resbalaran libremente hasta el suelo, ya que se encontraban sujetos por los tobillos y las muñecas a gruesos grilletes de hierro, de tal forma que no tenían posibilidad humana de hacer el menor movimiento.

Se encontraban apiñados, hombro con hombro, y apenas un metro de altura separaba cada fila de la siguiente, todo ello bajo un calor que superaba los cincuenta grados, y tan faltos de aire que resultaba en verdad milagroso que uno solo de ellos se mantuviera con vida.

La igualmente hedionda tripulación la conformaban un capitán galés y doce individuos de aspecto infrahumano, y cuando les echaron agriamente en cara que trataran de forma tan cruel a aquellas pobres criaturas, el que los comandaba pareció sorprenderse.

—¿Criaturas? —exclamó, estupefacto—. ¿De qué criaturas habla? ¡Sólo son negros!

—¿Es que acaso los negros no son seres humanos?

—¡En absoluto! —replicó el otro con desconcertante seguridad.

—¿Qué son entonces?

—Esclavos.

—¿Esclavos? ¿Sólo eso?

—Eran esclavos, los compramos como esclavos, y los llevamos a Jamaica para venderlos como esclavos. —El galés se encogió de hombros como si aquello lo explicara todo—. ¿Qué otra cosa pueden ser más que esclavos?

—Entiendo… ¿Cuántos hay?

—Salimos de Dakar con setecientos ochenta, pero unos cien han muerto por el camino.

—¿Han muerto o los arrojasteis vivos al agua?

—¿Qué más da? ¡Estaban enfermos! Al tirarlos al mar les ahorramos sufrimientos, porque se andaban cagando patas abajo. —El repugnante tipejo chasqueó la lengua con gesto despectivo—. Un esclavo con disentería no vale una libra y sólo trae problemas.

El flamante capitán Jacaré Jack meditó por un largo rato con la mano sobre la nariz en un vano intento de protegerse del hedor, y por último señaló al resto de la tripulación de aquella pestilente vergüenza flotante que irónicamente había sido bautizada con el absurdo nombre de *Four Roses.*

–¿Ninguno de sus hombres sufre de disentería?

–No, que yo sepa… –se apresuró a replicar su interlocutor, visiblemente amoscado.

–Lástima, porque en ese caso tendría una magnífica disculpa para tirarlos al mar. –Hizo una breve pausa durante la cual se rascó con fruición la cabeza, y por último añadió con idéntico tono–: Aunque pensándolo bien, creo que no necesito disculpa alguna. Les voy a tirar al mar por hijos de puta.

–¡No puede hacerlo! –protestó el capitán–. Nos hemos rendido y las reglas de la piratería especifican…

–Las reglas de los Hermanos de la Costa nada dicen sobre barcos negreros, y por lo tanto actuaré según mi criterio –replicó abruptamente Sebastián Heredia–. ¿A quién pertenecen los esclavos?

El galés dudó por unos instantes, pero finalmente pareció comprender que no estaba en situación de mentir, por lo que contestó de mala gana:

–A la Casa de Contratación de Sevilla.

Ahora sí que el margariteño pareció sorprendido; intercambió una mirada de perplejidad con Lucas Castaño, que se encontraba a su lado, y por último replicó con dureza:

–Eso es mentira. Las leyes prohíben a la Casa comerciar con esclavos.

–Será como dice, pero hace cinco años que trabajo para ella. No oficialmente, desde luego, pero por lo menos tres de sus delegados figuran entre los armadores del barco.

–¿Quiénes?

–Eso no puedo decirlo.

–¡Naturalmente que puede! –se enfureció el margariteño–. Le voy a tirar al mar, pero existen dos formas de saltar: tal como está ahora, o después de recibir cien latigazos. –Le amenazó con el dedo–. ¡Así que déme esos nombres!

El galés dudó de nuevo, observó a sus hombres, pareció llegar a la conclusión de que su suerte estaba echada, y acabó por aventurar un casi imperceptible gesto de indiferencia al mascullar:

–Ginés Alvarado, Hernando Pedrárias y Borja Centeno –musitó quedamente.

–¿Pedrárias Gotarredona, el delegado en Margarita? –Ante el decido gesto de asentimiento, Jacaré Jack insistió–: ¿Está seguro?

–Es a él a quien rindo cuentas una vez al año.

–¿Cómo es?

–De mediana estatura, fuerte, rubio y con los ojos muy claros.

–¿Conoce a su mujer?

–No está casado, pero vive con una fulandanga que debió de ser muy hermosa.

–¿Tiene hijos?

–Una hija. –El galés hizo una breve pausa, y añadió–: Bueno, en realidad es ya casi una mujer. –Torció el gesto despectivamente–. Al parecer no es hija suya sino de la barragana.

–Veo que dice la verdad. –El margariteño alzó el rostro hacia Lucas Castaño para ordenar sin la menor vacilación–: ¡Tíralo al mar!

El aludido no dudó un segundo, aferró al galés por el cuello y sin más contemplaciones lo empujó hasta la borda para lanzarlo al agua sin que ofreciera la menor resistencia.

Sebastián Heredia lo observó alejarse del costado chapoteando en silencio, se volvió luego al resto de la aterrorizada tripulación del *Four Roses* y, tras señalar a los que parecían más capacitados, dijo con tono imperturbable:

–Que esos cuatro nos sigan con el barco. El resto que vayan a hacerle compañía a su capitán. Luego soltad a los esclavos y que suban a cubierta.

–¡No caben! –le hizo notar Nick Cararrota–. Y si los dejas libres se nos echarán encima. Son muchos.

Jacaré Jack reflexionó por unos instantes, pidió luego que trajeran a bordo al negrazo que habían salvado la noche anterior, y le explicó lo mejor que pudo que su intención era desembarcarles en tierra firme.

–Si hacéis lo que os digo, seréis libres y podréis iniciar una nueva vida –concluyó–. Pero si causáis problemas os enviaré al fondo del mar a cañonazos. ¿Está claro?

El otro asintió, bajó a las bodegas y permaneció en ellas largo rato. Al regresar sonreía feliz.

–Si les quitas las cadenas irán subiendo a respirar por turnos –dijo–. No habrá problemas.

–¡De acuerdo, entonces! –El margariteño se volvió hacia los cuatro negreros escogidos que aguardaban con una luz de esperanza en los ojos–. ¡Seguid nuestra estela! Si hacéis las cosas bien podréis salvar el pellejo. En caso contrario, sabéis lo que os espera.

Minutos más tarde, el *Jacaré* se desarbolaba del *Four Roses* para continuar su lenta marcha hacia el oeste seguido a poco más de una milla de distancia por el hediondo barco cuya cubierta aparecía ahora abarrotada de negros cuerpos sudorosos que agitaban alegremente las manos al tiempo que entonaban una extraña canción de agradecimiento.

A su popa iban quedando atrás el capitán galés y ocho de sus hombres, que chapoteaban en un postrer intento por mantenerse a flote, mientras alrededor de ellos comenzaban a girar los tiburones.

A solas de nuevo en su camareta y contemplando a través del ancho ventanal de popa el horrendo navío que seguía su estela a poco más de una milla de distancia, Sebastián Heredia Matamoros dejó pasar largas horas meditando sobre cuanto había ocurrido aquel día, y reflexionando en especial sobre la evidencia de que el hombre que había destrozado su vida y la de infinidad de margariteños era, además de un tirano, un negrero que se enriquecía a costa del sufrimiento de cientos de seres humanos.

«¡Sólo son negros!»

Aquella despectiva respuesta giraba obsesivamente en su cerebro, pero aun así se sentía incapaz de asimilarla, puesto que aunque desde niño tuviera plena conciencia de que la esclavitud era algo normal en las colonias, jamás había sido testigo directo de hasta qué punto tan flagrante injusticia se convertía en un hecho absolutamente deleznable.

Los pocos esclavos con los que había mantenido algún contacto hasta el presente constituían de por sí un escalón social apenas inferior al de la mayoría de los pescadores de Juan Griego, quienes se veían obligados a malvivir bajo las rígidas normas dictadas por la Casa de Contratación de Sevilla, y nunca, que él recordara, había reparado en el hecho de que aquellos infelices habían sido arrancados por la fuerza de su hogar y sus familias para pasar a ser propiedad de quien estuviera dispuesto a pagar por ellos.

«Negro» había sido siempre en Margarita sinónimo de «esclavo», pero sólo al verles hacinados como bestias bajo la cubierta del *Four Roses* Jacaré Jack había tomado plena conciencia de lo que significaba realmente la esclavitud.

Ni siquiera los cerdos soportaban un trato tan cruel camino ya del matadero, y tal vez por primera vez en su vida el jovencísimo capitán cayó en la cuenta de que la sociedad se dividía en algo más que ricos y pobres, sacerdotes y piratas, militares y civiles.

La sociedad parecía estar dividida más bien en opresores y oprimidos, y lo que acababa de contemplar esa misma mañana le invitaba a considerar que la voracidad de los opresores no conocía fronteras, ya que existían hombres como Hernando Pedrárias a los que no les bastaba con un poder casi ilimitado, puesto que parecían capaces de llevar a cabo las más inimaginables iniquidades si con ello conseguían ser, además, un poco más ricos.

Se preguntó, con toda la sinceridad de que fue capaz, si él, cabeza visible de una despreciable pandilla de perros de mar, llegaría a corromperse hasta el punto de traficar con seres humanos, y concluyó que aún le debía de faltar mucho para poder considerarse un auténtico desalmado, puesto que pocas horas antes había enviado a la muerte a ocho hombres sin experimentar el menor escrúpulo, pero la sola idea de vender a uno de aquellos indefensos africanos le revolvía el estómago pese a que, tal como asegurara el Cararrota, muchos de ellos aceptaran la esclavitud como una forma de existencia perfectamente lógica.

—La mayoría de ellos nacen ya esclavos de los caciques de su tribu –había señalado en cierto momento–, y lo único que hacen es cambiar un dueño negro por otro blanco que a menudo resulta más generoso y compasivo. Lo peor es siempre el traslado, puesto que los traficantes se esfuerzan por sacar el mayor rendimiento a cada viaje, y es por ello que convierten los barcos en auténticas perreras.

–¿Acaso te gustaría ser esclavo? –le espetó Lucas Castaño, malhumorado.

–¿Qué otra cosa fui hasta que decidí convertirme en salteador de caminos, negrero o pirata? –replicó el otro con acritud–. Trabajaba de sol a sol por un salario de hambre, y salvo en el color de la piel, en poco me diferenciaba de esos desgraciados. –Dirigió una hosca mirada a cuantos le escuchaban, para concluir con un tono casi retador–: Y aquel de vosotros que no se haya sentido alguna vez explotado de igual modo, que levante la mano.

Nadie la levantó, y evocando los duros tiempos en que la malhadada Casa de Contratación le exigía a su padre sumergirse una y otra vez entre los tiburones para buscar unas perlas que acababa pagándole a precio de nácar, Sebastián Heredia se vio obligado a reconocer que, en efecto, el maltés tenía razón y en poco se diferenciaban sus vidas de antaño de la de cualquier esclavo africano.

No fue de extrañar, por tanto, que cuando una semana más tarde divisaron al fin las costas de tierra firme, el capitán ordenara subir a bordo del *Jacaré* a una representación de los negros que gozaran de mayor ascendencia entre sus compañeros.

–He decidido desembarcaros en el golfo de Paria, para que podáis internaros en las selvas de la desembocadura del Orinoco –dijo–. Os proporcionaré armas, y de ese modo tal vez consigáis sobrevivir. –Los observó uno por uno al añadir–: Pero a los españoles no va a gustarles que un grupo de cimarrones ande libre, ya que si se corre la voz serán muchos los esclavos que se os unan. Tendréis que defender esa libertad a sangre y fuego, pero para ello lo primero que tenéis que hacer es elegir un jefe, porque yo ya no puedo hacer más por vosotros.

–Has hecho demasiado –le hizo notar el negrazo rescatado del mar y al que habían rebautizado con el apropiado nombre de Moisés–. Nos has salvado la vida y te estaremos eternamente agradecidos.

–La mejor manera de agradecérmelo es impedir que vuelvan a esclavizaros –replicó sonriente el margariteño–. Me consta que pertenecéis a distintas tribus e incluso habláis muy diferentes lenguas, pero sólo seréis libres olvidando para siempre vuestras diferencias.

–¿Cuántos enviarán a perseguirnos?

–Lo ignoro –admitió Sebastián Heredia–, pero tened presente que serán simples soldados que odian la selva y el calor, por lo que los pantanos serán siempre vuestros mejores aliados. No plantéis batalla abiertamente, dejad que se desesperen persiguiéndoos a través de la espesura, y tened por seguro que a la larga se hartarán de buscaros. Este continente es muy grande, y si conseguís que os olviden hay sitio para todos.

–Elige tú a nuestro jefe –pidió entonces el más anciano de los esclavos al tiempo que dirigía una significativa mirada hacia Moisés–. Nadie discutirá tu decisión.

El joven capitán se volvió hacia sus compañeros.

–¿Estáis de acuerdo?

Asintieron en silencio.

–¡Bien! –dijo–. En ese caso elijo a Moisés. Demostró mucho coraje al mantenerse a flote rodeado de tiburones, y estoy seguro de que lo demostrará a la hora de conduciros a la victoria. ¡Que Dios os ayude y acompañe!

—¿Qué Dios?

Jacaré Jack observó desconcertado al hombrecillo que había hecho tan curiosa pregunta, y concluyó por encogerse de hombros.

—¡Todos los dioses! —replicó—. Cuantos más, mejor. Vais a necesitarlos.

Al atardecer fondearon en el centro de una tranquila y solitaria bahía rodeada de espesa vegetación, se procedió al sistemático desembarco de los esclavos pese a que muchos optaron por lanzarse de cabeza al mar y nadar alegremente hacia la playa, y tras entregarles todas las armas, municiones y víveres de que podían desprenderse sin ponerse en peligro, el *Jacaré* reanudó la marcha seguido, como siempre, por el lento y pestilente *Four Roses*.

Sin el lastre de su carga humana el buque negrero recordaba ahora el cascarón de una nuez flotando en milagroso equilibrio sobre las aguas, con tan escaso calado que no se le podía cargar trapo por miedo a que se abatiese mostrando la quilla al aire, tan ingobernable como una pluma al viento.

Por fin, y tras cuatro días de inauditos esfuerzos, el destartalado navío apareció anclado un amanecer en el centro de la bahía de Porlamar, y en la única vela que permanecía desplegada podía leerse en gigantescas letras mal trazadas: «Pedrárias, negrero. Éste es tu barco.»

Casi de inmediato la práctica totalidad de los habitantes del lugar se arremolinaron en la playa.

El *Four Roses* permaneció allí durante horas para que cuantos acudían de los villorrios vecinos pudieran verle, sin que los cañones del *Jacaré* —que se mantenía al pairo a prudente distancia—, permitieran que nadie osara arriar la enorme vela, y poco antes del atardecer esos mismos cañones dispararon certeramente consiguiendo que a los pocos instantes el siniestro ataúd flotante comenzara a arder como la yesca.

Sus cuatro únicos ocupantes se habían lanzado al mar y nadado lentamente hacia donde les aguardaba un destacamento de soldados, que se apresuraron a maniatarlos, y cuando al fin la hedionda embarcación desapareció por completo bajo las aguas, el *Jacaré* levó anclas para poner proa al nordeste.

A la noche siguiente una chalupa se aproximó sigilosamente al pie del fortín de La Galera, Sebastián Heredia saltó a tierra escoltado por tres de sus mejores hombres armados hasta los dientes, y ascendió en silencio por las anchas escalinatas de piedra para golpear discretamente a la puerta del capitán Sancho Mendaña.

El militar no pareció sorprenderse al verle.

—Te esperaba —musitó sonriente—. Supuse que pasarías por aquí después de la que tu barco ha organizado en Porlamar.

—Las noticias vuelan.

—En la isla no se habla de otra cosa. «Pedrárias negrero.» De ser cierto, le costaría el puesto.

—Lo es… —sentenció el margariteño, para cambiar de inmediato de tema e inquirir ansiosamente—: ¿Ha visto a mi padre?

El capitán Mendaña asintió.

—Se presentó un buen día en vuestra antigua casa tratando de expulsar a los que ahora la habitan. Conseguí que no le denunciaran y le envié con un amigo a Boca del Río, pero hace ya dos semanas que anda desaparecido.

—¿Supone que ha ido a ver a mi madre?

—Es muy posible.

—¿Tiene idea de si Pedrárias sabe que ha vuelto a la isla?

—Ni la mínima, pero ese hijo de la gran puta tiene ojos y oídos en todas partes. Pronto o tarde lo averiguará.

—Tengo que encontrarlo antes que Pedrárias.

El militar, que había ido a acomodarse en un despe-
luchado butacón para encender con notable parsimonia
su enorme cachimba, aguardó a que el tabaco hubiera
prendido a la perfección antes de señalar:

–Haré cuanto esté en mi mano por ayudarte, pero
no puedo prometer nada. Pedrárias me aborrece y apro-
vechará cualquier disculpa para destituirme. –Chasqueó
la lengua al tiempo que torcía el gesto–. Y corren malos tiempos para quien carezca de un salario.

–Siempre fueron malos.

–No como ahora. La Casa está empleando esclavos
en los «placeres perlíferos», y aunque la mayoría revien-
ta o se ahoga, son tantos que dejan sin trabajo a los
antiguos buceadores. Familias enteras se han visto obli-
gadas a emigrar huyendo del hambre.

–¿Y nadie hace nada?

–¿Qué podrían hacer? Pedrárias es como un virrey
aquí, y a no ser que se demuestre que es cierta esa acusación de negrero, no habrá forma de arrebatarle el
poder.

–El barco que hundí era suyo.

El capitán Mendaña le observó sin ocultar su desconcierto.

–¿Que hundiste? –repitió–. Por lo que cuentan,
quien lo hundió fue el capitán Jacaré Jack. Al menos se
trataba de su barco.

La voz del muchacho sonó extrañamente seria al replicar:

–Le debo demasiado para mentirle, y estoy seguro
de que jamás contará a nadie lo que voy a decir.
–Sebastián hizo una breve pausa para añadir con un
tono muy quedo–: Yo soy ahora el capitán Jacaré Jack,
y el barco es mío.

El militar tardó en lanzar un leve silbido de asombro, observó a su interlocutor de arriba abajo como si
le costara un enorme esfuerzo aceptar que aquel chiqui-

llo al que tan a menudo había propinado dolorosos coscorrones pudiera ser ahora un temido cabecilla pirata, y por último señaló como si se refiriera a algo carente por completo de importancia:

—Eso cambia las cosas, y si vuelvo a verte en la isla te ahorco.

—Lo sé.

—Jamás imaginé que acabaras en esto —dijo al poco Sancho Mendaña, visiblemente pesaroso—. Me gustaba considerarte como a un hijo, y aunque admito que te empujaron a ello, me niego a aceptar que te hayas convertido en algo que desprecio.

—¿Desprecia más a los piratas que los a funcionarios de la Casa o a los negreros?

—No más, pero sí tanto como a ellos. La gente honrada de esta parte del mundo vive angustiada por el temor de que tipos de vuestra calaña desembarquen de pronto en mitad de la noche, violen a sus mujeres, asesinen a sus hijos e incendien sus hogares. Ningún pirata, ni siquiera tú, merece algo más que una soga al cuello.

—Lamento oírle decir eso —replicó el muchacho con tono pesaroso—. Yo le aprecio.

—Y yo a ti. Pero eres tú quien se ha colocado al margen de la ley.

—¿Ley? —se lamentó el margariteño—. ¿Qué ley? ¿La ley que me arrebató cuanto tenía?

—Si tu madre te abandonó fue por su gusto, y no creo que exista ninguna ley que se lo impida —le hizo notar el otro dejando a un lado su cachimba, como si de pronto se sintiera hastiado de ella—. Me consta que no fue justo que encarcelaran a tu padre, y por ello le ayudé a huir, pero de ahí a aceptar que te conviertas en capitán pirata, media un abismo. ¡Piénsatelo! Aún estás a tiempo.

Sebastián Heredia negó con un gesto.

–¡Ya no! Hace tres semanas arrojé al mar un grupo de negreros.

–¿Y a quién le importa? –dijo el militar–. A mi modo de ver, tirar negreros por la borda no es delito. Más bien al contrario. –Tendió la mano y la posó sobre el antebrazo del muchacho para añadir con tono casi suplicante–: Olvídate de ellos, abandona ese maldito barco y búscate una forma de vida más acorde con lo que te enseñaron siendo niño.

–De niño me enseñaron que es suficiente con que aparezca un hombre rico para que todo aquello en lo que crees se destruya –fue la amarga respuesta–. Un solo acto basta a veces para borrar un millón de palabras.

–Si condicionas tu vida a lo que te hicieron en un determinado momento, te estarás convirtiendo en esclavo de tu pasado –sentenció el militar, seguro de sí–. Ya eres un hombre, y no tienes derecho a justificar tus acciones por los errores que pudiera cometer tu madre.

–Eso va en opiniones.

–De poco te servirán las opiniones cuando te veas al pie del patíbulo –le hizo notar Sancho Mendaña–. Lo quieras o no, el comandar a una pandilla de criminales acabará por arrastrarte al crimen, porque está demostrado que nadie puede vivir rodeado de mierda sin cagarse. –Encendió de nuevo su cachimba, como si confiara en que pudiera ayudarle a encontrar los argumentos que tanto necesitaba–. No sé qué puedes haber hecho hasta el presente, pero algo me dice que aún no estás corrompido. ¡Déjalo ahora!

–¿Para hacer qué? –preguntó el margariteño, como si estuviera convencido de que no iba a obtener ninguna respuesta válida–. ¿Qué destino me espera si abandono el barco e intento buscarme un trabajo honrado? Ha dicho que corren tiempos difíciles, pero ya lo eran en exceso cuando mi padre se dejaba la piel contra las rocas allá abajo. –Se encogió de hombros con profundo desprecio–. La Casa aprieta el cuello de la gente impidiéndole respirar durante años, y al fin la asfixia. Yo prefiero que me lo aprieten de una vez por todas.

–¿Y el mal que causes entretanto, o el que causen unos hombres a los que no conseguirás dominar? –El militar bajó la voz para que los acompañantes que Sebastián había dejado fuera no pudieran oírle al mascullar–: Son piratas. ¿Es que no lo entiendes? Ladrones, violadores y asesinos. ¡La escoria del mundo!

–Para mí la escoria del mundo será siempre la que se encierre en un palacio y se escude en unas leyes injustas para expoliar a los débiles –le contradijo el margariteño–. ¡Ésas son las auténticas sabandijas que convierten este mundo en una cloaca, puesto que ni siquiera se juegan la vida! Nosotros vivimos durante meses en el mar, sufrimos calmas o tormentas, y cada vez que abordamos un barco nos arriesgamos a que nos reciban a cañonazos. ¡Pero ellos no! Ellos tienen patente de corso en tierra, y si hay algo peor que un pirata, es un corsario.

El capitán Sancho Mendaña tardó en responder. Fue hasta la ventana, contempló la quieta bahía en que apenas se reflejaba media docena de estrellas, y habría podido creerse que súbitamente había envejecido, o le había invadido un cansancio infinito.

–No tengo ganas de seguir discutiendo –susurró–. Pronto amanecerá y es mejor que para entonces ya estés lejos. –Se volvió y miró fijamente al chiquillo de antaño–. Te doy una semana para que encuentres a tu padre –añadió–. ¡Una semana justa! A partir de ese día me convertiré en tu peor enemigo.

–Nunca le podré considerar mi peor enemigo –replicó con apenas un hilo de voz el muchacho–. Y nunca alzaré la mano en contra suya por mucho que me acose.

–Ése no será ya mi problema. Yo te digo lo que hay. ¡Y ahora, vete! Vete y no vuelvas.

Cuando advirtió que el casi imberbe capitán Jacaré Jack había abandonado la estancia cerrando la puerta a sus espaldas, el atribulado militar no pudo por menos que apoyar la frente contra el cristal de la ventana y dejar escapar un corto y amargo lamento.

Siempre había sido un hombre solitario, y lo más parecido que tuvo nunca a una familia se veía reducido ahora a un pobre estúpido que vagabundeaba por algún perdido rincón de la isla, y un dulce chicuelo que llevaba camino de convertirse en un sucio pirata. Se preguntó de qué le habían servido tantos años de esfuerzo y sacrificio, tantas batallas y tantas viejas heridas, y se preguntó, sobre todo, de qué le había servido mantenerse tan fiel a unos principios que nadie parecía querer respetar.

Por su intachable hoja de servicios y su fidelidad a toda prueba, debería haber sido ascendido ya al grado de coronel al mando de una plaza fuerte de la categoría de Cartagena de Indias, San Juan de Puerto Rico o Panamá, pero los años iban pasando y continuaba allí, olvidado, condenado a contemplar una y mil veces los inigualables atardeceres de la bahía de Juan Griego, consciente de que la noche no le traería más que soledad y silencio, y el nuevo día soledad y un largo atardecer que ya le hastiaba.

La única mujer que amara en esta vida, y a la que siempre había adorado como si de una inaccesible virgen se tratara, había acabado por convertirse en amante del ser más despreciable que nunca conociera, y a menudo tenía que escuchar en la taberna del pueblo que, según todos los indicios, muy pronto su hija Celeste la sustituiría en el lecho del aborrecido don Hernando Pedrárias.

Se murmuraba en la isla que la ya gorda y ajada

Emiliana Matamoros había llegado tiempo atrás a la amarga conclusión de que sus antiguos encantos habían dejado de despertar las locas pasiones del poderoso delegado de la omnipotente Casa de Contratación de Sevilla, y ante el temor de que cualquiera de las provocativas mulatas que pululaban por la isla vendiendo sus prietas carnes consiguiera desalojarla del hermoso palacete que ocupaba desde hacía años en las afueras de La Asunción, parecía decidida a propiciar que las cosas quedaran en la intimidad de la familia, cambiando su papel de férrea amante por el de sumisa alcahueta.

–Cuando se ha conocido el lujo, nadie quiere volver a la miseria –decían las malas lenguas–. Sobre todo si esa miseria ya ni siquiera es digna.

El capitán Sancho Mendaña se preguntó de qué servía la miseria, aunque fuera muy digna, cuando sólo podía alimentarse, como la suya, de tristes recuerdos de digna miseria, y se preguntó igualmente si no tendría razón Sebastián Heredia al afirmar que más valía ser ahorcado una sola vez, que pasarse la vida con un dogal al cuello.

Las ordenanzas reales puntualizaban que si su ascenso al rango de comandante no llegaba antes de dos años se vería obligado a pasar a la reserva, y el capitán Mendaña sabía –porque lo había visto en muchos de sus compañeros de armas– que en esos casos la escasa paga la mayor parte de los meses no se cobraba.

La Corona, que en tantísimas ocasiones les había exigido crueles sacrificios, olvidaba muy pronto los servicios prestados, y eran cientos los antiguos soldados que en los postreros años de su vida se veían obligados a vagabundear por los caminos mendigando un mendrugo.

«¡Dios!»

Pasó revista a su pasado, echó un vistazo a su presente, se esforzó por imaginar cuál podía ser su futuro, y por primera vez desde el día en que Emiliana Mata-moros trepara a la carroza de don Hernando Pedrárias Gotarredona, una gruesa lágrima se deslizó sin prisas por la curtida mejilla del hombre que observaba cómo comenzaba a clarear sobre la hermosa bahía de Juan Griego.

«¡Dios!»

Quizá hubiera sido mucho más lógico abandonar-lo todo y seguir a aquel alocado muchacho en su absur-da aventura de salteador de naves, pero las convicciones morales del capitán Sancho Mendaña habían ido siem-pre mucho más allá de sus propios intereses, por lo que desechó de inmediato una idea que atentaba contra la esencia de los principios que había jurado defender.

La Corona odiaba a los piratas, y por lo tanto su obligación era combatirlos dondequiera que se oculta-ran, aun cuando uno de ellos fuese el único amigo que le quedaba en este mundo.

De regreso al *Jacaré* Sebastián Heredia mandó llamar a Lucas Castaño para comunicarle que a la noche siguiente pensaba desembarcar en Manzanillo continuando desde allí hacia La Asunción para intentar encontrar a su padre.

—Llevarás el barco al archipiélago de los Frailes, donde fondearás hasta la noche del sábado en que me recogerás en el mismo punto.

—No me parece una buena idea —replicó de inmediato el panameño.

—¿Por qué?

—Porque los hombres están inquietos —fue la honrada respuesta—. Entre el viaje a Inglaterra, la estancia en Lanzarote y la historia del *Four Roses* llevamos meses sin repartir ni un mal maravedí, y opinan que lo que hacemos no es piratería sino cabotaje.

—¿Y qué culpa tengo yo de que el único barco que encontramos en nuestro camino fuera negrero?

—Podríamos haber vendido a los negros —sentenció su lugarteniente con sorprendente naturalidad—. Si en lugar de desembarcarlos les hubiéramos llevado a Jamaica, habríamos obtenido una fortuna.

—Yo no trafico con esclavos.

—Para la mayoría de los hombres no se trata de traficar sino de vender una carga. Jamás habíamos traficado con picos y con palas, pero fue un magnífico negocio, y eso es lo único que importa.

–¿También te importa a ti?

–Lo que yo opine no viene al caso –replicó el otro con naturalidad–. Pertenezco a la oficialidad, tengo un buen camarote y me limito a dar órdenes. –Negó con la cabeza–. Pero la mayoría de los hombres duermen colgados de hamacas en un caluroso sollado, hacen guardias o trepan a los palos desollándose las manos, y la única razón por la que soportan esa vida es por la esperanza de conseguir un buen botín. Y si no hay botín, se cabrean.

–Entiendo…

–No basta con que lo entiendas. Tienes que asimilarlo. Ahora eres el capitán y tu principal preocupación debe ser mantener contenta a la tripulación si no quieres arriesgarte a que te tire por la borda.

–Lo tendré en cuenta.

El margariteño se encerró en su camareta, meditó durante más de tres horas, y al fin salió a cubierta y, acomodándose en el puente, ordenó que hicieran sonar la campana para que todos los hombres acudiesen de inmediato.

Cuando los supo reunidos y expectantes, recorrió con la vista cada uno de aquellos rostros, la mayor parte de ellos patibularios, para señalar con un tono estudiadamente sereno:

–Últimamente las cosas no han ido nada bien, e imagino que estaréis molestos, pero esto va a cambiar. –Carraspeó, tal vez para aclararse la voz o tal vez para hacerla aún más profunda, y añadió–: Os recuerdo que estamos a finales de octubre, por lo que lo más probable es que dentro de poco más de un mes haga su aparición la Flota, que viene de Sevilla…

–Espero que no se te haya ocurrido atacarla… –dijo

Zafiro Burman con socarronería–. Nos volarían en pedazos.

–¡No! –replicó secamente–. ¡No soy tan estúpido!

–¿Entonces…?

–Entonces deberíais saber que a estas alturas la Casa de Contratación guarda ya en La Asunción la mayoría de las perlas que se han recolectado durante el año. –Guiñó un ojo con intención–. Calculo que debe de haber más de seis mil si la producción no ha descendido demasiado.

–¡Seis mil! –exclamó alguien, asombrado–. ¡No es posible!

El jovencísimo capitán Jacaré Jack asintió convencido.

–Lo es, aunque no todas serán de buena calidad. Me consta que un barco de la escuadra las recogerá para llevarlas a Cartagena de Indias, donde se unirá a las esmeraldas de Nueva Granada, el oro de México y la plata del Perú, que ya deben haber llegado. –Permitió que sus hombres meditaran por unos instantes sobre todo ello, y al fin continuó–: Mi intención es apoderarme de esas perlas antes de que se las lleven.

–¿Cómo? –quiso saber el primer timonel, que parecía dispuesto a recuperar en parte el protagonismo que perdiera tiempo atrás–. Nadie ha conseguido nunca asaltar La Asunción.

–Quizá se deba a que nadie nacido en Margarita lo intentó –fue la calmosa respuesta–. Ahora, lo único que os pido es que tengáis paciencia durante una semana. El resto es cosa mía.

–¿Seguro que sólo será una semana? –quiso saber Nick Cararrota.

–Seguro.

Regresó a su camareta, pero a los pocos instantes Lucas Castaño golpeó a la puerta, entró y cerró a sus espaldas.

—Te arriesgas demasiado —fue lo primero que dijo—. Admito que has conseguido encandilarlos y ahora dispones de tiempo para buscar a tu padre, pero me gustaría saber qué les dirás a tu regreso.

—Si traigo las perlas no creo que tenga nada que decir.

—¿Y si no las traes?

—Supongo que serviré de carnada a los tiburones.

—¡Supones bien! —admitió el panameño—. ¿Seguro que tienes un plan?

—En absoluto.

El panameño tomó asiento en el borde del amplio ventanal que se abría sobre la popa y observó a su imprevisible capitán como si en realidad se tratara de un ser de otro planeta.

—Aún no he conseguido averiguar si eres el tipo más astuto que he conocido, o el más inconsciente —musitó por fin al tiempo que soltaba un profundo resoplido—. Pero lo que resulta indiscutible es que estás sentado en el sillón de mando y el barco es tuyo. Yo no lo habría conseguido ni en mil años.

—¿Y eso qué significa, a tu modo de ver?

—O que realmente eres el más astuto, o que la inconsciencia puede llegar a ser un negocio muy rentable.

—¡Bien! En ese caso, ordena que pongan proa a Manzanillo. Veremos en qué acaba todo esto.

Pasada la medianoche, Sebastián Heredia desembarcó una vez más en la isla en que había nacido, y acompañado únicamente por Justo Figueroa, un enclenque «maracucho» patizambo que más parecía un buhonero tísico que un temible pirata, emprendió el sinuoso camino que habría de llevarles al pomposamente llamado Camino Real, que unía al norte de la isla con La Asunción.

Nadie pareció prestar la menor atención a su presencia, puesto que su andrajoso aspecto apenas se diferenciaba del de las docenas de hambrientos vagabundos que por aquellos días se desplazaban de un lado a otro de Margarita buscándose la vida, ya que tal como el capitán Sancho Mendaña asegurara, corrían tiempos más que difíciles.

La pérdida del *Four Roses* y en especial de su valioso cargamento humano había tenido la virtud de sacar de sus casillas al ya de por sí poco paciente don Hernando Pedrárias, que se había apresurado a intentar compensar sus pérdidas aumentando hasta límites verdaderamente absurdos la insoportable presión que desde tiempo atrás ejercía sobre los sufridos isleños.

Todo eran quejas.

En voz baja, pero quejas.

Y maldiciones.

Insultos y maldiciones para «el cerdo de Pedrárias» y «la puta de la Matamoros».

Cuando creían estar hablando con seres tan derrotados como ellos mismos, los margariteños no se mordían la lengua a la hora de culpar al «cerdo Pedrárias» de todas las desgracias que les habían llevado a la más negra ruina, y muchos se preguntaban cómo era posible que un solo individuo hubiera conseguido que la que siempre se había considerado la isla más rica del planeta, se hubiera convertido en un emporio de miseria.

La inconcebible voracidad de la Casa de Contratación, cuyo único interés parecía centrarse en enviar a Sevilla cada vez más riquezas para de ese modo alimentar con millonarias comisiones al interminable número de ineptos chupatintas que parecía crecer día a día como la espuma, había encontrado en el ambicioso Hernando Pedrárias el paradigma de todos sus defectos, hasta el punto de que ya no parecía quedar en Margarita nadie que alimentase esperanza alguna con respecto a un futuro mejor.

El sentimiento más extendido, por tanto, entre sus habitantes era el de abandonarlo todo para cruzar definitivamente a tierra firme, pese a que las noticias que llegaban de Cumaná tampoco resultaban en absoluto alentadoras.

–La Casa es como Dios, que habita en todas partes –alegaban los escépticos–. Y cuando no puede quitarte perlas, te chupa la sangre.

A lo largo de la historia el ser humano había conseguido en ocasiones librarse por la fuerza de los más sanguinarios dictadores y los más crueles invasores, pero resulta evidente que nunca, a lo largo de esa misma historia, había logrado sacudirse la silenciosa e implacable tiranía de los ejércitos de burócratas.

No existía héroe alguno que supiera cómo enfrentarse al viscoso entramado organizativo de la Casa de Contratación de Sevilla, puesto que aun en el improbable caso de que su delegado en un determinado lugar desapareciese de improviso, su puesto era de inmediato ocupado por un oscuro sustituto que opacaba aún más ese denso tejido, como si se tratara de una mágica soga que cada vez que perdía uno de sus cabos, en lugar de debilitarse se fortaleciera.

A una barrera le seguía otra, a un inaccesible funcionario, un nuevo funcionario aún más inaccesible, a una corta negativa un largo silencio, y a un interminable silencio, una seca negativa.

Un nudo gordiano oculto en lo más profundo de un diabólico laberinto guardado por una Hidra de mil cabezas habría resultado mucho más sencillo de desbaratar que el complejo sistema instaurado por una inaccesible Casa de Contratación que sólo parecía estar dispuesta a que se le robara desde dentro, ya que era cosa sabida que en los «roles» de los barcos que se enviaban a Sevilla sólo se inscribía una cuarta parte de su auténtica carga en oro y piedras preciosas, que era de lo que pasaba por la aduana para que los funcionarios de la Casa dieran cuentas a la Corona.

Las tres cuartas partes restantes se las repartían entre ellos.

El resultado lógico de tanto latrocinio estaba a la vista: Margarita pronto quedaría tan despoblada como había quedado años atrás La Española, que pasó de ser el principal enclave colonial en el Nuevo Mundo, a una isla semidesierta de la que la mayor parte de sus habitantes habían tenido que escapar a causa de la insoportable presión ejercida por la Casa.

Los que antaño fueran riquísimos trapiches de azúcar que enviaban a la metrópoli toneladas del preciado «oro blanco» que había venido a sustituir ventajosamente al amarillo, cuyas minas se habían agotado, sufrieron tal presión impositiva por parte de las insaciables sanguijuelas de la avariciosa Casa de Contratación de Sevilla, que al fin se declararon en bancarrota y fueron abandonados para que el moho los corrompiese, al tiempo que se dejaban de cultivar los enormes cañaverales que muy pronto se vieron invadidos por ingentes manadas de cerdos salvajes.

Curiosamente, la ruina del negocio del azúcar propició el nacimiento de una nueva y floreciente industria, ya que pequeños grupos de inmigrantes franceses que se habían establecido en el extremo oeste de la isla descubrieron muy pronto que cazando cerdos salvajes y ahumando su carne en un *bucaan* tal como solían hacer en su patria, se conseguía un producto muy apreciado por los marinos, ya que tenía un sabor delicioso y se conservaba largos meses sin deteriorarse.

De ahí nació la nueva estirpe de los *bucaniers* o «bucaneros», hombres rudos, sucios y malolientes que recorrían la agreste geografía dominicana abatiendo bestias que cargaban luego hasta los puertos de una costa a los que acudían todos los navíos de las Antillas.

No obstante, incapaz de aprender de sus infinitos errores, la siempre avara y estúpida Casa de Contratación decidió una vez más que si los barcos necesitaban carne ahumada tenían la obligación de comprar la agusanada, correosa y costosísima cecina importada por ella misma desde Sevilla, y para librarse de cualquier tipo de competencia envió un ejército al mando de don Federico de Toledo con orden de expulsar a los sufridos bucaneros.

El largo e implacable acoso dio como resultado que al cabo del tiempo los bucaneros decidieran hacerse fuertes en el pequeño y agreste islote de La Tortuga, a sólo unas millas al norte de La Española, desde donde realizaban rápidas incursiones de caza en los cañaverales dominicanos retornando de nuevo a su islote, que era adonde acudían ahora los buques a abastecerse.

Con el transcurso de los años, la fortificada ensenada de La Tortuga se convirtió en el puerto más rico, activo y alegre del Caribe, al tiempo que el otrora pujante Santo Domingo se iba sumiendo en el olvido, aunque eso no era algo que preocupase a los dirigentes de la Casa, ya que mantenían el firme convencimiento de que el Nuevo Mundo era tan extenso y sus riquezas tan innumerables que poco importaba que a su paso tierras y ciudades fueran quedando prácticamente arrasadas.

Ahora parecía haberle tocado el turno a Margarita, cuya producción de perlas había descendido de forma alarmante, no por el hecho de que las ostras se hubieran vuelto menos activas, sino por la lógica evidencia de que no se arriesgaba de igual modo ni rendía lo mismo un indolente esclavo africano que trabajaba gratis, que un buceador nacido y criado entre arrecifes que pretendía conseguir un buen jornal con que alimentar a su familia.

La Casa de Contratación de Sevilla jamás había aceptado el axioma de que un buen jornal suele ser con frecuencia una magnífica inversión, puesto que a ningún jornal se le podría robar nunca las tres cuartas partes sin que el perjudicado protestara, por lo que el desánimo, la languidez y el abandono se habían apoderado tiempo atrás de las recoletas callejuelas de La Asunción al igual que se habían apoderado del resto de la isla.

Probablemente debido a ello, la calurosa tarde en que Sebastián Heredia y Justo Figueroa pusieron al fin el pie en ellas, sólo cinco perros sarnosos y una piara de cerdos les dieron la bienvenida.

El resto era quietud y silencio, sin que ni un alma osara aventurarse a aquellas bochornosas horas más allá de los umbríos portalones de las viejas casas de piedra, y durante largo rato sólo vislumbraron la figura de un mendigo que dormitaba a la sombra de los gruesos muros del convento de San Francisco.

–Ezte lugar parece un cementerio… –ceceó a duras penas el maltrecho Justo Figueroa, al que sus dos únicos dientes le impedían expresarse con naturalidad–. ¿Ziempre ha zido azí?

Jacaré Jack negó con la cabeza al recordar la única ocasión en que había visitado la activa capital en compañía de sus padres, y que en aquel tiempo se le antojó el lugar más activo del universo.

La decadencia parecía haber afectado el corazón administrativo de la isla con la misma fuerza con que afectaba a sus pueblos costeros, y el margariteño se asombró al comprobar hasta qué punto la errónea política de unos pocos repercutía en el bienestar de la mayoría.

–Están locos –masculló al advertir que una sorda ira le corroía las entrañas–. ¡Completamente locos!

Aguardaron sentados a la sombra de una enorme ceiba que parecía dominar todo el perímetro de una minúscula plazoleta, confiando que con la caída de la tarde la ciudad despertara de su mustio letargo, pero no más de dos docenas de personas parecieron arriesgarse a abandonar entonces sus hogares pese a que una fresca brisa llegaba desde los altos cerros perfumándose de densos aromas en su suave recorrido a lo largo de un frondoso valle cuajado de flores.

Por fin, Sebastián Heredia decidió aproximarse a un grupo de mujerucas que habían sacado sus sillas a la acera con la sana intención de bordar entre todas una gigantesca colcha.

—Perdón… —dijo lo más cortésmente que supo—. ¿Podrían decirme dónde se encuentra el palacio de don Hernando Pedrárias?

Le observaron de un modo en verdad poco amistoso, y su mente trabajó con rapidez al añadir de inmediato:

—Traigo una reclamación que presentarle.

La hostil actitud cambió como por ensalmo.

—En ese caso tendrás que ponerte a la cola, hijo —señaló sonriente la más anciana—. Su palacio está dos calles más abajo, junto al ayuntamiento, pero él apenas sale de casa de la guarra de la Matamoros que el diablo confunda. ¡Así la parta un rayo!

—¿Y dónde vive la Matamoros?

—En un caserón de piedra, a la salida del valle por el camino de Tacarigua. No tiene pérdida; está rodeado de bosques y apesta a azufre.

Les dio amablemente las gracias para regresar junto al patizambo «maracucho».

—Búscate un mesón donde dormir, aunque a mi modo de ver más seguro estarías haciéndote pasar por mendigo para que nadie repare en ti. E intenta averiguar el número de soldados que vigilan el almacén de la Casa, junto al ayuntamiento. ¡Pero ten mucho cuidado!

—Dezcuida… —le tranquilizó Justo Figueroa—. Con mi azpecto nadie imaginaría que zoy pirata ni aunque me tatuara una calavera. Dormiré en la calle y me comeré una «arepa».

—¡Mejor así! —reconoció el capitán Jack—. Nos veremos mañana, aquí, a la misma hora.

Se alejó por la ancha calzada de tierra apisonada que conducía a Tacarigua, y a poco más de una legua de las últimas casas distinguió un espeso bosque del que sobresalía la redonda cúpula de lo que parecía una lujosa mansión.

Todo era allí paz y silencio, no se distinguía un alma en cuanto alcanzaba la vista, y ni siquiera el lejano ladrido de un triste chucho vino a quebrar la quietud del sereno atardecer margariteño, por lo que Sebastián llegó a la conclusión de que le bastaría con medio millar de hombres para entrar a saco en aquella semidesértica ciudad y apoderarse hasta de la última perla o el último maravedí de cada palacio y cada casa, aunque desechó de inmediato tal posibilidad, puesto que podía darse el caso de que a la hora de la verdad le aguardara una desagradable sorpresa.

Nadie sabría decir a ciencia cierta cuántos hombres armados surgirían de improviso por aquellos enormes portalones, ni, sobre todo, cuántos soldados acudirían a la menor señal de peligro desde Santa Ana, Juan Griego, Tacarigua o Porlamar.

Quienquiera que fuere el que fundó La Asunción en el punto más inaccesible de la isla, debió de tener muy claro que sus enemigos llegarían siempre desde el mar, y quien intentase asaltarla debería tener muy presente que una vez consumado el asalto se encontraría irremediablemente atrapado, puesto que en cualquiera de los recodos de cualquiera de los caminos que habrían de devolverle a la costa podría estar emboscado el enemigo.

Sebastián Heredia sabía muy bien desde la lejana época en que salía con su padre a los «placeres perlíferos» de mar afuera, que en cada punto estratégico de la costa se encontraba siempre dispuesta una enorme pira de leña a la que los vigías prendían fuego a la menor señal de peligro, ya que piratas y corsarios habían sido desde siempre los peores enemigos de la isla.

Exceptuando la Casa de Contratación de Sevilla, naturalmente.

Tal vez por ello, por saberse segura y ser consciente de que el temor que su solo nombre imponía bastaba para evitar que a un lugareño se le pasara por la mente la loca idea de saquear sus almacenes, la Casa no mantenía una numerosa guarnición en la capital, optando por reforzar en lo posible los fuertes de la costa.

A decir verdad, la Casa, al igual que el conjunto de las autoridades españolas en las Indias Occidentales, tenían plena conciencia de que su capacidad de defensa frente a ataques foráneos solía ser muy precaria, puesto que el aún no del todo explorado Nuevo Mundo parecía constituir un universo harto complejo y gigantesco; un pastel demasiado grande para que una nación tan pequeña pudiera a la vez explorarlo, conquistarlo y conservarlo.

«La avaricia rompe el saco» y «quien mucho abarca poco aprieta» eran dichos populares que al parecer no habían llegado nunca a oídos de las autoridades españolas de aquel tiempo, que avanzaban y avanzaban frenéticamente en su afán de dominar nuevas tierras y conseguir nuevas fuentes de riqueza sin caer en la cuenta de que el centro neurálgico del que dependían todas sus victorias, las Antillas, se había convertido tiempo atrás en su talón de Aquiles.

Piratas, corsarios, bucaneros y filibusteros se paseaban a sus anchas desde Cuba a Portobelo, o desde Campeche a Cumaná eligiendo cómodamente sus presas tanto en el mar como en tierra, sin que ninguna auténtica escuadra española digna de ese nombre les hubiera plantado cara alguna vez.

La Flota, la Gran Flota, la Poderosísima Flota se armaba en Sevilla una vez al año, no para desplazarse al Caribe a combatir a las naves enemigas, sino sólo para traer de regreso a la metrópoli las innumerables riquezas que hubieran amasado en ese año las colonias, procurando evitar que cayeran en manos de los depredadores, ya que a nadie le importaba un ápice la seguridad de los habitantes del Nuevo Mundo. Importaba únicamente la seguridad del fruto del sudor de los habitantes de ese Nuevo Mundo.

Durante más de tres siglos España jamás había establecido en el estratégico enclave del Caribe una flota estable tan poderosa como la que se armaba para trasladar cada año los tesoros a Sevilla, y ello se debía, sin duda, a que por cada barco pirata que se hundiera los funcionarios de la Casa no obtenían comisión ni la posibilidad de apoderarse del setenta y cinco por ciento de su valor, pero por cada perla, onza de oro o esmeralda que entrara por la aduana de Sevilla, sí.

Por desgracia, la historia de España destacó siempre mucho más por sus miserias burocráticas que por sus grandezas humanas, pero nunca como durante aquellos tres infortunados siglos la corrupción de los funcionarios públicos abortó tan ignominiosamente y en silencio los sueños de gloria de sus héroes.

Lo que brillantes hombres habían hecho, oscuros hombrecillos habían deshecho, y la isla de Margarita no constituía en absoluto una excepción a tan amarga regla.

Tras lamentarse para sus adentros por la desgracia que significaba haber nacido en un país que podía ser al mismo tiempo tan mísero y glorioso, Sebastián tomó asiento en una piedra fingiendo descansar tras una larga y agotadora caminata, para observar con detenimiento cuanto le rodeaba, tratando de hacerse una idea sobre las posibilidades que tendría su gente de alcanzar la lejana costa en el caso de un asalto a la ciudad.

Oscurecía cuando llegó a la conclusión de que constituiría una auténtica locura intentar saquear La Asunción, y tras cenar sin ganas un poco de queso con galletas y un trago de vino, buscó la protección del bosque para tumbarse a dormir, consciente de que lo que necesitaba era descansar y no pensar en nada.

Antes de que la primera claridad del alba comenzara a anunciarse frente a las costas de Pampatar, que era la punta más oriental de la isla, Sebastián se deslizaba ya sin un rumor entre el espeso bosque, para ir a encaramarse a un frondoso roble que sobresalía del alto muro que rodeaba la enorme hacienda, extraer de las alforjas su dorado catalejo de capitán y enfocarlo hacia la entrada del caserón, que aparecía cerrada a cal y canto.

Acodado en una pequeña torre distinguió a un adormilado centinela, y al poco un gordinflón con aspecto de cocinero surgió por una puertecilla lateral para orinar largamente sobre un espeso seto de flores.

Apenas llevaba unos minutos espiando cuando un bronco vozarrón resonó justo debajo de él:

–¡Baja de ahí!

Le observó desde lo alto y de inmediato le asaltó la curiosa sensación de que no era ya el hombre taciturno y distante al que había estado cuidando durante tantos años, puesto que ahora sus claros ojos brillaban de un modo diferente y a sus labios asomaba una burlona sonrisa.

Sebastián saltó a tierra, se abrazaron, le apartó para estudiarle con mayor detenimiento, y no le cupo duda alguna de que se parecía más al hombre que le llevaba a buscar perlas en Juan Griego, que al que afilaba machetes en el *Jacaré*.

–¿Qué te ocurre? –quiso saber–. ¡Pareces otro!

–¡Soy otro! –fue la alegre respuesta de Miguel Heredia Ximénez–. Sobre todo ahora que estás aquí. –Le pellizcó afectuosamente los mofletes–. Aunque has tardado más de lo que imaginaba.

–Por lo que veo todo el mundo me espera en todas partes –se lamentó Sebastián–. ¿Tan evidentes resultan mis movimientos?

—No —le tranquilizó su padre abrazándole por los hombros—. Pero en cuanto me enteré de que tu barco había anclado frente a Porlamar abrigué la certeza de que vendrías. Llevo semanas esperándote.

—¿Y qué ha ocurrido en ese tiempo que te ha hecho cambiar de ese modo?

Su padre le aferró del antebrazo para conducirle a lo largo de un senderillo que bordeaba el alto muro.

—¡Pronto lo sabrás! —prometió—. Pero ahora háblame de ti. ¿Sigues siendo capitán de piratas?

—Por lo menos hasta hace dos días lo era —fue la humorística respuesta—. Pero ya se sabe que en este oficio puede ocurrir cualquier cosa.

—¡Lástima! —se lamentó Miguel Heredia—. Siempre abrigué la esperanza de que en el último momento te arrepentirías. ¡Entra! Es aquí.

Habían llegado ante lo que parecía un minúsculo chamizo de labor o un refugio de pastores cerca ya de las lindes del bosque y a mitad de la colina que dominaba el fértil valle.

El margariteño echó una larga ojeada al mísero y maloliente lugar para inquirir apesadumbrado:

—¿Es aquí donde vives?

—Provisionalmente. Pronto nos iremos. —Su padre sonrió con un punto de ironía al tiempo que el guiñaba un ojo—. A tu barco, si es que aún no te lo han quitado.

Era otro, no cabía duda: un ser totalmente diferente, e incluso podía asegurarse que rejuvenecido, como si los meses de estancia en la isla hubieran tenido la virtud de devolverle a los mejores años de su vida.

Sebastián hizo un leve gesto hacia donde se encontraba el caserón y preguntó:

—¿Qué has averiguado?

—Ya te he dicho que pronto lo sabrás.

—¿Y por qué no ahora? —se impacientó Jacaré Jack—. ¿A qué viene tanto misterio?

–No es misterio –fue la evasiva respuesta–. Sencilla-
mente no me apetece hablar de ello. ¿Tienes hambre?

Había abierto un viejo arcón que se encontraba aba-
rrotado de quesos y embutidos, y como parecía firmemente decidido a no dar explicaciones, su cada vez más
desconcertado hijo se resignó a comer en silencio, hasta que se escucharon unos discretos golpes en la desvencijada puerta, ésta se abrió y en el hueco se recortó la
menuda figura de una pizpireta muchacha de enormes
ojos azules.

El corazón de Sebastián dio un vuelco.

–¡Dios bendito…! –exclamó con voz quebrada–.
¿Eres…?

La recién llegada ni siquiera le dio tiempo a concluir la frase, ya que de un salto se abalanzó sobre él,
y permanecieron largo rato abrazados, besándose una y
otra vez bajo la sonriente mirada de su padre, quien
señaló:

–¿Comprendes ahora? Ésta era mi gran sorpresa.

Tras nuevos besos, abrazos y largas miradas en los
que ambos hermanos parecían pretender reconocerse, o
tal vez convencerse de que en efecto acababan de reencontrarse después de tantos años, Celeste se decidió a
contar con todo lujo de detalles no exentos de un agu-
dísimo sentido del humor y un desconcertante desparpajo impropios de su edad y de su sexo, cómo su padre
la había abordado una tarde en que cabalgaba por las
proximidades de la casa, y cómo había decidido escon-
derle en aquel mísero chamizo a la espera de que él hiciera su aparición.

–¿Y si no hubiera venido? –quiso saber Sebastián.

–¡Sabíamos que vendrías! –fue la segura respuesta
de la muchacha–. Lo sabíamos de la misma forma que
nunca perdí la esperanza, aunque admito que pasé momentos muy amargos. –Tomó con las manos el rostro
de su hermano para estamparle un sonoro beso–. ¡Que

guapo eres, Dios! Sigues siendo el hermano más guapo del mundo.

—Y tú la hermana más besucona.

—¡Hacía siglos que no besaba a nadie! —Celeste hizo una amarga pausa—. Y que nadie me besaba…

—¿Cómo te ha ido todos estos años? —quiso saber él.

La muchacha, animosa y optimista hasta el punto de que cabría asegurar que nada conseguiría quebrar su desbordante vitalidad, se encogió de hombros quitándole importancia a sus incontables penalidades.

—¿Qué quieres que te diga? —replicó como si careciera de importancia—. Al principio lloré como una loca, pero al fin llegué a la conclusión de que las lágrimas no conseguirían que volvierais, por lo que decidí ser fuerte. Luego, me pusieron un tutor; un viejo cura muy simpático que me ayudó a superar los peores momentos, y cuando el capitán Mendaña vino a contarme que te dedicabas a comerciar con la gente de la isla abrigué la esperanza de que muy pronto vendrías a buscarme. —Le pellizcó la nariz con marcada intención—. ¡Pero han pasado años!

—No podía hacerlo —le hizo notar su hermano—. Vivíamos de prestado en un barco pirata.

—Lo sé —admitió ella, sonriente—. Papá me lo ha contado. Odio que te hayas convertido en su capitán, pero si ha servido para reunirnos, bendito sea Dios… ¿Cuándo nos vamos?

—¿Acaso pretendes dejar todo esto y venir con nosotros? —preguntó sorprendido el margariteño.

—¡Desde luego! —fue la rápida y segura respuesta—. Y cuanto antes mejor, porque a Hernando se la ha metido en la cabeza seducirme, y cada día me resulta más difícil quitármelo de encima.

—Le mataré —dijo el capitán Jack con un tono tan impersonal que su propia mesura desconcertó por un instante a su hermana, que por fin le colocó la mano sobre el antebrazo al tiempo que negaba una y otra vez con un tono claramente despectivo.

–Olvídalo –musitó con una leve sonrisa–. Ni siquiera merece la pena ensuciarse las manos por él.

–¿Olvidarle después de todo lo que nos ha hecho sufrir?

Celeste Heredia reparó en la absorta expresión de su padre, que parecía querer mantenerse al margen del espinoso tema, y por último se volvió de nuevo hacia su hermano.

–Todos sabemos que la mayor parte de la culpa fue de mamá –dijo–. Y ya tendrá suficiente castigo cuando descubra que perdió a su familia y ahora va a perder también su casa y todos sus privilegios porque me consta que hace tiempo que Hernando no la soporta. Si no la ha echado ya es porque está convencido de que pronto o tarde le ayudará a convencerme de que acepte sus propuestas.

–Aunque así sea –dijo Sebastián–, no volveré a dormir tranquilo si le dejo con vida.

–Con matarle no solucionarías nada, y tal vez lo único que sacases en limpio fuese perder la vida, con lo cual todos saldríamos perdiendo –le hizo notar con muy acertado criterio la muchacha–. Le consta que muchos quieren asesinarle y se ha llevado a más de la mitad de la guarnición a Cumaná porque ni siquiera allí se siente seguro

–¿Y para qué ha ido a Cumaná? –preguntó sorprendido su padre.

–El gobernador le ha mandado llamar. Al parece un grupo de esclavos cimarrones se ha establecido en la selvas del Orinoco y hay quien asegura que eran suyos

–¡Ya lo creo que lo eran! –puntualizó Sebastián–. Y mismo los liberé. Y ahora entiendo por qué me dio l impresión de que La Asunción se encontraba desguar necida. No es normal que apenas se vean soldados po las calles.

–Nadie osaría atacar La Asunción.

–¿Ni siquiera en una época en que en los almacenes de la Casa deben de guardar una fortuna en perlas…?

–Este año en los almacenes apenas hay perlas –dijo al instante Celeste con una marcada intencionalidad que tuvo la virtud de que su hermano la observara de reojo para inquirir un tanto desconcertado:

–¿Qué pretendes decir con esto? ¿Es que ya ha llegado la Flota?

–Aún no –fue la sonriente respuesta que parecía esconder un divertido secreto–. Pero es que cuando Hernando comenzó a inquietarse al saber que un barco pirata merodeaba por la costa le insinué que sería mucho más seguro que ocultara las mejores perlas en casa.

–¡No puedo creerlo! –exclamó asombrado Sebastián– ¿Aquí? ¿En esa casa?

–¡Exactamente! No me costó convencerle de que nadie sospecharía que están guardadas en un barrilito que a su vez se halla dentro de una enorme barrica de amontillado, en la bodega. –Sonrió con picardía–. Y allí siguen, esperando a que alguien se las lleve.

Su padre pareció reaccionar a cuanto se estaba diciendo dirigiéndole una severa mirada de reconvención:

–¿Acaso se te ha pasado por la cabeza la idea de apoderarte de ellas? –quiso saber.

La respuesta llegó rápida, descarada y espontánea, muy de acuerdo con el desconcertante desparpajo que siempre había caracterizado a una niña cuyos hábitos no parecían haber cambiado un ápice con el paso de los años.

–¡Naturalmente! –exclamó agitando cómicamente la larga y oscura melena–. Hace años que pienso en ello, y ten en cuenta que si esas perlas desaparecen porque Hernando las ha sacado de los almacenes contraviniendo todas las reglas de la Casa, será la propia Casa la que se preocupe de castigarle encerrándole en la más profunda de las mazmorras por el resto de su vida. —Le guiñó un ojo y añadió—: ¡Conozco sus métodos!

—¡Dios sea loado! —no pudo evitar exclamar el a todas luces desolado Miguel Heredia Ximénez llevándose las manos a la cabeza—. Ahora resulta que no sólo tengo un hijo pirata, sino, además, una hija ladrona. ¿Dónde vamos a ir a parar?

—Yo no me considero ladrona, padre —le rebatió en tono intrascendente su hija—. Esas perlas son fruto del esfuerzo de cientos de personas a las que esos cerdos de la Casa de Contratación explotan inicuamente, y me consta que sabré hacer mejor uso de ellas. —Se acercó a él para besarle con profundo amor en la mejilla—. Considéralo como una compensación por los años perdidos.

—¡Pero...!

—¡No hay peros que valgan! —le interrumpió en el acto Sebastián—. Venía con la intención de asaltar la capital y apoderarme de ellas, porque hace meses que no pago a mi gente, pero esto me facilita las cosas... —Se volvió hacia su hermana y preguntó—: ¿Cuántas habrá?

—Poco más de dos mil, pero magníficas.

—¿Y tienes una idea de cómo podrías sacarlas de la casa?

—¡Tal como llegaron...! —respondió la muchacha encogiéndose de hombros, como si aquélla fuera la pregunta más tonta del mundo—. En la carroza.

—¿En la propia carroza del delegado de la Casa de Contratación de Sevilla? —repitió su cada vez más estupefacto padre, en el colmo del desconcierto—. ¡No puedo creerlo!

—Es la mejor forma —replicó Celeste en el intrascendente tono que solía emplear a menudo, y que servía para que las cosas más absurdas pareciesen naturales—. Casi cada día acudo a la primera misa del convento de los franciscanos en la carroza. En cuanto quiera, me las llevo conmigo.

–¿No te acompaña tu madre?

–Antes lo hacía, pero desde que una anciana la insultó y la escupió, no ha vuelto.

–Empiezo a tener la impresión de que está pagando un precio demasiado alto por lo que hizo –susurró apenas Miguel Heredia.

Su hija negó con suavidad y dijo:

–Para ella no es alto. Para mamá, levantarse tarde, comer lo que le apetezca, hacerse vestidos caros y tener muchos criados vale la pena el precio que tenga que pagar, cualquiera que éste sea.

–Antes no era así.

–Quizá siempre lo fue, pero nadie le dio ocasión de demostrarlo. No hay nada que le guste más que dar órdenes y que la obedezcan en el acto.

–¿La odias?

Celeste Heredia se volvió hacia su hermano, que era quien había hecho la pregunta, para negar sin el menor rastro de rencor.

–Hubo un tiempo en que la odié por el daño que nos había causado, y porque me repugnaba verla comportarse como una perra para tener siempre encelado a Hernando, pero ya pasó. Ahora sólo la compadezco porque se ha dado cuenta de que su mundo se está viniendo abajo, y le consta que me he convertido en su única tabla de salvación. –Agitó la cabeza como si le costara trabajo admitir la realidad–. Yo, que durante todos estos años he sido su pesadilla porque con mi presencia le recordaba su comportamiento, soy su última esperanza. ¡Qué cosas!

–Deberíamos dejar de hablar de ella –señaló su padre con el tono de quien da por concluido un doloroso tema–. No conduce a nada, y sólo sirve para amargarnos con recuerdos que hay que olvidar para siempre. –Tendió las manos y tomó las de ellos–. Ahora estamos juntos, y así seguiremos, con perlas o sin perlas.

–¡Con perlas! –replicó su hija–. O me las llevo, o me las como, pero lo que es dejarlas, no las dejo.

–¡De acuerdo! Con perlas…

–¡Bien! –señaló Sebastián–. En ese caso lo mejor será que de momento te quedes aquí para evitar que alguien pueda reconocerte en La Asunción. –Se volvió hacia su hermana–. El sábado por la noche el barco tiene que recogerme en la playa de Manzanillo, o sea que ése será el día perfecto para que decidas ir a misa.

–¡Será la mejor misa de mi vida! –rió ella–. ¡Dios! –exclamó–. Años rumiando mi venganza, pero jamás imaginé que pudiera ser tan perfecta. ¡Qué cara va a poner cuando descubra que la inocente paloma a la que esperaba desplumar ha levantado el vuelo desplumándole! ¡Y qué cara va a poner cuando el gobernador vuelva a llamarle a Cumaná para pedirle cuentas por las perlas!

–¿Estás segura de que le encerrarán?

–¡De por vida…! Y milagro será si no le ahorcan. La Casa es muy severa en cuanto se refiere a sus intereses. Un delegado puede robar cuanto quiera, pero no puede permitir que le roben. –Volvió a tomar entre sus manos el rostro de su hermano para estamparle otro sonoro beso–. ¡Te adoro! –exclamó.

Una hora más tarde señaló que debería regresar antes de que su madre comenzara a hacer engorrosas preguntas, y poco después fue Sebastián el que se despidió de su padre para emprender sin prisas el regreso a la ciudad.

Mientras desandaba el polvoriento camino que recorriera con tan distinto ánimo la tarde anterior, no podía dejar de sentirse exultante de felicidad por el brusco cambio que había dado su vida en tan corto tiempo, ya que en el momento de encaminarse al caserón le angustiaba el temor de enfrentarse a su madre, pero más aún le angustiaba el hecho de que no tenía la más remota idea de la clase de persona en que se habría convertido aquella niña que viera por última vez en el momento de trepar dificultosamente a una carroza.

Los años de separación, el lujo y las influencias extrañas podrían haber hecho de Celeste una muchacha altiva que nada quisiera saber ya de un miserable padre medio loco y un hermano con la cabeza puesta a precio, pero he aquí que por alguna inexplicable razón continuaba siendo la chiquilla tierna, alocada y pegajosa que le seguía igual que una sombra a todas partes, como si el tiempo hubiera pasado sobre ella sin dejar huella.

Su alegre, espontánea y en cierto modo disparatada forma de ser parecía haber obrado de igual modo un sorprendente milagro sobre su padre, puesto que habría podido creerse que el simple hecho de recuperarla compensaba al infeliz Miguel Heredia por los incontables padecimientos sufridos, ahuyentando, como un benéfico viento del norte, los negros fantasmas que habían estado a punto de conducirle al mundo de la oscuridad y la locura.

Reflexionando sobre ello, Sebastián recordó de improviso la vieja canción que solían cantar los «juaneteros» cuando se encaramaban a lo más alto de las jarcias, y que hablaba del día en que los hombres perdidos en el mar regresarían a puerto para descubrir que nada había cambiado durante sus años de ausencia. Se le antojó que quien había compuesto aquella triste balada debía de tener algo de adivino, ya que en cierto modo predijo el hecho de que dos hombres perdidos en el tempestuoso océano de los recuerdos hubieran retornado de improviso a un seguro puerto en el que las pasadas amarguras se convertían como por arte de magia en dulce realidad.

Probablemente debido a ello, cuando poco después pasó por delante de la puerta de una diminuta ermita que se alzaba a la entrada de la ciudad, el joven capitán Jacaré Jack experimentó por primera vez en su vida la imperiosa necesidad de dar gracias a Dios por algo, y sin detenerse a meditarlo penetró en la recoleta y silenciosa capilla.

Lo primero que le llamó la atención al tomar asiento en un rústico banco fue un enorme y apolillado cuadro de la Virgen con el Niño en brazos que le recordó de inmediato a su madre cuando amamantaba a Celeste, y su inquietante presencia le obligó a preguntarse cómo era posible que un ser al que siempre había considerado etéreo y angelical pudiera haber acabado por convertirse en alguien capaz de pervertir a su propia hija con tal de seguir levantándose al mediodía y tener ocho criados.

Durante la hora larga que permaneció sentado en el duro banco de una minúscula ermita de las afueras de La Asunción, el margariteño consiguió ahondar más en sí mismo y sus más íntimos sentimientos que casi durante el resto de su vida, debido sin duda al hecho de que era tan profunda la alegría que experimentaba por haber reencontrado a su hermana, que no se sentía capaz de odiar ni siquiera a su madre.

Por último miró fijamente el cuadro de la Virgen para murmurar como si en verdad fuera la representación de Emiliana Matamoros y pudiera escucharle:

–Sal de mi mente. Sal de mi mente y que no vuelva a recordarte ni para bien ni para mal. No quiero tener que pensar en la madre que amé, la abominable mujer que aborrecí o la despreciable vieja en que vas a convertirte. –Observó el cuadro con expresión casi desafiante–. No quiero saber que vagabundeas por los puertos tratando de malvender los restos de tu belleza recordando que tuviste un marido y dos hijos que te adoraban. Por favor –repitió–. Sal de una vez por todas de mi mente.

–¿Puedo ayudarte en algo, hijo?

Alzó el rostro hacia el escuálido anciano que había aparecido detrás de él como surgido de la nada y negó con un gesto.

–No, gracias, padre –replicó–. Sólo estaba rezando un poco.

–¿Un poco? –repitió el recién llegado con aire divertido–. Hace rato que te vi entrar y no es normal que un muchacho de tu edad pase tanto tiempo en la casa del Señor. –Se inclinó a olfatearle las ropas como si se tratara de un perro perdiguero, y casi al instante añadió–: Ahora lo entiendo: eres marino y no tienes demasiadas oportunidades de visitar una iglesia, ¿no es cierto?

–¿Cómo puede saber que soy marino?

–Porque hueles a brea. En mi juventud fui capellán de la armada, y en aquel tiempo era capaz de adivinar por el olor qué trabajo desarrollaba cada cual dentro del barco. Aparte de a brea, los gavieros huelen a lona, los carpinteros a resina, los cocineros a pescado y los grumetes a sentina.

–¿Y los curas?

–Si son malos, a vino. Si son buenos, a pan. –El arrugado vejete sonrió de oreja a oreja–. ¡Echo de menos aquellos tiempos! –exclamó–. Aquí la mayoría de la gente apesta a estiércol. –Le observó con renovada atención–. ¿Te apetecería confesarte? –preguntó–. A menudo aclara las ideas.

–Se lo agradezco, padre –fue la sincera respuesta–. Pero creo que hoy es el día en que más claras tengo las ideas, y probablemente lo único que conseguiría sería oscurecer las suyas.

El anciano hizo un amplio gesto indicando los toscos muros que le rodeaban.

–¿Te ha ayudado todo esto? –quiso saber.

–Mucho –admitió el margariteño.

–¡Pues bendito sea Dios! –exclamó el otro visiblemente desconcertado–. Que el Señor me perdone, pero debo ser muy mal cura, puesto que mi espíritu tanto más se eleva cuanto mayor es la iglesia en que se encuentra. En la catedral de Burgos se me iba el alma al campanario, pero en un lugar como éste se me suele quedar a ras de tierra.

El desconcertado capitán Jacaré Jack le observó de arriba abajo con renovada atención y notable incredulidad.

—¿De verdad es usted cura? —preguntó por fin.

—Si también tú lo dudas, ya somos dos —fue la divertida respuesta, aunque de inmediato el buen hombre cambió de tono para añadir—: ¡Sí, hijo, sí! Desde que recuerdo soy cura, y no me arrepiento de serlo. Lo que ocurre es que al olerte he sentido nostalgia. Cuando se ha cantado misa sobre la cubierta de un galeón de noventa cañones, incluso la catedral de Burgos te parece ridícula.

Con la primera claridad del día, la carroza de su excelencia don Hernando Pedrárias, abandonó el silencioso caserón, franqueó la gran puerta del alto muro de piedra y se encaminó hacia la adormilada ciudad de La Asunción, pero antes incluso de haber dejado atrás el espeso bosque para alcanzar los espacios abiertos del fértil valle, tres hombres armados surgieron de improviso de entre los arbustos encañonando con sus pesados pistolones al viejo cochero, que a punto estuvo de caer del pescante y romperse la crisma.

Le obligaron a despojarse de su vistoso uniforme para atarle a un árbol de modo que tardase al menos varias horas en liberarse, y en el momento de reemprender el camino Celeste se aproximó a él para besarle con sincero afecto en la mejilla.

–Lo siento, Gervasio –señaló–. Pero es lo mejor para todos. –Con un cómico gesto le introdujo bajo los largos y mugrientos calzoncillos rojos una bolsita de monedas y añadió–: Por las molestias.

–¿Está segura de lo que hace, señorita? –inquirió el anciano con evidente pesar–. Don Hernando la perseguirá hasta el fin del mundo.

–¡El mundo es muy grande! –replicó ella acariciándole cariñosamente el cabello–. ¡Muy grande! No se preocupe. Ahora tengo quien me proteja.

Le colocaron una mordaza, y al poco reemprendieron la marcha con Justo Figueroa en el pescante vestido con el uniforme del cochero y Sebastián y Miguel Heredia sentados frente a la sonriente muchacha, que parecía tan excitada y feliz como una adolescente en el día de su presentación en sociedad.

Al poco, de debajo de su asiento extrajo un pesado arcón que abrió ceremoniosamente para mostrar que se encontraba casi rebosante de hermosas perlas de infinitas tonalidades.

—¡Lo mejor del año! —exclamó al tiempo que tomaba entre los dedos un gigantesco ejemplar casi negro en forma de pera—. ¡Mirad esto! —añadió—. Hasta una reina daría un dedo por ella.

—¡Quédatela! —le invitó de inmediato su hermano—. Y cuélgatela del cuello para que te recuerde el día en que te colocaste fuera de la ley. —Hizo un gesto hacia el bosque que acababan de dejar atrás—. Ese tal Gervasio tiene razón —añadió con un tono que demostraba lo profundo de su preocupación—. La Casa no aceptará que le robemos impunemente.

—Tú llevas años haciéndolo —le hizo notar ella con un simpático mohín al tiempo que se introducía la negra perla en el escote—. ¡Me la quedo!

—¿Y qué pueden hacer? —intervino Miguel Heredia con un tono que evidenciaba su escepticismo—. Cuando se enteren ya estaremos muy lejos.

—Nunca se sabe —fue la en cierto modo enigmática respuesta de su hija—. Ten por seguro que con Hernando nunca se sabe qué puede ocurrir. No le temo, pero conviene estar alerta.

Al llegar a las primeras casas de la ciudad, justo en el cruce en que se alzaba la diminuta ermita, la carroza se desvió hacia el camino que conducía a Santa Ana, y poco después, ya en pleno valle, los labriegos comenzaron a lanzar piedras a su paso al tiempo que les insultaban a voz en cuello para emprender la huida de inmediato.

Y es que el recargado carruaje con pretenciosos escudos en las puertas y gruesas cortinas de brocado en las ventanas, constituía para la inmensa mayoría de los margariteños la más pura representación de la tiranía, y les constaba, por dolorosa experiencia, que verla alejarse más allá de los límites de La Asunción nunca presagiaba nada bueno.

Los briosos caballos negros de don Hernando Pedrárias Gotarredona no tenían por costumbre abandonar las proximidades de la capital a no ser que se tratara de una misión muy concreta, y la mayor parte de las veces dicha misión no era otra que apretar aún más el férreo dogal de los abusivos impuestos.

Para los lugareños, verlos aparecer era como ver llegar a las hienas atraídas por el hedor de la carroña, y más de uno habría dado años de vida por el simple placer de pegarles un tiro a las pobres bestias aun cuando tuvieran la certeza de que no eran culpables de cuanto estaba sucediendo.

A primera hora de la tarde esos mismos caballos, ya sudorosos, cruzaron con paso cansino Santa Ana para continuar hacia Aricagua, puesto que la dorada carroza del delegado de la Casa de Contratación de Sevilla constituía el mejor salvoconducto para quien deseara desplazarse por la isla de Margarita sin el menor tropiezo, y fue en ese momento cuando Celeste Heredia recorrió con la vista la lujosa tapicería para musitar en voz muy baja:

—Me encantaría prenderle fuego.

Su hermano la observó sin aparente sorpresa, y se limitó a responder con naturalidad:

—Espera a que lleguemos a Manzanillo.

—¿Me das permiso para hacerlo?

—¡Naturalmente!

La muchacha no volvió a pronunciar palabra durante el resto del trayecto, cerrando los ojos, no para intentar descansar del ajetreado viaje, sino para regodearse de antemano en el hondo placer que iba a experimentar al ver arder hasta convertirse en cenizas el aborrecido carruaje.

Y es que, si para el resto de los habitantes de la isla aquella carroza constituía el símbolo de la tiranía, para Celeste Heredia constituía, además, el símbolo de la perversión.

Había sido allí, entre sus estrechas paredes tapizadas de un rojo violento, donde comenzó a advertir –cuando todavía ni siquiera se consideraba aún una mujer– las furtivas miradas del fogoso amante de su madre, y había sido allí, lejos de la vista de ésta, donde don Hernando Pedrárias decidiera iniciar su largo y retorcido acoso sexual.

Por alguna extraña razón que Celeste jamás lograría desentrañar, la sofocante intimidad del interior del vehículo y su continuo traqueteo parecían tener la virtud de excitar de un modo muy especial al delegado de la Casa de Contratación, quien de un modo casi imperceptible fue pasando de las miradas insinuantes a los mal disimulados escarceos, para evolucionar por último hacia un execrable juego erótico en el que podría asegurarse que su principal interés no se centraba en el lógico anhelo de poseer físicamente a la muchacha, sino más bien en el morboso placer de confundirla.

De hecho, don Hernando Pedrárias Gotarredona tenía plena conciencia de que por muy alto que fuera su rango, la Santa Inquisición, que siempre había sido el único estamento oficial al que en verdad temía, no dudaría a la hora de juzgarle con extrema severidad si se le ocurría la nefasta idea de abusar de una menor que los tribunales habían confiado a su tutela, por lo que había optado por elegir el tortuoso camino de intentar excitarla hasta el punto de que el día en que la considerase ya plenamente madura cayera en sus brazos con la misma facilidad con que había caído su madre.

–¿Qué piensas cuando la oyes gritar en mitad de la noche? –le había preguntado sin venir a cuento un tórrido mediodía en que viajaban juntos a Porlamar–. ¿No sientes curiosidad?

–A medianoche duermo –había sido la seca respuesta de la imperturbable chicuela.

–¡No! –había replicado don Hernando con tono burlón–. Yo sé que no duermes. Yo sé que estás con el oído atento, e imagino que cuando la oyes comienzas a acariciarte allí donde más placer te produce. –La miró directamente a los ojos al inquirir bajando mucho la voz–: ¿Te gusta acariciarte?

No obtuvo más que una silenciosa mirada de desprecio que le obligó a reír forzadamente.

–¡Oh, vamos! –exclamó–. ¡No te hagas la inocente! Yo sé que a tu edad las chicas se divierten solas, y me parece lógico, pero te garantizo que resulta mucho mejor si alguien te mira.

Celeste continuó sin pronunciar palabra, y ello contribuyó a incitar a su tutor a continuar por el mismo camino, puesto que tras una breve pausa en que fingió estar observando algo que llamaba su atención al otro lado de la ventanilla, añadió:

–No deberías avergonzarte, porque de ese modo el día en que sea un hombre el que te acaricie estarás preparada para disfrutar mucho más. –Dirigió una significativa mirada a su entrepierna–. ¿Por qué no me enseñas cómo lo haces? –susurró–. ¡Vamos, recógete la falda!

–Eres un puerco –se limitó a replicar Celeste.

Don Hernando Pedrárias se inclinó apenas para abofetearla sin intención de hacerle daño.

–¡Pero bueno! –exclamó fingiéndose ofendido–.

¿Qué forma de hablar es ésa cuando lo único que estoy intentando es ser comprensivo? No voy a tocarte. Sólo quiero que actúes como lo harías si estuvieras sola.

Por toda respuesta la descarada mocosa ensayó una sonrisa burlona al tiempo que se inclinaba para dejar escapar un sonoro pedo.

—Eso es lo que hago cuando estoy sola —dijo.

—¡Estúpida descarada! —replicó el otro, furibundo—. Si no fuera por mí hace años que mendigarías por las calles, y probablemente a estas alturas te estarías vendiendo como todas las de tu ralea. Te he proporcionado un palacio, vestidos, criados e incluso un tutor que te ha enseñado cuanto sabes, y es así como me pagas.

—Mi madre ya ha pagado por mí —fue la seca respuesta.

—Pues lo que ahora paga no vale gran cosa —le hizo notar su interlocutor—. De modo que empieza a pensar en cambiar de actitud o en cambiar de vida, porque hace tiempo que me cansé de alimentar parásitos. —Señaló con un leve gesto el exterior—. Y te garantizo que la vida ahí fuera no resulta fácil.

A raíz de aquella desagradable escena la presión de don Hernando se fue acentuando hasta alcanzar cotas tan denigrantes que Celeste se vio en la necesidad de evitar subir con él a la carroza aunque sólo fuera para recorrer el corto trecho que les separaba del cercano convento de los franciscanos, en La Asunción.

En la casa, tal vez a causa de la presencia de Emiliana, o tal vez por miedo a los comentarios de unos criados que parecían estar espiando cada una de sus palabras y gestos, don Hernando Pedrárias evitaba excederse en su acoso, pero la muchacha abrigaba el firme convencimiento de que sería su propia madre la que le facilitaría el camino.

Por fin, una noche en que las cosas no parecían haber ido nada bien en el dormitorio principal, ya que todo cuanto había intentado por excitar al hombre por el que había abandonado a su marido resultó inútil, Emiliana Matamoros acudió a despertar a su hija para plantearle a las claras lo que constituía un secreto a voces en el enorme caserón e incluso en la isla.

–Esto se acaba, hija –masculló con tono de franca desolación–. O te las ingenias para que Hernando se case contigo, o nos intercambiamos los dormitorios, porque de lo contrario nos veo en la calle. –Se contempló en el enorme espejo de la cómoda; se veía gorda, sudorosa, despeinada y con el espeso maquillaje corrido, y agitó la cabeza como admitiendo su inevitable derrota–. ¡Ya estoy demasiado vieja para seguir luchando! –dijo roncamente–. Te toca tomar el relevo.

–Yo no escogí esta vida –fue la serena respuesta de Celeste–. Y te consta que habría preferido continuar en Juan Griego.

–¡No sabes lo que dices! –le reconvino su madre con manifiesta acritud–. Y si lo dices es porque no tuviste tiempo de comprobar lo que significa la miseria. Me pasaba el día fregando o abriendo ostras hasta que se me ulceraban las manos, apestaba a pescado, no disponía ni de un simple vestido para cambiarme, y me veía obligada a lavarlo por las noches para ponérmelo limpio por la mañana. Y a menudo ni siquiera estaba seco.

–No creo que eso pueda ser mucho peor que soportar las babas de un cerdo –argumentó su hija sin perder la calma–. Te trata como a una basura, buena sólo para la cama, y por lo visto ya ni siquiera eres buena para eso.

–Antes lo era –puntualizó con manifiesta resignación su madre–. Hubo un tiempo en que Hernando me adoraba...

–¡Sí! Recuerdo cómo te besaba los pechos y se reía a carcajadas cuando te metía la mano bajo la falda aun-

179

que hubiera gente delante. –Se encogió de hombros–. Pero de eso hace ya mucho tiempo.

–Los hombres son así.

–Papá nunca fue así.

–¿Y tú cómo lo sabes? –fingió enfurecerse la desgreñada gorda–. Tal vez no lo era en aquel tiempo, pero habría acabado siéndolo. –Se inclinó sobre su hija para mascullar casi con rabia–: Aprovecha que eres joven y no cometas el error que cometí yo al casarme con un muerto de hambre. Si eres lista conseguirás lo que quieras. ¡Yo sé lo que hay que hacer para tener contento a Hernando!

–Está muy claro –replicó la muchacha con manifiesta ironía–. Sabes lo que hay que hacer, pero tienes que suplicarme que me acueste con él para que no nos eche. –Agitó la cabeza con gesto de pesar–. ¿Y qué ocurrirá cuando también se canse de mí? ¿Crees que para entonces se habrá vuelto más compasivo?

–No nos echará si te quedas preñada –sentenció Emiliana, segura de sí–. Me equivoqué al no darle un hijo, pero empieza a envejecer y sabe que necesita descendencia si no quiere que cuanto ha conseguido se pierda.

–¡Escucha! –replicó la espabilada chicuela con una seriedad impropia de sus años–. Antes de tener un hijo con el amante de mi madre, me meto de pupila en un prostíbulo de Porlamar. Allí lo peor que me puede pasar es que me quede preñada de un marino o un soldado, pero nunca de semejante canalla.

Pese a la contundencia de la respuesta, Celeste Heredia supo siempre que aquella noche no había dejado zanjada la espinosa cuestión, puesto que ni su madre ni don Hernando Pedrárias parecían dispuestos a darse por satisfechos con semejante decisión. Ambos sabían muy bien lo que querían: Emiliana, continuar sintiéndose «señora» de un lujoso palacete y una docena de criados, y él, ser el primer hombre en disfrutar de una excitante criatura que había visto convertirse poco a poco en mujer y que, según sus propias palabras, se encontraba ya «en su momento justo».

Y pese a que frente a ambos la muchacha sólo había contado en ese tiempo con su firme decisión de no ceder bajo ningún concepto, el resultado de tal confrontación estaba a la vista: Celeste se sentaba ahora en el lugar que ocupara don Hernando Pedrárias el día en que le había pedido que se masturbara en su presencia, sonriendo al imaginar la cara que pondría el delegado de la Casa de Contratación de Sevilla al averiguar que su adorada carroza se había convertido en un montón de cenizas.

Abrió los ojos como para cerciorarse de que su padre y su hermano seguían allí, y al advertir su risueña expresión, Miguel Heredia Ximénez no pudo por menos que inquirir sorprendido:

–¿Por qué sonríes como el gato que se acaba de comer un ratón?

–Porque me lo he comido, y nunca me he sentido tan feliz –fue la risueña respuesta–. ¿Adónde iremos? –quiso saber.

–A donde nos lleve el viento –replicó de inmediato su hermano.

–Me gusta ese lugar –admitió ella con su alegre sonrisa de siempre–. Jamás he estado allí. ¿Es bonito?

–El más hermoso que existe.

–¿Cómo lo sabes?

–Porque he estado cien veces –respondió Sebastián–. Es el destino de todo pirata que se precie: llegar hasta donde le lleve el viento, virar en redondo e iniciar una nueva singladura hasta donde el viento le lleve.

–¡Estás loco pero me encanta! –exclamó ella al tiempo que echaba mano de una gran bolsa de viaje para sacar un grueso libro encuadernado en piel oscura–. Y hablando de locos, ¿lo has leído?

El aludido tomó el volumen y lo observó con atención mostrando su extrañeza:

–*Don Quijote de la Mancha.* No –admitió–. No lo he leído. ¿De qué trata?

–De otro loco, pero éste anda por el mundo confundiendo molinos con gigantes e intentando arreglar la vida de los demás pese a que la más complicada es la suya. Dicen que en España está teniendo un éxito increíble.

–¿Un éxito la historia de un loco? –preguntó su padre, sorprendido, y ante el decidido gesto de asentimiento, añadió divertido–: En ese caso creo que escribiré la mía.

–Tú no estás loco –le recriminó Celeste.

–¡Pregúntale a tu hermano! –Se volvió hacia Sebastián–. ¿Lo estaba o no lo estaba? –preguntó.

El aludido le golpeó con afecto la rodilla al responder con dulzura:

–A veces un prolongado sufrimiento puede llegar a confundirse con locura, pero aunque así fuera, en tu caso ya ha pasado.

–Eso espero...

Había caído la noche, el camino se estrechaba más y más a medida que se alejaban de la capital, y en el momento de dejar a un lado el sendero que descendía hacia Aricagua –apenas un villorrio de pescadores semiabandonado– Sebastián se vio en la obligación de encender una antorcha y avanzar llevando de las riendas a unas agotadas bestias que parecían a punto de desfallecer a cada paso.

Por tres veces estuvieron a punto de perderse, pero después de una penosísima caminata alcanzaron al fin una pequeña ensenada, y tras desenganchar a los animales, que se tumbaron de inmediato sobre la arena, el jovencísimo capitán Jacaré Jack se volvió hacia su padre, que parecía estar intentando atravesar con la vista las tinieblas, para comentar:

–Ahora lo único que falta es que no me hayan traicionado.

–¿Quién podría haberlo hecho?

–Excepto Lucas Castaño, cualquiera –fue la segura respuesta–. Ese barco es muy goloso.

Se aproximó a Celeste, que parecía disfrutar recogiéndose las faldas para permitir que las suaves olas le mojasen los pies, e inquirió con dulzura:

–¿No te asusta la idea de navegar en un barco pirata?

–¿Siendo tú el capitán? –preguntó ella a su vez–. ¡En absoluto!

–Pues a mí sí que me asusta –reconoció su hermano–. Aún no tengo muy claro cuál será la reacción de esa panda de brutos al saber que hay una muchacha a bordo.

–¡No te preocupes! –le tranquilizó ella–. Si cuando aún no había cumplido doce años supe librarme de Hernando Pedrárias, a estas alturas estoy en condiciones de defenderme de cualquiera. No te causaré problemas.

–Lo dudo.

Las mismas dudas demostró Lucas Castaño cuando dos horas más tarde puso el pie en la playa para enfrentarse al curioso espectáculo que constituían una carroza dorada, dos caballos exhaustos, tres hombres que le mostraban felices un arcón rebosante de perlas, y una hermosa y pizpireta chicuela de la que cabría imaginar que había decidido salir a merendar al campo.

–Pero ¿cómo se te ocurre? –se horrorizó encarándose por primera vez a su capitán–. ¡Jamás ha habido mujeres a bordo del *Jacaré*! Traen mala suerte.

–No se trata de una mujer cualquiera –le hizo notar el capitán Jack–. Se trata de mi hermana.

–Todas las mujeres son hermanas de alguien y no por eso dejan de traer mala suerte. ¿Dónde piensas desembarcarla?

–Aún no lo he pensado.

–Pues más vale que lo hagas, porque va a ser lo primero que quieran saber los hombres –le advirtió el panameño–. Hay mucha superstición a bordo. –Lanzó un resoplido–. Y ahora más vale que nos larguemos, porque aquí corremos peligro.

Se disponían embarcar cuando Celeste se apoderó de una antorcha para señalar con un ademán de la cabeza la carroza cuyas ruedas aparecían lamidas apenas por el mar.

–¡Recuerda tu promesa! –dijo dirigiéndose a su hermano.

–Si te divierte…

–¡No puedes imaginar cuánto…!

Se aproximó sin prisas al carruaje para ir aplicando cuidadosamente fuego a sus costados hasta que las llamas comenzaron a elevarse de tal forma que resultó evidente que ya nada conseguiría detenerlas.

Trepó luego a la embarcación y se acomodó en popa, con el rostro vuelto hacia la enorme pira que se reflejaba en la quieta ensenada mientras los negros caballos que se habían puesto cansinamente en pie iban de un lado a otro piafando asustados, o tal vez felices al comprobar que ya nunca más tendrían que arrastrar por polvorientos y pedregosos caminos el pesado armatoste al que llevaban tantos años ayuntados.

Cuando al fin la falúa se arboleó al costado del *Jacaré*, de la odiada carroza no quedaba más que un informe montón de humeantes pavesas.

Don Cayetano Miranda Portocarrero y Díaz de Mendoza observó con gesto adusto al hombre que se sentaba al otro lado de su desmesurada mesa de caoba, y tras una estudiada pausa comentó con un tono de voz severo y recriminatorio:

—Por los pantanales del delta del Orinoco pululan en estos momentos más de medio millar de negros cimarrones que según mis informaciones os pertenecían, y que ahora se enfrentan a nuestras tropas causándoles innumerables bajas y quebrantos. —Carraspeó secamente y aprovechó para sorber una pizca de rapé que había extraído de una recargada cajita de oro—. Y sabíais bien que rígidas normas prohíben específicamente a los miembros de la Casa traficar con esclavos… —Hizo una nueva pausa—. ¿O acaso no lo sabíais?

—Lo sabía.

—Os consta por tanto que ésa es una grave falta que habría bastado de por sí para arruinar vuestra brillante carrera. —Su excelencia don Cayetano Miranda Portocarrero y Díaz de Mendoza lanzó un hondo suspiro, como si lo que estaba a punto de añadir superara en mucho su capacidad de asombro, y en verdad que de hecho la superaba—. Pero por si ello fuera poco, ahora acudís a confesar que os han robado más de dos mil perlas de primera calidad que habíais cometido la estupidez de guardar en vuestra propia casa, y eso se me antoja ya francamente inaudito.

–Os juro que pensé que estarían más seguras.

–Ya veo cuán seguras estaban, sobre todo teniendo en cuenta que se lo habíais contado a vuestra amante.

–Emiliana no sabía nada.

–Pero lo sabía su hija, lo cual resulta vergonzoso, puesto que obliga a imaginar relaciones de todo punto abominables entre un hombre maduro y una niña.

–Celeste ya no es ninguna niña –protestó el otro–. Desde la última vez que la visteis…

–¡Mejor no digáis nada, don Hernando! –exclamó escandalizado su interlocutor–. ¡Mejor no digáis nada! Cuanto habéis hecho no admite disculpa. Y lo peor no es eso; lo peor es que habéis puesto en entredicho el buen nombre de la Casa de Contratación. ¡Dios bendito! –no pudo evitar exclamar don Cayetano Miranda Portocarrero y Díaz de Mendoza lanzando una larga ojeada al enorme retrato de monseñor Rodrigo de Fonseca que presidía la severa estancia–. ¿Qué diría nuestro fundador si viera cuán bajo hemos caído…? ¿Y qué dirán en Sevilla cuando llegue la Flota y adviertan que no les enviamos una sola perla que valga un mísero doblón?

Le replicó el silencio, puesto que don Hernando Pedrárias Gotarredona, incapaz de responder a una sola de aquellas preguntas, estaba tan cabizbajo y abatido que parecía a punto de echarse a llorar.

–¡Muchos han sido nuestros errores a través de los años! –continuó al poco su excelencia–. Muchos, por desgracia, aunque me aferro a la idea de que la mayoría se cometieron sin que influyera en ello la mala fe. Pero que uno de nuestros funcionarios se encuentre acusado de negrero y corruptor de menores y que, además, demuestre ser estúpido e inepto, se me antoja e colmo. ¡Ay, Señor, Señor! –exclamó alzando los ojos al cielo–. Menos mal que vuestro padre, al que tanto admiraba, no puede levantar ya la cabeza.

–Estoy aquí para responder de mis actos y aceptar públicamente mis responsabilidades, excelencia –musitó al fin don Hernando Pedrárias con un hilo de voz casi inaudible–. ¿Qué más puedo hacer?

–¿Responsabilidades? –repitió entre dientes su superior esforzándose por conservar la calma–. ¿De qué me sirve que aceptéis públicamente vuestras responsabilidades? Únicamente para añadir más leña al fuego y aumentar el volumen del escándalo sin que por ello recuperemos nuestro prestigio, y mucho menos nuestras perlas.

Aquel hombre alto y flaco hasta resultar ascético, que parecía recién salido, como por arte de encantamiento, de un cuadro de El Greco, se puso en pie, fue hasta la ventana y contempló por largo rato el tranquilo y oscuro río que muy pronto iría a desembocar al transparente Caribe.

Por último, y sin volverse a quien permanecía con la vista clavada en la punta de sus botas, masculló señalando con un leve ademán de la cabeza la pétrea mole de la amazacotada fortaleza que se divisaba en la distancia.

–Mi obligación sería encerraros en la más profunda mazmorra del castillo de San Antonio de por vida, y admito que ése es sin duda mi más íntimo deseo, puesto que no me provocáis más que repulsión y rechazo–. Aguardó hasta que un pesado pelícano que acababa de lanzarse de cabeza al agua surgió de nuevo llevando en el pico un grueso pez, lo observó mover cómicamente el cuello para echárselo al buche sin que se le cayera, y por último continuó con idéntico tono–: Sin embargo, mi deber es anteponer los intereses de la Casa a toda otra consideración, y en estos momentos los intereses de la Casa exigen que todo el mundo sepa que ese tal capitán Jacaré Jack y toda su tripulación han sido rápida y severamente castigados. Por lo tanto, os voy a conceder una moratoria.

Regresó a su sillón y clavó sus inquisitivos y amenazantes ojillos grisáceos en la pelirroja y entrecana barba del esperanzado don Hernando Pedrárias al señalar:

–Regresad a Margarita. Pignorad todas vuestras propiedades y armad de vuestro propio peculio un buque con que perseguir hasta el confín del universo a esos miserables. Si en el plazo de un año regresáis con sus cabezas colgando de las jarcias seréis perdonado. –Sorbió de nuevo una minúscula ración de rapé–. En caso contrario, serán mis propios navíos los que os busquen para regresar con vuestra cabeza. ¿Está claro?

–¡Muy claro, excelencia!

–¡Marchaos entonces y tenedlo muy presente! Dentro de un año a partir de este instante quiero ver cabezas frente a esa ventana, y os aseguro que poco me importará si se trata o no de la vuestra.

El ya ex delegado de la Casa de Contratación de Sevilla en la isla de Margarita abandonó abochornado la estancia para recorrer muy despacio y bordeando siempre el río, la milla y media de distancia que separaba el palacio de su excelencia don Cayetano Miranda Portocarrero y Díaz de Mendoza en Cumaná, del puerto propiamente dicho, sin preocuparse de que le estuviera cayendo encima un sol de justicia. Sólo cuando consideró que se había serenado lo suficiente y se encontraba en condiciones de articular una frase mínimamente coherente, penetró en la solitaria taberna en que le aguardaba desde hacía horas su fiel secretario, Lautaro Espinosa.

–Te quedarás aquí –ordenó en cuanto hubo tomado asiento frente a él– y enviarás mensajeros a todos los puertos de la región notificando que pagaré lo que pidan por el navío mejor armado que surque estos mares… –Le apuntó con el dedo–. ¡Lo que pidan! Y pagaré también por cualquier tipo de información que facilite la localización del *Jacaré*. Necesito saber qué rutas acostumbra a seguir, qué puertos toca, o dónde fondea cuando no está en campaña… –Bebió largamente del vaso que el otro tenía delante, para añadir en el colmo de la excitación–: Luego empieza a contratar una tripulación dispuesta a todo. ¡Piratas, bandidos, violadores, asesinos! ¡Lo que encuentres!

–¿Os dais cuenta, señor, de lo que estáis pidiendo? –alegó el otro visiblemente impresionado más por el tono de voz que por las palabras en sí.

–¡Naturalmente que me doy cuenta! –fue la áspera respuesta–. Te estoy pidiendo que me ayudes a salvar la cabeza, y que de paso salves la tuya, porque los dos sabemos qué comisión te correspondía por cada esclavo del *Four Roses*. –Le señaló con el dedo acusadoramente–. Estamos juntos en esto, y o salimos juntos, o juntos nos hundimos… ¿Está claro?

Lautaro Espinosa asintió tragando a duras penas la saliva que se negaba a descender por su reseca garganta.

–¡Muy claro, señor! –dijo.

–Espabila entonces, porque yo salgo esta misma tarde para La Asunción. –Se puso en pie de un salto–. Gasta lo que necesites, pero cuando vuelva quiero ver un barco en el golfo de Paria con doscientos hombres sobre cubierta… –Lanzó un sonoro reniego al exclamar–: ¡Como que me llamo Hernando Pedrárias que atraparé a ese maldito escocés y a esa jodida puta!

Dos días más tarde, y en cuanto puso el pie en el caserón de Margarita, descendió apresuradamente a la bodega en que había ordenado encerrar a Emiliana Matamoros, y al enfrentarse a la ahora sucia, despeinada y semiborracha mujer que en otro tiempo le apasionara, no pudo contener un despectivo gesto de repugnancia:

–¡Hiedes a perro muerto y aún no me explico cómo hubo un tiempo en que perdí la cabeza por ti! –dijo–. Pero eso ya ha pasado. Ahora necesito que me aclares qué relación existe entre ese pirata y tu hija.

La otra le observó con los ojos enrojecidos y el cerebro embotado a causa de los litros de amontillado con que al parecer había intentado engañar el hambre, y tras meditar largo rato, como si necesitara un tiempo infinito para que las ideas penetraran en su mente, acabó por gruñir:

–No sé de qué mierda me hablas.

El ex delegado de la Casa de Contratación de Sevilla se limitó a propinarle un sonoro bofetón que le desgarró el labio inferior, haciendo que un hilillo de sangre le corriera por la barbilla.

–¡Conmigo no emplees ese lenguaje! –le amenazó–. Ni juegues a hacerte la borracha porque todo esto estaba demasiado bien planeado. Se llevaron las perlas y esa misma noche incendiaron la carroza para embarcar en Manzanillo. ¿Cómo lo explicas?

–¡No tengo ni idea! –insistió ella, atemorizada–. ¡Te lo juro! Yo ni siquiera sabía que las perlas estuvieran en la bodega. ¿Cómo podía saberlo?

–Tal vez Celeste te lo dijo.

–¿Y no crees que en ese caso habría ido con ella, en lugar de quedarme a esperar a que me encerraras y me rompieses la cara?

Don Hernando Pedrárias guardó silencio, puesto que aquélla era una pregunta que venía haciéndose desde el momento mismo en que descubrió que le habían robado. Si aquella ruina de mujer que hacía tiempo sabía que ya no tenía el menor futuro a su lado hubiese estado al corriente de la desaparición de una fortuna en perlas, lo más probable era que también hubiese optado por apoderarse de una parte y perderse de vista para siempre.

–¡No lo entiendo! –exclamó al fin poniéndose en pie para ir a servirse un gran vaso de vino de Rioja de su barril predilecto–. ¡No lo entiendo! –repitió–. Ese barco lleva años asaltando nuestros transportes para malvender su mercancía, y cuando al fin consigue apoderarse del *Four Roses,* en lugar de obtener una fortuna por su rescate deja libres a los esclavos y le prende fuego acusándome de negrero. –Lanzó un reniego–. Por último desaparece llevándose a Celeste y las perlas. ¿Cómo es posible? –masculló–. Y ¿por qué la ha tomado conmigo ese maldito capitán?

No obtuvo respuesta, puesto que estaba claro que Emiliana Matamoros no se encontraba en disposición de aclarar en absoluto ninguna de sus dudas, y al contemplarla, tan hundida como habría podido estarlo él mismo, cuya cabeza pendía de un hilo, concluyó por lanzar un sonoro resoplido.

–¡Lárgate! –dijo–. ¡Vete y que no vuelva a verte nunca!

–¿Y adónde iré?

–Me tiene sin cuidado –fue la brutal respuesta–. Puedes tirarte al mar, colgarte de una ceiba o pedir trabajo en un burdel en el que admitan gordas hediondas. Lo que quieras, siempre que sea lejos de aquí, porque si te encuentro a menos de diez leguas de distancia, haré que te encierren.

Emiliana Matamoros no volvió a pronunciar una sola palabra, puesto que sabía de antemano que cualquier intento por obtener la menor clemencia resultaría inútil, por lo que, irguiéndose a duras penas, trepó casi a gatas por los empinados escalones para ir a enfrentarse a dos severos criados de gesto adusto que al parecer habían estado escuchando la conversación, ya que le indicaron perentoriamente la puerta de servicio.

–¡Fuera! –dijo uno de ellos en voz muy baja y casi mascando las palabras–. ¡Fuera, hija de la gran puta! ¡Así soñaba yo con verte!

Aún no había desaparecido en la distancia, bamboleándose rumbo al portalón, cuando don Hernando Pedrárias hizo su aparición en lo alto de la escalera para ordenar secamente:

—¡Id a buscar al comandante Arismendi, y a don Samuel, el prestamista! ¡Los quiero aquí esta misma tarde!

Subió luego a su gigantesco dormitorio, se tumbó en la cama a contemplar el recargado baldaquín y las torneadas columnas a las que tantas veces se había aferrado Emiliana Matamoros cuando años atrás le hacía el amor desesperadamente, y evocó con nostalgia los viejos tiempos en que se consideraba el dueño de la más generosa de las islas y la más hermosa de las mujeres, esforzándose por encontrar la injusta razón por la que todo había comenzado a torcerse.

Cuál había sido su principal error y en qué momento lo cometió, eran preguntas que le martirizaban, pero como seguía siendo, pese a todo, un hombre nacido y criado en los inamovibles principios de la Casa, se mantuvo fiel al convencimiento de que los errores no habían sido suyos, sino culpa de adversas circunstancias.

Las ostras habían decidido dejar de producir perlas, los pescadores se habían vuelto maliciosos, los piratas se habían cebado en sus barcos, e incluso los vigorosos y sumisos esclavos negros habían optado por enfermar durante las travesías o declararse en rebeldía.

¿Qué culpa tenía él de que todo ello hubiera ocurrido, y que una desagradecida mocosa a la que había tratado como a una hija decidiera de improviso traicionarle?

Permaneció allí durante horas, a ratos devanándose los sesos, a ratos traspuesto por el agotamiento, hasta que le anunciaron la presencia del coronel Arcadio Arismendi, comandante militar de la isla, y al que había considerado uno de sus mejores amigos hasta e momento en que saltó a la luz la acusación de negrero.

Le aguardaba en la biblioteca, y en el momento en que iba a estrecharle la mano desistió al advertir la adusta expresión del bigotudo militar.

—Te agradezco que hayas venido —dijo—. Necesito tu ayuda.

—Si he de ser sincero —fue la franca respuesta—, he dudado mucho a la hora de venir, pero Mariana me ha convencido de que es mejor que aclaremos la situación cuanto antes. No somos de los que hacemos leña del árbol caído, pero quiero que comprendas que nuestra relación no puede seguir siendo lo que era.

El ex delegado de la Casa hizo un leve gesto de asentimiento al tiempo que le invitaba a acomodarse en la butaca en que solía hacerlo, y tras servir dos grandes copas de ron, le ofreció una mientras señalaba:

—Lo comprendo. Son muy graves las acusaciones que pesan sobre mí, y no es cuestión de intentar rebatirlas. Lo único que puedo decirte es que su excelencia me ha ofrecido la oportunidad de rehabilitarme, y estoy dispuesto a conseguirlo aunque me vaya en ello la vida. —Le miró a los ojos—. ¿Qué sabes del capitán Jacaré Jack?

—Lo que todo el mundo —fue la desganada respuesta—. Que es un escocés gordinflón y borrachín en apariencia inofensivo, aunque por lo que dicen se transforma en un tipo muy duro si llega el caso. También aseguran que suele respetar las leyes de la piratería.

—Leyes de la piratería —se escandalizó su interlocutor a punto de perder la calma—. Pero ¿qué tonterías son ésas? ¿Cómo puede nadie imaginar que esos canallas tengan alguna clase de leyes?

—Pues las tienen —puntualizó don Arcadio Arismendi con un cierto tono quisquilloso—. Del mismo modo que las tenemos nosotros con respecto al honor, la moral, o el tráfico de esclavos. Lo que ocurre, al igual que entre nosotros, es que unos las respetan y otros no.

–¡Bien! –admitió don Hernando Pedrárias esforzándose por mantener una calma que le constaba que debía mantener a toda costa–. ¡Olvídalo! Lo que deseo saber es por qué extraña razón un viejo pirata decide cambiar de improviso sus hábitos, asaltando los barcos que vienen de España, pero cuando captura un barco cargado de esclavos, los suelta.

–Tal vez esté en contra de la esclavitud.

–¿Un pirata escocés? ¡Oh, vamos, no me hagas reír! Ingleses, holandeses y escoceses inventaron el tráfico de esclavos y jamás dejarían escapar un botín semejante.

–Pues resulta evidente que éste lo dejó escapar –fue la casi burlona respuesta.

El dueño de la casa paseó de un lado a otro de la estancia como si el continuo movimiento pudiera solucionar sus problemas, y por fin, sin volverse siquiera hacia el militar, añadió con el mismo tono de impaciencia:

–¡Sí! Es evidente… Pero ¿por qué? Si supiese la razón por la que un pirata deja de comportarse como un pirata, tal vez conseguiría atraparle.

–No creo que pueda ayudarte en eso –le hizo notar el otro apurando su copa como si con ello quisiera indicar que tenía prisa por marcharse–. Jamás he tenido trato con piratas… –Le apuntó con el dedo–. Aunque tal vez haya alguien que sí pueda ayudarte; lleva muchos años en la isla y se ha enfrentado a ellos en más de una ocasión. Me refiero al capitán Mendaña.

–¿El comandante del fortín de La Galera? –Ante el mudo gesto de asentimiento, don Hernando Pedrárias negó con un gesto–. Me odia.

–¡Carajo, Hernando…! –rió el otro–. ¡No seas tan modesto! Sabes bien que la mayoría de la gente de la isla te odia. Mendaña no tiene por qué ser la excepción. –Cambió el tono, que se hizo ahora más severo como si esa severidad fuera más bien destinada a sí mismo–. Aunque a diferencia de otros que hicimos dejadez de funciones por pura comodidad, es un buen militar que aborrece a los piratas. Tal vez te ayude.

–¿Tú crees?

–¿Qué pierdes con probarlo? ¡Ya lo has perdido todo!

–Sí, es cierto –admitió su interlocutor dejándose caer en un sillón, como si de pronto su exceso de energía le hubiera agotado–. Lo he perdido todo menos la ira que me corroe las entrañas. Voy a fletar un barco –añadió–. ¡El mejor que exista! Y atraparé a ese malnacido.

–El mejor barco que existe es el *Jacaré* –le recordó el coronel Arismendi–. Intentar darle caza con un pesado buque de línea, por muy armado que esté, será como intentar atrapar a un delfín por la cola.

–Encontraré la forma.

El militar se puso pesadamente en pie para encaminarse hacia la puerta, como si diera por concluida no sólo aquella charla, sino también aquella incómoda relación.

–Espero que lo consigas, y me gustaría desearte suerte, pero te garantizo que en este caso particular aún no tengo muy claro si estoy de parte de un digno pirata escocés, o de un indigno caballero español. ¡Buenas noches!

En cualquier otra circunstancia, don Hernando Pedrárias Gotarredona jamás habría aceptado semejante trato, apresurándose a retar a duelo a quien tan abiertamente le ofendía, pero pareció comprender que no era momento de enfrentarse con las armas en la mano a quien tenía fama de ser un magnífico espadachín y un certero tirador, por lo que optó por tragarse la bilis que le había ascendido a la garganta, consciente de que aquélla era la actitud que debía esperar de la mayoría de la gente de allí en adelante.

Cuando poco más tarde tuvo la absoluta certeza de

que el coronel Arcadio Arismendi había abandonado definitivamente la casa, se sirvió una nueva y generosa ración de ron, la apuró casi de un trago e hizo sonar varias veces una campanilla hasta que uno de los criados hizo su aparición en el umbral de la puerta.

–¿Qué ocurre con don Samuel? –quiso saber–. ¿Por qué no ha venido?

–Su esposa asegura que está en Porlamar, señor –replicó el pobre hombre como si temiera que no iban a creerle–. No volverá hasta pasado mañana.

Su amo no pudo contener un leve gesto de impaciencia, hizo intención de replicar algo molesto, pero al fin pareció cambiar de opinión para limitarse a ordenar con voz pausada:

–Ensilla mi caballo. Me voy a Juan Griego.

–¿A estas horas, señor? –preguntó el sirviente alarmado–. Pronto anochecerá.

–Hay luna llena y conozco el camino. Viajaré más fresco.

Fue un viaje fresco, sin lugar a dudas, y en cierto modo mucho más agradable que bajo el ardiente sol margariteño, pero mientras avanzaba casi al paso de su cabalgadura por el ancho sendero que descendía hacia la costa de poniente, don Hernando Pedrárias no podía por menos que experimentar un extraño vacío en la boca del estómago al comparar aquel viaje casi furtivo con el que hiciera años atrás, apoltronado en su carroza y rodeado por una docena de hombres que velaban a todas horas por su seguridad.

Ni la ruina económica, ni la traición de Celeste, ni la posibilidad de pasar el resto de su vida encerrado en una fortaleza de la húmeda y caliente Cumaná, pesaban tanto en el ánimo del ex delegado de la Casa de Contratación de Sevilla como el hecho de haber perdido todo su poder, y abrigar la certeza de que ya sólo un par de viejos sirvientes cumplían sus órdenes y no contaba couna guardia personal dispuesta a dar su vida por defenderle, le producía una profunda amargura difícilmente explicable.

Hijo de un respetado fiscal togado de la Casa de Contratación de Sevilla, y nieto de uno de sus más «eficientes» auditores generales, don Hernando Pedrárias había crecido en el absoluto convencimiento de que los miembros de su estirpe estaban llamados a regir los destinos del Nuevo Mundo, y al igual que los personajes de sangre real, a nadie se le pasaría por la cabeza la peregrina idea de poner en entredicho su autoridad.

Había asistido durante años a la escuela de funcionarios de la Casa, junto a otros muchos hijos y nietos de altos cargos, y durante todo ese tiempo ni tutores ni alumnos habían cuestionado ni una sola vez el hecho de que ellos, y nadie más que ellos, sabían qué necesitaban las lejanas tierras que se alzaban allende los mares, y qué era lo que más convenía a sus habitantes.

Los curas entendían de religión, los cortesanos de política y los militares de batallas, pero los funcionarios de la Casa eran los que tenían en sus manos la economía del país, y eso quería decir que de una forma u otra, curas, políticos o militares acababan dependiendo de ellos.

Y ahora, un fantoche como el coronel Arismendi, que durante años le había adulado y había medrado a su costa, se permitía el lujo de ofenderle, consciente de que ya no estaba en condiciones de «mover los hilos» que harían que de inmediato le destinaran al más pútrido destacamento de tierra adentro.

¡El poder!

El poder era la dulce amante con que había dormido durante años, y aquella noche, recorriendo a solas el polvoriento sendero que conducía a Juan Griego, don Hernando Pedrárias llegó a la dolorosa conclusión de que ya jamás volvería a compartir su lecho.

Amanecía cuando distinguió en la distancia los negros muros del fortín, y los primeros rayos de sol se elevaban sobre el extremo norte del cabo Negro cuando se enfrentó al fin al capitán Sancho Mendaña, que estaba concluyendo de desayunar sentado en una enorme terraza frente al mar.

–Vengo de parte del coronel Arismendi –comenzó don Hernando aun a sabiendas de que no se estaba ajustando en absoluto a la verdad–. Me ha asegurado que tal vez podríais proporcionarme la información que necesito.

–¿Sobre?

–El capitán Jacaré Jack.

–¿Y qué imagina el coronel que puedo saber yo sobre el capitán Jacaré Jack? –fue la desabrida respuesta que obligó a su interlocutor a pensar de inmediato que, efectivamente, debía de saber bastante–. No es más que un pirata.

–El coronel le considera una autoridad en lo que se refiere a piratas. Dicen que se ha enfrentado a muchos.

–Participé en un intento de asalto a la isla de la Tortuga, hice huir a cañonazos a Mombars el Exterminador, y en cierta ocasión tomé parte en una redada durante la que ahorcamos a dieciocho filibusteros, pero no creo que todo ello me dé derecho a considerarme una «autoridad» en la materia. –El flemático capitán Sancho Mendaña encendió parsimoniosamente su cachimba para añadir con forzada naturalidad–: Cualquier militar que lleve los años de servicio que llevo yo por estas tierras habrá pasado por idénticas experiencias.

–¡Aun así! –exclamó don Hernando Pedrárias–. He sabido que el *Jacaré* ha fondeado en la bahía en diversas ocasiones.

–Siempre lejos del alcance de mis cañones –puntualizó su huésped con tono quisquilloso–. Hace años que vengo suplicando que me cambien estos viejos armatostes y me proporcionen algo con que cargarlos, pero jamás me han hecho caso. ¡Sí! –admitió–. Es cierto que el *Jacaré* se ha paseado de punta a punta de la bahía consciente de que no podría abordarlo con cuatro lanchas de pescadores y media docena de reclutas de reemplazo. –Observó con el rabillo del ojo a su interlocutor como si estuviera reflexionando sobre si valía o no la pena gastar saliva con él, y por último añadió–: Todos los piratas y corsarios ingleses, franceses, holandeses, portugueses y hasta chinos, si es que existen corsarios en China, tienen muy claro que nos pueden saquear, violar y asesinar impunemente, porque la Casa prefiere fletar un barco cargado de barriles de aceite que cambiar por perlas, que un barco cargado de barriles de pólvora con la que impedir que nos roben esas perlas… –Hizo un significativo gesto hacia el vetusto cañón que asomaba su negra boca casi justo sobre su cabeza–. ¿Sabe cuántas veces podrían dispararlo en caso de ataque? ¡Una! ¡Sólo una! Y ni siquiera alcanzaría a aquella lancha amarilla.

–Nunca se me habría ocurrido imaginar que la situación fuera tan crítica –admitió con absoluta honradez su interlocutor.

–¡Pues no será porque no le he enviado más de una docena de informes en todos estos años! –fue la casi iracunda respuesta–. Se supone que somos el mayor imperio jamás conocido gobernado por un todopoderoso soberano en cuyos reinos nunca se pone el sol, pero lo cierto es que siglo y medio después de haber conquistado ese imperio estamos permitiendo que nos lo arranquen a bocados. Aquí, en el mismísimo Caribe, hemos perdido ya Jamaica, Barbados, Guadalupe, Aruba, Martinica y Curaçao. ¿Cuánto más tenemos que perder para que la Casa decida enviarnos armas con que defendernos? Si unieran sus fuerzas, los piratas que se encuentran fondeados en estos momentos en Port-Royal se apoderarían de Margarita en menos de veinticuatro horas.

–¡Bromea…!

–¿Que bromeo…? –se escandalizó el militar–. Ahora mismo se deben encontrar allí los barcos de Laurent de Graaf, Michel el Vasco y probablemente Moses van Kljin. Entre los tres reúnen más de mil hombres bien armados y más de doscientos cañones. ¿Cuántos imagina que podríamos oponerles? –Le observó con expresión burlona–. ¿No lo sabe? Yo se lo diré: en la isla hay exactamente veintidós cañones y unos ochenta mosquetes, y la mitad de ellos representan más peligro para quien dispara que para quien se supone que debe recibir el impacto.

–¡Entiendo! ¿Estará Jacaré Jack en Port-Royal?

–Eso es lo único que le importa, ¿verdad? Jacaré Jack. –El capitán Mendaña negó, convencido–. Lo dudo. Raramente aparece por allí, ni tampoco se sabe que suela visitar la Tortuga. Debe de tener su propio fondeadero en las islas Vírgenes o quizá en el Jardín de la Reina, al sur de Cuba.

–¿Quién puede saberlo?

–Nadie que yo conozca.

–He ofrecido una generosa recompensa a quien me proporcione algún tipo de información sobre ese barco. ¿Cree que dará resultado?

–¡Desde luego…! –replicó el capitán con manifiesta ironía–. Aparecerán docenas de supuestos delatores que le marearán llevándole de aquí para allá como a un pelele. Pero le aseguro que al final lo único que habrá conseguido es gastar tiempo y dinero.

–¿Qué me aconseja, entonces?

–Que se ahorre problemas y se largue a cualquier lugar del mundo en que nadie le conozca.

–Eso no puedo hacerlo.

–¿Por qué?

–Me acusarían de traición.

El capitán Mendaña le observó con gesto de perplejidad y por fin replicó con intención:

–Por lo que tengo oído, don Hernando, en estos momentos se le acusa de negrero, depravado, desleal, inepto, prevaricador y hasta puede que ladrón. ¿Qué importancia tiene un adjetivo más o menos, si le va en ello la vida? –Se puso en pie para dar un corto paseo por la amplia terraza y tomar luego asiento en el repecho del grueso muro–. ¿Sabe una cosa? –añadió por último–. Yo amaba a Emiliana Matamoros. Para mí era como una diosa a la que tuve siempre en un pedestal sin que jamás se me cruzara por la mente un solo pensamiento innoble. Pero un día apareció el delegado de la Casa de Contratación de Sevilla en su enorme carroza dorada y la corrompió destruyendo el único sentimiento puro y limpio que tuve nunca. –Le miró a los ojos con expresión desafiante–. ¿Cómo puede venir a suplicarme que le ayude? Ni yo ni nadie en esta isla, y quiero suponer que a todo lo ancho y largo del mundo, moverá nunca un dedo a favor suyo, y eso es algo que debe aprender a asimilar lo más pronto posible si pretende seguir viviendo.

Concluido el reparto de las perlas, y navegando en un mar tranquilo, bajo un sol de justicia y sin apenas un soplo de viento en las velas, Lucas Castaño acudió a tomar asiento junto a su capitán, que se acomodaba en el viejo sillón del escocés a la sombra del alcázar, y tras permanecer unos minutos en silencio, observando los peces voladores surgir ante la proa para planear sobre la plateada superficie del agua e ir a hundirse casi sin levantar espuma, señaló pesaroso:

–Los hombres están inquietos.

Su joven capitán le observó desconcertado.

–¿Y eso? El reparto ha sido justo… ¿O no?

–Sí, desde luego –admitió el panameño–. Justo pero insuficiente. Poco más de dos mil perlas, aunque sean magníficas, no constituyen un botín que justifique pasarse meses en alta mar expuestos a que en cualquier momento nos atrapen y ahorquen. Éste es un oficio duro y peligroso, cuya única compensación se centra en la aventura y un buen botín. –Chasqueó la lengua con gesto de fastidio–. Y hace años que no disfrutan ni de lo uno ni de lo otro.

–¿Qué quieren?

–Dejar de asaltar barcos cargados de picos y palas, y abordar uno que lleve las bodegas repletas de oro aunque al hacerlo se jueguen la vida. –Se encogió de hombros con gesto de impotencia al añadir–: En una palabra: comportarse como auténticos piratas.

–Entiendo… –admitió el margariteño–. ¿Y tú qué opinas?

–Yo opino que si no aprovechamos el tiempo nos haremos viejos y acabaremos mendigando en cualquier sucio puerto… –Hizo un leve gesto hacia la camareta de popa en la que se encontraba en esos momentos Celeste–. Y llevar una mujer a bordo no contribuye a mejorar las cosas; trae mala suerte.

–Se trata de mi hermana.

–Todos lo saben, pero todos saben también que se trata de una muchacha muy atractiva, y la mayoría de ellos lleva seis meses sin oler un higo. ¡Deberías reflexionar sobre eso!

–Ya lo hago. Y no encuentro una solución que me convenza. ¿Qué puedo hacer con ella?

–Cualquier cosa menos permitir que continúe a bordo de un barco pirata… ¡No es serio!

–No se me ocurre dónde podría desembarcarla, porque el refugio de las Granadinas no se me antoja apropiado para ella. No hay más que putas.

–El mundo es muy grande.

–No lo bastante para la Casa de Contratación. Su brazo llega a todas partes.

–A Jamaica, no. Nadie relacionado con la Casa se atrevería a poner un pie en Jamaica, puesto que le quemarían en la plaza pública al día siguiente. Tu hermana estaría segura allí y, de paso, podríamos ponernos en contacto con otros barcos para intentar alguna operación conjunta. Dentro de tres meses la Flota partirá de Cartagena de Indias rumbo a Cuba, y de allí continuará hacia las Azores y Sevilla. Sería el momento de caer sobre ella.

–¿En colaboración con los corsarios? –preguntó

asombrado el joven capitán Jacaré Jack–. ¡Odio las masacres!

–¡Escucha…! –replicó su segundo esforzándose por mostrarse paciente–. Lo que importa en este tipo de acciones es tener muy presente cuál es el barco que realmente interesa, aprovechar el fragor de la batalla, apartarlo del resto y abordarlo con rapidez. Para ello, lo mejor es enviar espías a los puertos de salida a fin de saber exactamente qué barco lleva oro, y cuál no. Con frecuencia, los más aparatosos suelen ser los menos interesantes.

–¿Lo has hecho antes?

–Con frecuencia –admitió su interlocutor–. El viejo se daba mucha maña para llevarse limpiamente un cordero mientras los lobos y los perros se destrozaban a cañonazos. –Le guiñó un ojo–. Luego llegaste tú y decidió cambiar los corderos por los burros de carga.

–¿Y eso te molesta?

–¡Bueno…! –fue la casi humorística respuesta–. Ten presente que en los últimos años prácticamente los únicos cañonazos que ha disparado el *Jacaré* han sido salvas de aviso. Puro fuego de artificio impropio de su fama.

–¡De acuerdo! –admitió el muchacho–. Pensaré en ello.

–Te aconsejo que lo pienses pronto, o de lo contrario nos podemos llevar una sorpresa. –Le apuntó con el dedo–. Y con esa chicuela a bordo, acabaría en tragedia.

Sebastián Heredia recorrió con la vista los rostros del puñado de hombres que se encontraban en esos momentos de guardia sobre cubierta, y llegó a la amarga conclusión de que una vez más el fiel panameño tenía razón en sus apreciaciones. Un barco pirata no era el lugar más idóneo para una adolescente, y no hacía falta ser muy observador para percatarse de los intercambios de gestos y miradas que solían hacer aquella desharrapada cuadrilla de babosos cada vez que Celeste decidía salir de la camareta a respirar un poco de aire fresco.

El *Jacaré* había sido casi desde el momento en que desembarcó el escocés una especie de barril de pólvora flotante, y los provocativos pechos y la sensual boca siempre húmeda de una criatura que había heredado en parte el bestial atractivo sensual de su madre podía muy bien convertirse en la chispa que hiciera estallar dicha pólvora.

Tras la cena, Sebastián se enfrentó a ella y a su padre en la camareta que ahora les había cedido, para exponer sin ambages cuanto le preocupaba.

–Creo que Lucas tiene razón, y lo más lógico es que desembarquéis en Jamaica –dijo–. Allí podréis vivir sin miedo a represalias, y yo podré acudir con frecuencia a visitaros.

–¿Y por qué no desembarcas tú también? –preguntó Celeste–. Vende el barco, compra una buena hacienda de caña de azúcar y dedícate a vivir en paz.

–No nací para azotar esclavos obligándoles a cortar caña –fue la seca respuesta–. Y sin esclavos no creo que ninguna hacienda resulte rentable, ni siquiera en Jamaica.

–¿Prefieres asaltar barcos?

–Si pertenecen a la Casa, sí. Y si me estás preguntando que si prefiero ser pirata a negrero, te diré que también.

–Tener esclavos no significa necesariamente ser negrero –le hizo notar su padre–. Negrero es el que trafica con negros.

–Si no hubiera compradores no habría traficantes –respondió Sebastián ásperamente–. Escudarnos en el hecho de que todo el mundo utiliza esclavos no justifica tenerlos. Si los hubierais visto como yo los vi, hacinados en unas inmundas bodegas en las que ni siquiera podían respirar, entenderíais mi posición. Aquello es lo más inhumano, bestial y degradante que pueda existir sobre la faz de la tierra, y frente a ello, abordar un barco y quitarle cuanto lleve se me antoja una simple travesura.

–En los tiempos que corren, la mayoría de la gente no piensa así.

–Poco importa lo que piense la mayoría de la gente –sentenció con voz ronca su hijo–. Lo único que importa es lo que yo pienso, y estoy convencido de que ser pirata es la forma más peligrosa de ser libre, y alguien que se juega la vida por ser libre no debe traicionarse arrebatándole la libertad a otros por muy negros que sean.

–¡Jamás te había oído expresarte de ese modo! –le hizo notar Miguel Heredia.

–Será porque antes raramente me escuchabas –le recordó el margariteño–. O tal vez se deba a que antes aún no había visto ese barco.

Celeste tendió la mano para acariciar amorosamente la mejilla de su hermano al tiempo que musitaba quedamente:

–Me encanta tu forma de pensar. Si fuera hombre también pensaría así y sería pirata como tú, pero entiendo que mi presencia a bordo complica las cosas –le guiñó un ojo con picardía–. Esos pobres chicos tienen aspecto de andar muy necesitados.

No cabía duda de que tachar de «pobres chicos necesitados» a los patibularios tripulantes del *Jacaré* constituía un sinsentido muy propio de Celeste Heredia, de quien habría podido creerse que había decidido tomarse la vida casi como si de una divertida broma se tratase, pese a que hasta muy poco tiempo antes se había tratado de una broma francamente pesada.

Lejos de don Hernando Pedrárias y de su madre, cualquier problema se le antojaba, al parecer, carente de importancia, hasta el punto de que cabría asegurar que se sentía la criatura más feliz del mundo vagando sin rumbo por el caluroso mar Caribe a bordo de un navío en el que medio centenar de hombres parecían dispuestos a dar cuanto poseían por violarla.

–Encontraremos una hermosa casita en Jamaica –añadió poco más tarde con el animoso y casi entusiasta tono que acostumbraba a utilizar–. Papá y yo criaremos gallinas mientras aprendemos inglés, y tú vendrás a visitarnos cada vez que no estés muy ocupado abordando navíos o asaltando fortalezas.

–¿Cómo puedes tomártelo a broma? –se escandalizó Miguel Heredia–. ¡Estás hablando de piratería!

–Por lo que tengo oído –replicó con sorprendente calma su hija–, la práctica totalidad de los habitantes de Jamaica son piratas o corsarios, dejando a un lado las putas, los esclavos y los negreros. ¿Acaso crees que vamos a desentonar en algo que no sea el acento?

–¡Eres increíble!

–¡No, papá! –le contradijo–. No soy increíble. Soy consecuente con el lugar y la época en que he nacido. Desde que tengo memoria sólo he oído hablar de violencia, saqueos, abordajes o flotas hundidas, y de niña te veía salir al mar, a zambullirte en unas aguas plagadas de tiburones para buscar unas perlas que te pagaban a precios de risa. ¿Acaso era aquélla una profesión más lógica que la de pirata?

–Al menos era más honrada.

–¿Y quién decide qué es honrado y qué no lo es? –se encorajinó Celeste–. Hernando presumía de honradez pese a que esquilmaba a los humildes y traficaba con negros… ¡Dios! –exclamó de improviso–. ¿Por qué no nacería hombre? Formaríamos un equipo estupendo. –Se volvió hacia su hermano–. ¿Nunca ha habido mujeres piratas?

–Algunas –reconoció él–. Pero siempre fueron amantes de temidos capitanes. Lucas asegura que conoció a una que vivió dos años vestida de marinero antes de que se descubriera que era mujer y estaba embarazada. Como no quiso confesar quién era su amante porque las leyes de los Hermanos de la Costa castigan con pena de muerte a todo el que suba a bordo a una mujer disfrazada de hombre, la desembarcaron en una isla desierta.

–Es una bella historia de amor –musitó la muchacha–. Vivir dos años como un pirata y aceptar luego que te abandonen por salvar a tu amado es muy hermoso. ¿Qué fue de ella?

–Por lo visto en la isla dio a luz a su hijo, pero como tenía mucha hambre se lo comió.

–¡No es cierto!

–¡No! –rió su hermano–. ¡Claro que no! Nadie supo nunca en qué isla la abandonaron. Tal vez aún siga allí. –Observó alternativamente a su padre y a su hermana–. ¡Bien! –añadió–. ¿Ponemos proa a Jamaica?

–¿Qué otra alternativa nos queda? –inquirió a su vez Miguel Heredia–. Pasaremos de la isla de las Perlas a la isla del Ron.

Su hijo entreabrió la puerta y le gritó al argelino que estaba al timón:

–¡Mubarrak! Los hombres a cubierta listos para virar a rumbo oeste-noroeste.

–¿Oeste-noroeste, capitán? –repitió el timonel a todas luces alborozado–. ¿Es que acaso nos dirigimos a Jamaica?

–Directamente a Port-Royal…

A los pocos instantes el *Jacaré* bullía de excitación de proa a popa, de babor a estribor, y desde lo alto de la cofa del palo mayor a lo más profundo de las sentinas.

–¡Port-Royal! –exclamaban sus tripulantes– ¡Bendito sea Dios! ¡Próxima escala, las putas de Port-Royal!

Port-Royal, edificada sobre la extensa lengua de tierra que cerraba por el sur la enorme bahía de Kingston, en la calurosa y fértil isla de Jamaica, tenía justa fama en aquellos tiempos por ofrecer el más seguro puerto, las más hermosas rameras y el mejor ron del continente, y era ley y tradición firmemente asentada que todo buque que atravesara su barrera de arrecifes con una bandera blanca ondeando al viento y las «portas de artillería» abatidas, podía permanecer en sus aguas el tiempo que se le antojase sin que nadie le hiciera jamás pregunta alguna sobre cuál era su procedencia, su ocupación o su destino.

Los tripulantes tenían, no obstante, la obligación de dejar sus armas de fuego y sus machetes a bordo, y si se aceptaba que lucieran al cinto sus anchos sables de abordaje, era debido a que un buen duelo a espada constituía, siempre que uno de los contendientes no estuviera demasiado borracho, un espectáculo digno de agradecer.

La mayor de sus tabernas, Los Mil Jacobinos, debía su curioso nombre a que en ella se había jugado la más famosa partida de dados de la historia, únicamente equiparable, quizá, a aquella otra en que un oficial de Francisco Pizarro, de apellido Manso, perdiera en una sola noche el fabuloso sol de oro de dos metros de altura que le había correspondido por su arrojo durante la conquista del Perú.

Este otro renombrado enfrentamiento había tenido como protagonistas a un alocado pirata conocido por el extraño mote de Vent en Panne, y a un riquísimo hacendado de origen judío apellidado Stern.

Al parecer, el pirata acababa de tomar parte bajo las órdenes del achacoso capitán Mansfield en el ruinoso asalto a la isla de Santa Catalina, por lo que su participación en el mísero botín había sido de sólo cien doblones.

Se los jugó, y pese a que solía ser un tipo al que le perseguía la mala suerte, ganó más de diez mil.

Decidió entonces que había llegado el momento de regresar a su Francia natal, por lo que buscó pasaje en un barco, pero horas antes de que éste zarpara regresó a la taberna, que aún se llamaba Del Cojo, a echar un último trago.

Allí se tropezó con el judío Stern, un vicioso incorregible que sostenía la curiosa teoría de que el dinero era para jugárselo; y lo que sobraba, si es que sobraba algo, para comer y dar de comer a la familia.

Decidieron «lanzar unos huesos» para matar el tiempo hasta la hora de zarpar y al poco Vent en Panne había ganado quince mil táleros de plata, por lo que el judío optó por apostarse un cargamento de azúcar valorado en cien mil libras, que también perdió.

Por su parte Vent en Panne había perdido el barco cuyo capitán, cansado de esperar, había partido llevándose su equipaje.

Al anochecer, el desesperado Stern, que había dilapidado en cuestión de horas su ingente patrimonio, apareció portando lo único que al parecer le quedaba en este mundo: una gigantesca pieza de seda china bordada en oro, que los expertos valoraron en la portentosa suma de «mil jacobinos».

Vent en Panne aceptó el envite y lanzó los dados mientras todos los clientes que se apretujaban en la espaciosa taberna contenían el aliento.

Sacó un nueve.

El tembloroso judío tomó los huesos, cerró los ojos y los lanzó.

Sacó un once, y a continuación lo repitió ocho veces seguidas.

Al amanecer Vent en Panne había perdido hasta la ropa que llevaba puesta.

Ese mismo día se enroló a las órdenes del sádico L'Olonnois, para participar en el asalto a Maracaibo.

Regresó con un considerable botín, se encaminó a la vieja taberna que en su honor había cambiado ya de nombre, y mandó que llamaran al judío Stern.

Sin embargo, quien se presentó fue el gobernador de la isla, que le confiscó cuanto tenía sustituyéndoselo por una carta de crédito pagadera únicamente en un banco en Francia, para embarcarle a continuación en el primer navío que partía rumbo a Europa, despidiéndole con estas sabias palabras:

—Sabido es que lo que trae la marea se lo lleva la bajamar, pero es que en tu caso, hijo, resulta ya excesivo.

Vent en Panne murió en combate años más tarde, cuando un buque de guerra español se enfrentó al de contrabandistas en que pretendía regresar a Jamaica, a jugarse la cuantiosa fortuna que había amasado en aquel tiempo como importador de azúcar y ron, ya que por lo visto en Europa no había encontrado a ningún contrincante que estuviera a la altura del judío Stern.

A ese enloquecido mundo de juego, mujeres, alcohol y despilfarro, en el que los piratas más bestiales e ignorantes se paseaban en lujosas calesas luciendo ropajes de seda y collares de perlas y esmeraldas, arribó un caluroso mediodía el *Jacaré,* que tras sortear cuidadosamente los peligrosos arrecifes que protegían la entrada de la bahía, se deslizó por ella siempre con la blanca bandera al aire y los cañones ocultos, para dejar caer sus anclas a tiro de piedra de un enorme galeón que casi le triplicaba en envergadura y tonelaje.

Nadie pareció reparar en su presencia.

A aquella hora canicular, con un calor asfixiante, sin una brizna de viento en el interior de la ensenada, y una densa humedad que hacía sudar a chorros flotando en el ambiente, los agotados tripulantes de las dos docenas de navíos que poblaban de mástiles la bahía, así como la práctica totalidad de los habitantes de Port-Royal, disfrutaban de una apacible y bien merecida siesta en un desesperado intento por recuperar fuerzas para resistir la larga noche de orgía que una vez más se avecinaba.

Y es que en Port-Royal estaba rigurosamente prohibida cualquier actividad que alterase a los durmientes durante la tan necesaria siesta, desde el aciago día en que el difunto capitán John Davis despertó malhumorado, alzó la portilla de uno de sus cañones, apuntó con sumo cuidado e hizo volar por los aires la casa que estaban construyendo en la playa, y a siete de sus ruidosos carpinteros.

Jamaica era, ante todo, un lugar de descanso y diversión para piratas y corsarios, vivía de sus rapiñas, crecía con sus saqueos, y si no caía en manos españolas era porque los españoles sabían muy bien que no contaban con una flota lo suficientemente poderosa como para enfrentarse con la menor esperanza de éxito a las fuerzas conjuntas de ingleses, piratas y corsarios.

Como resultado lógico de todo ello, a aquel prodigioso emporio de riqueza y diversión habían ido acudiendo como las moscas a la miel aventureros, prostitutas, buscavidas y tramposos de todos los rincones del planeta, puesto que en ningún otro lugar se podía pasar, en cuestión de horas, de la más absoluta miseria a la más portentosa riqueza, o viceversa.

A unas dos millas de Rocky-Point se alzó durante más de un siglo el barroco palacio de columnatas de mármol blanco que un prestamista enloquecido le regalara a dos preciosas gemelas turcas a la semana justa de haber puesto sus delicados pies en el mejor prostíbulo de la ciudad, con la única condición de que ningún otro hombre pudiera volver a verlas nunca.

Según cuentan, las gemelas, cuya más íntima afición sexual la constituían ellas mismas, aceptaron de muy buen grado el trato, por lo que pasaron el resto de sus largas vidas en la fastuosa mansión, con la única obligación de entretener con sus juegos eróticos al libidinoso prestamista cada fin de semana.

Tras observar por largo rato a través del ancho ventanal de su camareta aquella quieta bahía en que ni siquiera las garzas alzaban el vuelo al mediodía, tal vez por miedo a recibir un cañonazo, Sebastián Heredia se volvió hacia Celeste, que estaba recostada en la litera abanicándose casi ansiosamente, y por último se dirigió a su padre, que hacía ímprobos esfuerzos por mantenerse despierto totalmente despatarrado sobre un viejo sillón.

–Tendréis que permanecer aquí encerrados por un tiempo –señaló al fin con tono pesaroso–. No conviene que salgáis a cubierta durante el día para que no os vean desde los barcos vecinos, porque si más tarde os reconocieran en tierra correríamos peligro.

–¿Cuánto tiempo? –quiso saber su hermana.

–Lo que tarde en encontrar una casa apartada, cómoda y discreta. Lo que en verdad importa es que nadie os relacione con el *Jacaré*.

–¿Y la tripulación?

–Yo me ocuparé de ella.

–Supón que uno de tus hombres decide desertar y quedarse definitivamente en tierra. ¿Qué pasará entonces? –preguntó su padre.

–¡No ocurrirá! –fue la firme respuesta–. Y si ocurre, tomaré las medidas pertinentes.

–Pero ¿y si ocurre? –insistió el otro–. ¿Significará que nunca podremos salir de casa?

–¡Escucha! –exclamó Sebastián, impaciente–. Ya te he dicho que jamás tendrás que preocuparte por ninguno de mis hombres. ¡No me obligues a ser más explícito!

–¿Estás insinuando que matarás a quien pretenda quedarse en la isla? –intervino Celeste un tanto perpleja–. Me parece un precio excesivo por nuestra seguridad.

–No tengo por qué matarlo –puntualizó su hermano–. Bastará con que me lo lleve por las buenas o por las malas para abandonarlo en cualquier isla desierta. Exigir una ciega fidelidad es una de las prerrogativas de un capitán pirata, y el que no acata una orden sabe a lo que se expone. Y mi orden será que el día que levemos anclas todos los hombres tendrán que estar a bordo.

–¡Confío en que te obedezcan!

–Les va la vida en ello.

Su tono era tan decidido y tajante que su propio padre le observó con severidad.

–A menudo no te reconozco –admitió–. Empiezas a comportarte como un auténtico pirata.

–¡Es que soy un pirata, padre! –replicó el capitán del *Jacaré* ásperamente–. Cuando me hice cargo de este barco sabía muy bien en qué me estaba metiendo, y llegué a la conclusión de que no podía pasarme la vida jugando a ser o no ser. Si un día me veo en la necesidad de hundir un barco español o ahorcar a uno de mis hombres no me temblará el pulso, porque si sospechara que me va a temblar abandonaría el mando desde este mismo instante.

–¿Y no sería lo mejor?

–Ya lo hemos discutido. ¡No! No lo sería. Tal como Celeste asegura, me limito a ser consecuente con el lugar y el tiempo que me ha tocado vivir.

En cuanto el sol rozó las copas de las palmeras que adornaban la bahía por poniente, y un leve soplo de brisa agitó apenas las mustias banderas, fue como si ese viento fuera el beso del príncipe encantado que despertara a los durmientes, puesto que en las calles comenzó a notarse un cierto movimiento, mientras las prostitutas se disponían a acicalarse, los comerciantes a abrir las puertas de sus negocios y los taberneros a limpiar las mesas y rellenar las jarras de ron.

Port-Royal, la Ciudad Nocturna, se disponía a iniciar una nueva jornada de pecado en la que todo, excepto el robo, parecía estar permitido.

Al oscurecer los tripulantes de los grandes buques saltaron a los botes auxiliares para remar sin prisas hacia la playa, y al poco una engalanada falúa se aproximó al *Jacaré* para que un hombrecillo de enormes mostachos y voz aguardentosa gritara hacia lo alto:

–¡Ah del barco! Permiso para subir a bordo. ¿Dónde andas, maldito pelirrojo escocés? Hace años que no te echo la vista encima.

Lucas Castaño se apresuró a asomar medio cuerpo por encima de la borda para saludar sonriente al recién llegado.

–¡Buenas noches, capitán Scott! Lo siento, pero el capitán se encuentra indispuesto y ha pedido que no le molesten.

–¡Ya me extrañaba verle por aquí sin una razón de peso! –replicó el otro sin sospechar que le estaban mintiendo–. ¿Qué le ocurre?

–Las fiebres, señor. ¡Ya sabe! El «físico» asegura que con unos días de descanso quedará como nuevo.

–Lo que le ocurre es que está viejo –rió el vociferante capitán Scott haciendo un gesto a sus hombres para que remaran hacia la playa al tiempo que aullaba–: ¿Me has oído, maldito escocés borrachín? ¡Estás viejo y ya no te atreves con las putas de Port-Royal!

Se perdió en la penumbra del anochecer dando palmadas como si aquello fuera lo más divertido que hubiera dicho nunca, y sólo entonces Lucas Castaño mandó agruparse a la tripulación en la toldilla para ordenar con un tono que no admitía réplica:

–Los que no estén de guardia pueden bajar a tierra y emborracharse hasta morir, pero recordad una cosa: el «viejo capitán» continúa a bordo con fiebres, y no quiere que le molesten. –Les apuntó amenazadoramente con el dedo al añadir–: Y tened muy presente que a las diez de la mañana tenéis que estar a bordo o probaréis el látigo.

–¡A las diez! –protestó una voz anónima.

–A las diez cierran las casas de putas y las tabernas, así que nada se os ha perdido en tierra a esas horas. E que no coja la última lancha tendrá que venir a nado y aceptar que le dibuje en la espalda una camisa a cuadros.

El rumor de descontento sólo duró unos instantes, puesto que la seguridad de tener catorce horas de diversión por delante compensaba con creces cualquier imposición, y apenas unos minutos más tarde no quedaban sobre la cubierta del *Jacaré* más que los tres hombres a los que les había correspondido la primera noche de guardia, el cocinero filipino, Lucas Castaño y los tres miembros de la familia Heredia.

Los cuatro últimos cenaron copiosamente en el alcázar, disfrutando de una agradable brisa que llegaba del mar y que impedía que las nubes de mosquitos de la costa invadieran la bahía, mientras escuchaban las escandalosas voces y las risas que llegaban de la ciudad, cuyas luces se reflejaban en las quietas aguas de la ensenada recortando las siluetas de los airosos navíos fondeados más cerca de la costa.

Fue una de las veladas más agradables que la mayoría de ellos hubiera disfrutado en mucho tiempo, puesto que al poco del gigantesco buque vecino surgió una deliciosa melodía, y alzándose sobre las puntas de los pies pudieron distinguir ocho músicos pulcramente uniformados que tocaban instrumentos de cuerda ante una docena de invitados.

–Debe de ser el nuevo barco de Laurent de Graaf –señaló Lucas Castaño–. Siempre lleva una orquesta a bordo que toca incluso en el fragor de la batalla.

–¡Pues lo hacen muy bien! –reconoció Celeste.

–¡Desde luego! –admitió el panameño–. Pero teniéndole tan cerca te aconsejo que no te dejes ver. Aseguran que ninguna mujer se resiste a De Graaf porque tiene fama de ser el pirata más atractivo y de más exquisitos modales del Caribe.

–¿Te inquieta mi virtud? –inquirió ella, divertida.

–Me inquieta la posibilidad de un duelo a cañonazos

con semejante mole sin espacio para maniobrar –puntualizó el otro–. Si una mujer de a bordo se deja seducir por un hombre de otro barco, la costumbre exige que el honor de la tripulación se lave a sangre y fuego, y en este caso llevaríamos las de perder.

–¡Lo tendré muy en cuenta! –dijo la pizpireta jovencita con evidente socarronería–. No creo que mi virtud, por mucha estima que le tenga, valga lo que un barco como el *Jacaré* con todos sus tripulantes.

Su hermano la observó como si aún no hubiera conseguido acostumbrarse a su forma de hablar y comportarse.

–¡Nunca dejarás de asombrarme! –masculló.

–Dale tiempo al tiempo –fue la respuesta–. Pero no te preocupes –añadió sonriente–. Con un pirata en la familia, tengo bastante.

Sebastián se volvió hacia su padre:

–¡Prométeme que le buscarás una dama de compañía que le enseñe a comportarse como una auténtica señorita! –suplicó–. ¡Me saca de quicio!

–¡Oh, vamos! –exclamó Celeste pellizcándole cariñosamente la mejilla–. En el fondo te encanta que sea así. ¿Qué cara habrías puesto al descubrir que tenías una hermana cursi y gazmoña?

–«Bueno es cilantro, pero no tanto» –sentenció el aludido–. Y ahora me largo. Quiero ver más de cerca ese famoso Port-Royal del que tanto he oído hablar.

Desde el momento mismo en que posó el pie en la arena de la playa, Sebastián Heredia tuvo la curiosa sensación de haber trepado a un loco carrusel en el que a cada paso le asaltaba una nueva sensación jamás experimentada, puesto que el derroche de lujo, a menudo rayando en la extravagancia y el mal gusto, de aquella desmadrada ciudad, superaba cuanto pudieran haberle contado sus compañeros de a bordo durante años de aburridas guardias en cubierta.

Una puerta sí y otra también daban paso a un garito, una taberna o un burdel, y mientras recargadas calesas tiradas por caballos ricamente enjaezados recorrían una y otra vez de punta a punta lo que parecía ser la única calle propiamente dicha de la disparatada urbe, hermosas mujeres de todas las razas, edades y colores ofrecían impúdicamente sus encantos dejándose manosear por cuantos quisieran comprobar el estado de la apetecible «mercancía» antes de decidirse a alquilarla.

Desde las amplias balconadas muchachas semidesnudas chistaban incitando a ascender por los cortos escalones, y en las puertas de los garitos, negros esclavos de enormes chisteras pregonaban a gritos que las partidas de dados de aquel local no admitían comparación con la de ningún otro de la isla.

A mitad de la calle Sebastián topó con el enorme letrero que anunciaba que allí se alzaba la famosísima taberna de Los Mil Jacobinos, y la curiosidad fue en esta ocasión más fuerte que cualquier otro sentimiento, por lo que decidió echar un vistazo a la mesa –que jamás había vuelto a usarse– sobre la que corrieran los dados que enriquecieran y arruinaran en una sola noche al infeliz Vent en Panne.

Allí estaba, sólida y maciza sobre un pequeño estrado de oscura caoba, y al enfrentarse a ella cabría suponer que se admiraba un absurdo y muy peculiar monumento al más puro espíritu de la piratería, puesto que aquel simple mueble representaba todo lo que de innoble y grandioso podía encontrarse en el corazón de quienes habían elegido el más arriesgado y denostado de los oficios conocidos.

Más que un cañón, un sable o una negra bandera adornada con tibias y calaveras, aquella histórica mesa venía a demostrar que ser pirata significaba tener el coraje suficiente como para arriesgar hasta el último maravedí o la última gota de sangre en un simple juego.

Con lo que había ganado, y había perdido, sobre aquel desgastado tablero el malogrado Vent en Panne en una sola noche, veinte hombres habrían podido vivir sin agobios hasta los cien años, pero contaban los que lo vieron, que en el momento de desprenderse al fin de su bastón de puño de oro, su bordada camisa y su casaca, el impasible francés se limitó a musitar con una alegre sonrisa en los labios:

–¡Joder, qué noche!

A ello se debía sin duda el hecho de que más que al astuto Francis Drake, el valiente sir Walter Raleigh, el malvado L'Olonnois, el encantador Chevalier de Grammont o el invencible Henry Morgan, los hombres de Port-Royal ensalzasen al infortunado Vent en Panne como el más respetado de sus héroes, paradigma de cuanto habían soñado ser en esta vida.

Se aproximó para extender la mano hacia la mesa, pero una pelirroja que se dejaba besar el cuello por un cliente demasiado excitado, le advirtió histéricamente:

–¡No la toques! No la toques si no quieres que la desgracia te persiga hasta la horca.

–¡Dios me libre! –replicó apartando rápidamente la mano–. ¿Así es la cosa?

–¡Así! –replicó la atractiva ramera apartando por un instante al pegajoso besucón–. Pero si quieres que la suerte te acompañe, échale unas gotas del mejor ron y dedícale un amable pensamiento al Gran Jugador.

Sebastián pidió una jarra «del mejor ron», esparció unas gotas sobre la mesa y luego tomó asiento en el más apartado rincón de la amplia sala, a observar el trajín de putas y borrachos que iban y venían, entraban y salían, con tal ansia de apurar el placer que allí se vendía o alquilaba, que podría creerse que la mayoría de ellos estaban convencidos de que aquélla sería, quizá, la última noche de sus vidas.

Al rato descubrió que de una viga del rincón más

alejado pendía una gruesa soga con el clásico nudo de horca, por lo que tomó de la muñeca a la atareada moza que pasaba por delante de él cargada de jarras, para inquirir señalando hacia lo alto:

–¿Qué significa eso?

–Que si no te apresuras a dejar que el ron te corra libremente por el gaznate, mañana tal vez sea tarde, porque un nudo como ése te lo puede cerrar definitivamente.

–Un poco macabro, ¿no te parece?

La atareada mujeruca hizo un brusco gesto hacia el malencarado tabernero que limpiaba vasos tras el mostrador para señalar con acritud:

–¡Cuéntaselo al cojo! Pero te advierto que al último que protestó lo colgó de una pata hasta el amanecer.

Siguió su camino y Sebastián se limitó a beber en silencio hasta que la exuberante pelirroja, que parecía haberse cansado de las escasamente productivas atenciones de su entusiasmado admirador, acudió a tomar asiento frente a él.

–¡Hola! –saludó con una sonrisa–. Soy Astrid, ¿y tú?

–Sebastián.

–Soy puta. ¿Y tú?

–Piloto.

–¿Piloto? –repitió la muchacha inclinándose hacia adelante tal vez para que él pudiera admirar mejor sus hermosos pechos, o tal vez realmente interesada por la noticia–. ¿Seguro que eres piloto?

–Seguro.

–¿Español?

–«Medio» español. –El margariteño sonrió bajando mucho la voz, como si le estuviese contando un secreto–. Pero hace tiempo que renuncié a esa mitad.

–¿Estudiaste en la escuela de pilotos de la Casa?

–No.

–¡Lástima! –se lamentó la ramera–. Si hubieras estudiado en la escuela de la Casa podría ofrecerte el mejor trabajo del mundo.

–Ya lo tengo.

La pelirroja Astrid se echó hacia atrás y le miró directamente a los ojos al tiempo que negaba convencida:

–¡No como éste! –aseguró–. Conozco un capitán que está dispuesto a ofrecer cinco mil libras de enganche y un quinto del botín a un buen piloto renegado.

Jacaré Jack lanzó un silbido de admiración.

–¡Caray! –exclamó sorprendido–. Eso es muchísimo dinero. Pero si quieres que te diga la verdad, no creo que exista en el mundo un solo capitán que esté dispuesto a darle a su piloto un quinto del botín ni aunque se trate de un español renegado.

–Éste sí.

–Será porque no tiene nada que repartir. –Rió divertido–. Y un quinto de nada, es nada.

De nuevo la pelirroja se inclinó hacia adelante, y la belleza del espectáculo comenzó a dejar sin aliento a un hombre que llevaba meses sin disfrutar de nada remotamente parecido.

–Éste tiene mucho que repartir –susurró muy quedamente–. Más que nadie, y si en verdad eres un buen piloto deberías pensártelo… –Siguió la dirección de su mirada–. ¿Lo continuamos discutiendo en la cama?

–¿Por qué no?

La pelirroja Astrid vivía en una acogedora cabaña casi a espaldas de la taberna de Los Mil Jacobinos, justo de cara a mar abierto, y tan cerca del agua que a veces las suaves olas que conseguían superar la barrera de arrecifes lamían los pilotes sobre los que se asentaba.

Como se trataba sin duda de una magnífica «profesional», limpia, experta y muy divertida, el margariteño pasó una noche de lo más envidiable hasta el momento en que, tras servirle una generosa ración de un fuerte ron que abrasaba el gaznate, la barragana insistió tercamente:

–¿Realmente eres buen piloto?

–Ya te he dicho que sí. Me considero un buen piloto, pero no me interesa en absoluto cambiar de barco. Me pagan muy bien.

Ella le observó fijamente, se pasó el dorso de la mano por la nariz, y por último masculló con cierta acritud:

–No sé por qué, pero tengo la sensación de que realmente eres bueno. –Le guiñó un ojo–. Aunque no mejor que en la cama, y si te entrevistaras con el Capitán, estoy convencida de que sería capaz de doblarte la prima de enganche.

–¡Escucha, pequeña! –replicó él al tiempo que le pasaba la punta de la lengua por los rosados pezones–. Quiero suponer que tu intención es buena, pero yo pertenezco a este oficio y me consta que no existe un solo capitán tan loco o desesperado como para ofrecer diez mil libras de enganche y un quinto del botín a un simple piloto. Alguien te engaña.

Astrid le tomó de la barbilla, le alzó el rostro, y aproximándose hasta casi rozarle la nariz con los labios negó una y otra vez con la cabeza al susurrar:

–Mombars nunca engaña. Roba, incendia, tortura y asesina, pero nunca engaña.

Sebastián Heredia se puso en pie como si acabara de picarle una *mapanare*.

–¡Mombars el Exterminador! –exclamó horrorizado–. ¡Dios bendito! ¿Es que te has vuelto loca? Ese tipo es un sádico.

–No con su gente –fue la tranquila respuesta–. Sus hombres le adoran.

–¡Salvajes que le toman por un dios! –replicó el margariteño saliendo al diminuto porche frente al mar, que brillaba bajo una luna menguante–. Además, por lo que tengo oído se retiró hace años. Incluso hay quien asegura que ha muerto.

—Pues está vivo, vuelve al mar y vendrá muy pronto, aunque jamás mete su barco en la bahía. ¿Quieres que te organice un encuentro con él?

—¿Con Mombars? —se escandalizó Sebastián Heredia—. ¡Ni loco!

La conquista de la isla de Jamaica por parte de los ingleses había estado marcada por una serie de estúpidos errores tan absurdos y garrafales, que evidenciaban que, si bien los españoles actuaban demasiado a menudo de una forma harto chapucera, los británicos también se equivocaban de forma igualmente escandalosa a la hora de establecerse en el Nuevo Mundo.

En efecto, el día que Oliver Cromwell decidió que había llegado el momento de combatir a su peor enemigo en el mismísimo corazón de su imperio, nombró al almirante William Penn –padre del que más tarde sería colonizador de Pensilvania– comandante en jefe de una flota de treinta y ocho buques en los que habrían de embarcarse las tropas que, a las órdenes del general Robert Venables, tenían la sana intención de establecerse en la isla de Santo Domingo, o La Española, de la que se sabía que en aquellos momentos se encontraba semidesierta y desguarnecida.

Tras una corta escala en Barbados, poco menos de siete mil hombres desembarcaron en las costas de Santo Domingo conscientes de que el gobernador español, conde de Peñalva, sólo contaba con poco más de un centenar de veteranos.

La batalla se presentó desde el primer momento tan

desequilibrada que no habría tenido historia de no haber sido por el hecho de que Robert Venables demostró sobradamente ser el estratega más inepto de una larga historia plagada de generales ineptos, ya que en lugar de presentarse ante la capital y tomarla por asalto, optó por desembarcar a sus tropas en una costa inhóspita y lejana, para obligarlas a avanzar durante días bajo un calor sofocante que fue tumbando uno tras otro a unos pobres soldados acostumbrados a climas mucho más templados.

El almirante Penn, que despreciaba y aborrecía al general, le dejaba hacer regodeándose con sus disparatadas andanzas, confiando en que al fin tuviera que acudir a suplicarle ayuda para salir de la cruel trampa en que se había metido, ya que la menguada pero aguerrida tropa del conde de Peñalva utilizaba una astuta guerra de guerrillas que diezmaba inmisericordemente a los incautos ingleses.

Sin embargo, cuando al fin Penn se percató de que un centenar de españoles se bastaban y sobraban para aniquilar a la nutrida fuerza expedicionaria, resultó demasiado tarde, puesto que la mayoría de los hombres habían muerto o desertado, y los que consiguieron regresar a bordo de las naves constituían una auténtica ruina humana.

A la vista de un estrepitoso fracaso del que ambos se consideraban igualmente culpables, William Penn y Robert Venables acordaron levar anclas para lanzarse a la «conquista» de la vecina isla de Jamaica, en la que les constaba que no existía sombra alguna de los tan temidos soldados españoles. Tomaron posesión de la isla, plantaron su bandera, fundaron Port-Royal dejando en él una numerosa guarnición, y pusieron rumbo a Londres para contarle a Oliver Cromwell, que en lugar de la «árida Santo Domingo, habían decidido conquistar la fértil Jamaica.

Como premio, el Lord Protector de Inglaterra los encerró en la Torre de Londres, aunque, eso sí, en mazmorras contiguas para que pudieran continuar insultándose a cualquier hora del día o de la noche.

Fuera como fuese, lo cierto es que Cromwell se vio obligado a admitir que al fin tenía un pie en las Antillas –aunque se tratase de la salvaje Jamaica– y que para que ese pie se mantuviese allí necesitaba poblar la isla de ciudadanos ingleses.

Pero los ciudadanos ingleses no compartían en absoluto su entusiasmo por el Caluroso Reino de los Mosquitos, y a los patrióticos llamamientos respondieron que si Cromwell quería que le comieran los mosquitos se embarcara él mismo.

A la vista de tan tozuda negativa, Oliver Cromwell le pidió a su hijo Henry, al que había nombrado general de las tropas destinadas en Irlanda, que se dedicase a cazar chicos y chicas sanos y fuertes para poblar la isla, al tiempo que se enviaba a todos los escoceses encarcelados en esos momentos.

De ese modo, en menos de cuatro años, Gran Bretaña envió a Jamaica más de siete mil esclavos blancos que, además, debían renunciar a sus sonoros apellidos de origen escocés o irlandés para adoptar otros más acordes con los gustos del Lord Protector, y que debían responder a denominaciones propias de ciudades, colores, flores o profesiones.

En Jamaica, los plantadores de azúcar pagaban unas mil quinientas libras por cada uno de dichos esclavos, y hasta dos mil si se trataba de una linda muchacha.

No obstante, como con el súbito auge en el consumo del ron cada vez era mayor la extensión de las planaciones, se necesitaba más gente, por lo que en Inglaterra comenzó un auténtico negocio de rapto de niños de origen humilde que eran enviados de contrabando a las colonias, al tiempo que el más ínfimo delito, aunque no hubiera sido probado, se condenaba con la pena de servir un mínimo de cuatro años en los cañaverales.

Como resulta lógico imaginar, la Corona estuvo cobrando un jugoso porcentaje de cuanto pagaban los «importadores» por semejante masa humana, hasta el día en que la propia reina, el duque de York y el príncipe Ruperto decidieron fundar la Real Compañía de África, destinada a capturar esclavos en el continente negro, puesto que se había demostrado ampliamente que los africanos sobrevivían mejor al duro trabajo bajo tan sofocante calor.

En poco más de veinte años la empresa de la reina introdujo en Jamaica unos ochenta mil esclavos negros a un promedio de diecisiete libras por cabeza, en un negocio tan aceptado y fructífero, que incluso el Lloyds decidió intervenir asegurando los cargamentos humanos, y abonando diez libras por cada enfermo que «hubiera sido necesario arrojar al mar para que no contagiase al resto de la carga».

Tan cruel tráfico de seres humanos continuaría ejerciéndose hasta que un siglo más tarde, un tal capitán Collingwood, de Liverpool, decidiera arrojar al mar casi mil hombres, mujeres y niños, lo cual ya se le antojó abusivo a la mayoría de los hasta ese momento «comprensivos» miembros del Parlamento.

Por todo ello, cuando con la primera luz del amanecer Sebastián Heredia abandonó casi a rastras el cálido lecho de la fogosa Astrid, se sorprendió al descubrir que pese a lo temprano de la hora, las calles de Port-Royal bullían de actividad, pero no ya de prostitutas y borrachos, sino más bien de activos hombres de empresa que aprovechaban el fresco de la mañana para solucionar sin agobios sus negocios antes de que el bochornoso calor del trópico les obligara a refugiarse en sus mansiones.

Y es que Inglaterra había llegado con siglo y medio de retraso al Nuevo Mundo, pero había llegado con entusiasta espíritu emprendedor de una empresa privada que no se veía continuamente abortada en sus acciones por el burocrático vampirismo de la Casa de Contratación de Sevilla.

Mientras en el resto del Caribe se malvivía a mayor gloria de Dios y la Corona, en Jamaica y Barbados se hacían negocios a mayor gloria de los hombres, y el «oro blanco», el azúcar, movía las montañas al tiempo que la piratería agitaba los mares.

El dinero pasaba de mano en mano con fascinante vivacidad, y a su olor acudían gentes de todos los rincones del mundo, no ya con la primitiva intención de enriquecerse rápidamente con la piratería, el juego o la prostitución, sino incluso con la desconcertante pretensión de conseguir enriquecerse a más largo plazo, pero mucho más «honradamente».

–¿Una mansión fresca, rodeada de jardines, abierta al mar y lejos de miradas indiscretas? –repitió por tanto el servicial hombrecillo de pajiza perilla y redondos anteojos ante la directa pregunta de Sebastián Heredia–. Ha acudido al lugar idóneo, señor. Estamos especializados en semejante tipo de encargos, y por si no lo sabía, le señalaré que su excelencia el capitán Henry Morgan se encontraba entre nuestros mejores clientes.

–Lo sabía –admitió el margariteño, que no podía evitar sentirse extraño en aquel amplio despacho de oscura madera que parecía haber sido transportado mesa a mesa y silla a silla desde la orilla del Támesis–. Por eso estoy aquí. Me han asegurado que lo que no tengan, lo construyen. ¿Es cierto eso?

–Tan cierto como que nos alumbra un sol de justicia –respondió el otro–. Nuestros arquitectos son sin lugar a dudas los mejores de la isla. ¿Cuál es su idea sobre la cantidad que desearía invertir en dicha vivienda?

–Lo que haga falta.

–¿Lo que haga falta? –repitió el hombrecillo son-

riendo de oreja a oreja y dedicándole una curiosa mirada de complicidad–. Eso quiere decir que sus negocios
van viento en popa, y nunca mejor dicho. –Se restregó
una y otra vez las manos, gesto que parecía hacerle profundamente feliz–. ¡Bien, bien, bien! –añadió–. ¡Vea-
mos! En este momento dispongo de una villa, cerca de
Caballos Blancos, que a mi modo de ver constituiría el
lugar perfecto. –Sonrió una vez más–. Una bella dama
pasaría allí muy placenteramente el tiempo a la espera
del regreso de su amado.

–¿Cuándo podría verla?

Míster Cook, cuyo sonoro apellido, recortada perilla y cuidada casaca indicaba al resto de los isleños que
se trataba de uno de los innumerables irlandeses obligados a trasladarse por la fuerza años atrás a la colonia tras
haber cambiado de nombre y de hábitos en el vestir,
consultó su reloj y, tras echar una ojeada al cielo a través del amplio ventanal, señaló sin excesivo entusiasmo:

–Aún estamos a tiempo de llegar con la fresca, pero
el regreso resultará en verdad harto agobiante.

–Jamás me asustó el calor –le hizo notar su interlocutor.

–A mí, por el contrario, me horroriza, y aunque le
estoy sumamente agradecido a estas tierras por las ex-
celentes oportunidades que me han brindado de progre-
sar, admito que existen dos cosas a las que jamás conseguiré habituarme: el calor y los mosquitos. –Sonrió
divertido–. ¿Sabía que el almirante Colón reconoció en
cierta ocasión que los peores enemigos con que se había tropezado en su vida habían sido los mosquitos de
la costa norte de Jamaica?

–No –admitió el margariteño–. No lo sabía.

–Pues así es, y por lo tanto le recomiendo que jamás
se vaya a vivir a la costa norte. Aquí, la brisa del sur
empuja a los mosquitos tierra adentro, pero allí sucede
al contrario, y le garantizo que resulta insufrible.

Míster Cook continuó hablando de la isla y sus características, mientras avanzaban en una pequeña calesa tirada por un sudoroso caballo a lo largo de un amplio y cuidado sendero que bordeaba una costa en la que de tanto en tanto hacían su aparición grupos de cabañas de pescadores, mientras que más al interior se alzaban lujosas mansiones rodeadas de extensos cañaverales en que se afanaban docenas de esclavos.

–A mi gusto, en Caballos Blancos se produce el mejor ron de la isla –indicó en un determinado momento el irlandés–. La fábrica es de un escocés que en pocos años ha hecho una fortuna incalculable. Tengo entendido que sueña con regresar a su país para montar una gran destilería de whisky. –Se volvió hacia Sebastián sin dejar de arrear al animal–. ¿Le interesaría introducirse en el negocio del ron? Comprar esa fábrica podría constituir una magnífica oportunidad y tal vez nosotros...

El capitán Jack le interrumpió colocándole la mano sobre el antebrazo al tiempo que señalaba hacia las calcinadas ruinas de un gigantesco caserón que se alzaba sobre un bellísimo promontorio rodeado de altas palmeras, copudos árboles y docenas de parterres de flores de infinidad de colores, que impresionaba tanto por la magnificencia de su enclave, justo sobre unas aguas azules y transparentes salpicadas de arrecifes de coral, como por la negrura de unas balaustradas y unas vigas que aparecían terriblemente calcinadas.

–¿Qué es eso? –preguntó.

–¿Eso? –replicó el otro desabridamente–. ¡Ruinas!

–Sí –reconoció el margariteño–. Ya veo que son ruinas. ¡Y bien ruinosas, por cierto! Pero el lugar es precioso. ¿A quién pertenecen?

–Ahora a nadie. En su tiempo fue la mansión más lujosa de la isla. La construyó el capitán Bardinet.

–¿Qué ocurrió?

—Es una triste historia.

—Me gustaría conocerla.

El otro le lanzó una extraña mirada de reojo; parecía renuente, pero por fin optó por encogerse de hombros para comentar sin apartar la vista de la abrasada mansión que iba quedando a su derecha:

—El capitán Bardinet vivía a caballo entre el negocio del ron y el de los barcos... ya sabe a qué me refiero. Un día conoció en Londres a una preciosa y delicada damita de alta sociedad, se casó con ella, la trajo a la isla y le construyó esa villa. —Lanzó un bufido—. Durante años fueron la pareja más feliz de Jamaica pese a los continuos viajes del capitán, que llegó a ser uno de los lugartenientes de Morgan. —Ahora míster Cook hizo una larguísima pausa, como si necesitara de todo su aliento para dar fin a su relato—. A su vuelta de la toma de Panamá, inmensamente rico por la parte del botín que le había correspondido, Bardinet corrió a la casa, puesto que le constaba que su esposa estaba a punto de dar a luz a su primer hijo. Por desgracia, ella murió en el parto y eso sumió al capitán en una desesperación que dio paso a la ira cuando la comadrona le trajo a la culpable de la muerte del ser al que adoraba. Era una negrita.

—¿Una negrita? —repitió Sebastián, sorprendido.

—¡Exactamente! Por lo visto, durante sus largas ausencias, la casquivana damisela se había dedicado a divertirse con la práctica totalidad de los esclavos de la plantación.

—¡Rayos!

—¡Exactamente! ¡Rayos y centellas! El capitán Bardinet entró en el barracón de los esclavos, los castró en vivo, y luego les cortó personalmente la cabeza uno por uno. Por último le prendió fuego a la casa, subió a su barco y desapareció.

—¡Triste historia!

–Muy triste, sí señor. Sobre todo teniendo en cuenta que aquella damisela tenía todo el aspecto de no haber roto un plato en su vida. ¡No hay que fiarse de las mosquitas muertas!

Continuaron en silencio hasta que veinte minutos más tarde alcanzaron los lindes de la hacienda que buscaban; un lugar en verdad recoleto, fresco y agradable, amueblado con notable buen gusto, y que se alzaba a menos de trescientos metros de una larga playa a la que iban a morir suavemente las olas.

Sebastián Heredia la recorrió de punta a punta, tomó asiento en el porche ante la atenta mirada del irlandés, y por último asintió con un leve ademán de cabeza.

–Me la quedo –dijo–. Pero sólo durante el tiempo que tarde en reconstruir la mansión que hemos visto.

–¿La Negrita de Bardinet? –preguntó el otro, escandalizado–. ¡No habla en serio!

–Completamente en serio.

–Pero si esa casa está maldita.

–La que estaba maldita era su dueña, no la casa. ¿Puede conseguírmela?

–¡Desde luego! –fue la inmediata respuesta–. Incluso puedo proporcionarle los planos originales. La construimos nosotros.

–En ese caso no hay más que hablar. Trato hecho.

De regreso al *Jacaré* expuso a su padre y a su hermana, en presencia de Lucas Castaño, el acuerdo al que había llegado.

–Reconstruir, amueblar y acondicionar La Negrita os mantendrá entretenidos –concluyó–. Y os aseguro que es el lugar más hermoso que hayáis visto.

–¿Cuánto costará? –preguntó de inmediato Celeste.

–Eso es asunto mío.

–Pero ¿tienes dinero?

–Si no lo tengo, lo conseguiré –fue la tranquila respuesta–. Corren rumores de que se está preparando una gran armada con el fin de interceptar a la Flota cuando salga de Cuba. Podríamos unirnos a ella.

–¿Sabes qué significaría eso? –intervino el panameño.

–Lo sé –respondió Sebastián Heredia–. Significaría que nuestra bandera ondearía junto a la de los corsarios, que es algo que el viejo aborrecía. Pero ¿qué otra cosa podemos hacer, si los hombres se han cansado de abordar barcos de carga? Solos no podemos intentar enfrentarnos a la Flota, ni asaltar una plaza fuerte. ¿O sí?

–No. Naturalmente que no –reconoció su segundo–. Pero si quien esté al mando del asalto a la Flota es corsario, será una carnicería de la que resultará difícil sacar provecho. –Hizo un gesto hacia el galeón que fondeaba a corta distancia–. Sin embargo, si quien manda es De Graaf, la cosa podría estudiarse. Es astuto y le interesa más el oro que la sangre.

–¿Le conoces?

Lucas Castaño hizo un gesto que parecía querer indicar que no deseaba comprometerse.

–Hablé una vez con él –admitió–. El viejo le apreciaba y a menudo se emborrachaban juntos.

–Me parece increíble que estéis haciendo planes sobre asaltar la Flota o asociaros con la escoria del mundo –señaló de improviso Miguel Heredia, que debía de estar muy molesto para encararse abiertamente a su hijo–. ¿Te das cuenta de adónde puede conducirte?

–A convertirme en un auténtico pirata, padre, ya lo hemos discutido –fue la agria respuesta–. Deberías asumir de una vez por todas que si estoy en el oficio, estoy en el oficio. ¡Mira alrededor! Salvo aquellas cuatro goletas que cargan azúcar, el resto son barcos piratas. ¿Qué hacemos entre ellos si no somos como ellos...?

–En ese caso, vámonos... –musitó Celeste.

–¿Adónde? –preguntó su hermano–. Martinica es más o menos como esto, pero en francés. La Tortuga se

ha convertido en una ruina, nido de bandoleros de poca
monta, y en el resto ondea la bandera española, lo cual
quiere decir que en cualquier momento nos podrían
ahorcar. –Le acarició la mano con ternura–. ¿Adónde
ríamos, pequeña? –insistió–. Dame una idea y te prometo estudiarla.

No hacía falta recalcar que al joven capitán del
Jacaré le sobraba razón, puesto que si, como resultaba
evidente, la pretensión de todos ellos continuaba siendo pasar el resto de sus vidas en el Nuevo Mundo, no
había mucho donde elegir, a no ser que se resignaran a
despertar una mañana al pie del patíbulo.

Lo primero que hacía la Casa de Contratación de
Sevilla en cuanto un nuevo vecino se establecía en cualquiera de las posesiones de ultramar, era informarse sobre sus antecedentes y lugar de procedencia, datos que
contrastaba en sus archivos centrales, lo cual les permitía «controlar» hasta el último habitante de las colonias.

De hecho, harto difícil resultaba que se permitiera
a un ciudadano mudarse a cualquier lugar mínimamente
civilizado sin contar con una cédula emitida por la autoridad competente, así como con una autorización expresa firmada y sellada por un funcionario de la Casa.

De todos era sabido que el tiempo, el celo y el notable esfuerzo que los españoles de las Indias empleaban
en «defenderse» de los posibles enemigos interiores,
nada tenía en común con la manifiesta desidia demos-
trada a la hora de combatir a los extraños, dado que sus
jueces parecían sentirse infinitamente más felices a la
hora de encarcelar a un mísero campesino que hubiera
robado dos gallinas, que a la hora de ahorcar a un feroz
filibustero que hubiese hundido un galeón cargado de
tesoros.

Semejante contrasentido tal vez se debiera a que
dichos jueces opinaban, no sin razón, que al castigar a
un ladrón de gallinas atemorizaban a otros ladrones de

gallinas, mientras que por el hecho de ahorcar a un filibustero no se evitaba que nuevos filibusteros hundiesen nuevos barcos.

Una atractiva jovenzuela que había cometido el imperdonable crimen de fugarse con más de dos mil perlas pertenecientes a la Casa no tenía, por tanto, posibilidad alguna de pasar inadvertida en ninguno de los extensos territorios que controlaba la Casa, y en vista de ello, soñar con establecerse en un lugar que no fuera Barbados o Jamaica era soñar con imposibles.

–Ninguno de nosotros hubiera deseado convertirse en fugitivo de la justicia –comentó esa noche Sebastián en el transcurso de la cena, aprovechando uno de los cortos descansos de la orquesta del barco vecino–. Pero eso es lo que en verdad somos, y cuando antes lo aceptemos, mejor.

Celeste dejó con sumo cuidado sobre la mesa la copa de plata de la que estaba bebiendo y en la que aparecía grabada la enseña de la calavera y el caimán observó con desconcertante insistencia a su hermano, y por último inquirió:

–Dime una cosa y respóndeme, por favor, sinceramente. ¿Estabas decidido a convertirte en pirata antes de que volviéramos a encontrarnos?

–¡Naturalmente! De hecho, ya lo era.

–¿Y mi presencia puede contribuir de algún modo a que algún día abandones el oficio?

–Probablemente. –El muchacho hizo un gesto hacia su padre–. Ahora tengo dos buenas razones para retirarme en cuanto haya ahorrado algún dinero.

–¡Bien! –dijo la muchacha–. En ese caso creo que tienes razón y no hay que darle más vueltas. –Le guiñó un ojo a su padre–. Nuestra misión será hacerle tan agradable la estancia en tierra que pierda las ganas de volver al mar. –Alzó su copa–. ¡Por el capitán pirata más joven de la historia!

Lucas Castaño le interrumpió con un gesto.

—¡Tendrá que ser por el más listo! —dijo—. El capitán más joven de la historia fue Mombars.

—¿El Exterminador? —preguntó sorprendido Sebastián.

—El mismo —admitió el panameño—. A los dieciocho años tenía su propio barco y había asesinado personalmente a más de cuarenta personas. Ya por aquel entonces era una bestia gigantesca, con espesas cejas muy negras, el pelo largo, revuelto y castaño, lo que le daba el aspecto de un demonio recién salido del averno. Recuerdo que no bebía ni jugaba ni se acostaba con mujeres, y su tripulación estaba compuesta casi exclusivamente por los indios más salvajes de la región. Su mayor placer era abrir en canal a un prisionero, amarrarle las tripas a un árbol y obligarle a correr para que se las fuera dejando atrás como una serpentina.

—¡Dios bendito! —se horrorizó la muchacha dejando de nuevo la copa sobre el mantel con mano temblorosa—. ¡No es posible que existan personas así!

—¡Existen! —insistió el panameño—. Mombars era exactamente así. Y L'Olonnois no le andaba muy lejos. Los dos estaban locos, aunque, desde luego, el Exterminador se llevaba la palma.

—Anoche una fulandanga me propuso que me enrolara en su barco.

Lucas Castaño le observó como si le costara trabajo admitirlo, y por último, señaló:

—Tenía entendido que se había retirado a un refugio secreto, e incluso se rumoreaba que los salvajes se lo habían comido, al igual que se comieron a L'Olonnois en la isla de Baru. ¿Estás seguro de que se refería a Mombars?

—Eso dijo. Por lo visto necesita un buen piloto y está dispuesto a pagar una fortuna.

—Como dato no está mal —admitió meditabundo el

panameño–. El problema de Mombars ha sido siempre la navegación. Ni él ni sus jodidos salvajes tienen puñetera idea de cómo interpretar un derrotero. –Soltó un leve silbido que parecía ayudarle a pensar para añadir bajando mucho la voz, como si temiera que alguien pudiera oírle–: Le ocurre lo que a L'Olonnois, que a lo largo de su vida embarrancó nada menos que cuatro barcos perdiendo docenas de hombres y cientos de millones. –Sacudió la cabeza como si se convenciera a sí mismo–. Resulta lógico suponer que si Mombars decide abandonar su escondite y reanudar sus actividades, lo primero que necesite sea un piloto. Y si necesita un piloto, el mejor lugar para encontrarlo es Port-Royal. ¡Sería fantástico!

–¿Qué tiene de fantástico, si como aseguras es un sádico asesino? –preguntó Celeste Heredia un tanto confusa.

Lucas Castaño la observó como si no la oyera, porque su mente estaba muy lejos de allí, inmersa en alguna idea que le rondaba insistentemente la cabeza, y cuando al fin pareció volver a la realidad, le dedicó una extraña sonrisa.

–¡Perdona! –suplicó–. ¡Se me fue el santo al cielo! –Bebió largamente antes de añadir con el mismo tono confidencial–: Lo que tiene de fantástico es que la única obsesión de Mombars era matar, torturar y mutilar, por lo que jamás malgastó una sola piastra de la parte del botín que le correspondía. –Torció el gesto al mascullar–: Cuentan que el lastre de su barco lo constituyen lingotes de plata peruana, y que las cornamusas, los norays, las vajillas y los picaportes son de oro puro. Los que han estado a bordo aseguran que el *Ira de Dios* es, en realidad, un fabuloso palacio flotante.

–¿Y qué estás insinuando con eso? –preguntó Miguel Heredia–. ¿Acaso se te ha pasado por la cabeza la idea de robárselo?

—«Quien roba a un ladrón, tiene cien años de perdón» —fue la divertida respuesta—. Y resulta mucho más peligroso asaltar una Flota que debe cargar más de tres mil cañones, que enfrentarse a un solo barco cuyo capitán nunca ha demostrado inteligencia más que para causar daño, y que cuando pone rumbo a Cuba acaba en Panamá.

—¡Estás loco!

—¿Loco? —repitió el panameño—. ¡Desde luego! Todo el que se dedica a un oficio en el que el futuro es la horca tiene que estar loco. —Se inclinó hacia adelante y el tono de su voz ganó en intensidad al añadir—: Imaginad, sólo por un momento, que somos capaces de encontrar la forma de tenderle una trampa a ese cretino... Sería como tener media Flota al alcance de la mano.

—¿Qué sabes de él? —inquirió Celeste demostrando un inquietante e inusitado interés.

—Lo único que en verdad se sabe es que proviene de una familia noble del Languedoc, y que siendo muy niño, al leer a fray Bartolomé de Las Casas se convenció de que todos los españoles eran una especie de monstruos que se dedicaban a descuartizar indios por diversión. Eso le trastornó, y al poco se embarcó con un tío suyo que era corsario asegurando que era el Ángel Exterminador al que Dios había ordenado acabar con los españoles. De ahí su nombre y el de su barco.

—¡El Ángel Exterminador en el *Ira de Dios*! —musitó Miguel Heredia, a todas luces impresionado—. ¿Y a un tipo así es al que pretendes engañar? ¡Pues sí que le echas tú cojones a la vida!

—¡Escucha...! —le replicó Lucas Castaño sin perder la calma—. La vida me ha enseñado que a menudo resulta mucho más fácil engañar a un «ángel exterminador» que a un pobre diablo, porque el pobre diablo siempre está esperando que le engañen, mientras que a un «ángel exterminador» semejante posibilidad ni siquiera se le pasa por la cabeza. Lo que hace falta en este caso no es fuerza, sino astucia. –Hizo un significativo gesto hacia Sebastián–. Y en eso, aquí, el Jefe, siempre ha demostrado ser un auténtico maestro.

De regreso a Cumaná, con todas sus «posesiones» convertidas en una simple carta de crédito expedida por los banqueros del judío Samuel el Prestamista, don Hernando Pedrárias Gotarredona descubrió, satisfecho que su fiel secretario Lautaro Espinosa había cumplido al pie de la letra sus instrucciones, por lo que un altivo bergantín barca, o bricbarca, armado con treinta y dos cañones de veinticuatro libras, y veintiocho cañones de treinta y seis libras, se encontraba fondeado en el cercano golfo de Paria.

Su capitán, João de Oliveira, más conocido por Tiradentes, por su inveterada costumbre de arrancar las muelas a sus hombres cada vez que cometían una falta grave, era un lisboeta estrábico y mugriento que llegó a conseguir cierta fama en las costas brasileñas, no por la magnificencia de sus hazañas, sino porque se trataba del primer «cristiano» al que se le descubrió una desmesurada afición a mascar a todas horas las amargas hojas de una planta que los indígenas de los Andes utilizaban para combatir el hambre y la sed.

Tiradentes, que se había instalado en el prostíbulo de Candela Fierro, ya que cuando estaba en tierra no conciliaba el sueño si no tenía por lo menos tres putas en la cama, las tuvo que echar a patadas de la estancia en el momento en que hizo su aparición el ex delegado de la Casa de Contratación de Sevilla, y aún en cueros vivos no tuvo el menor reparo en comenzar a orinar ruidosamente en un cubo al tiempo que señalaba:

—Le aseguro que el *Botafumeiro* es, probablemente, el mejor barco que existe hoy en día a este lado del océano.

—¿Mejor que el *Jacaré*? —quiso saber de inmediato su interlocutor, que había ido a asomarse a una ventana para observar el río, evitando así el bochornoso espectáculo que se desarrollaba a sus espaldas.

—No conozco el *Jacaré* —respondió el portugués mientras comenzaba a vestirse con estudiada parsimonia—. Pero por lo que me han contado de él, navega bien con todos los vientos, cosa que también hace el mío, pero la gracia está en que le doblo en potencia de fuego. —Soltó un sonoro eructo que apestaba a alcohol barato—. Sin embargo, mi tripulación está en precario y necesito hombres —concluyó.

—¿Cuántos?

—Por lo menos ochenta —fue la rápida respuesta—. Sobre todo gavieros y artilleros.

—No creo que en Cumaná los encontremos.

—¡No, desde luego! —admitió Tiradentes calzándose las botas y poniéndose en pie de un salto—. Ya lo he intentado, pero tengo entendido que para enrolar una buena tripulación sólo existen dos puertos: la Tortuga y Port-Royal. Personalmente, me inclino por la primera.

La sola mención de la pequeña isla en que se concentraba el mayor número de enemigos mortales de la Casa de Contratación de Sevilla por metro cuadrado, tuvo la virtud de obligar a volverse a don Hernando Pedrárias, que se enfrentó a la burlona sonrisa de un repelente individuo cuyos enormes dientes aparecían eternamente ennegrecidos por culpa de la coca.

—¿La Tortuga? —repitió con un tono de innegable

inquietud en la voz–. ¿Cree que resulta aconsejable recalar allí cuando nuestra principal misión es perseguir y aniquilar a un barco pirata?

El otro se entretuvo en lanzar un espeso escupitajo al cubo de orines antes de replicar sin perder por ello la casi insultante sonrisa:

–¡Peor sería Port-Royal! Todos cuantos fondean en la Tortuga se sentirían felices de aniquilarse los unos a los otros a la menor oportunidad, y ningún pirata llorará por la muerte de ese tal Jacaré Jack. Más bien por el contrario, les encantará bailar sobre su tumba. ¡Vamos a echar un trago!

Don Hernando Pedrárias agradeció en el alma la oportunidad que le brindaban de abandonar aquella hedionda habitación que apestaba a sudor, sexo y orines, y se sintió en cierto modo reconfortado cuando tomaron asiento a la sombra de un samán cuyas raíces lamía el mismísimo río Manzanares.

Por unos instantes le vino a la memoria aquel otro Manzanares de Madrid, en el que más de una vez se había bañado de muchacho en compañía de los hijos del duque de Ahumada, y por unos instantes le cruzó por la mente la pregunta de cómo era posible que hubiera caído tan bajo partiendo de tan alto.

Tras un largo silencio en que el portugués pareció comprender que su compañero de mesa necesitaba tiempo para pensar, inquirió ásperamente:

–¿Qué pasará si en la Tortuga descubren que me encuentro a bordo?

–Que le pegarán fuego al *Botafumeiro* –fue la rápida respuesta–. Pero eso es algo que no tiene por qué ocurrir, puesto que yo seré el único que conozca su identidad. Desde el momento en que suba a bordo tendrá que cambiarse el nombre.

–Puede que cambie de nombre, pero no de acento –le hizo notar el otro–. No hablo más que español.

–Probablemente la Tortuga rebosa de españoles renegados –replicó el portugués sin inmutarse–. De hecho, la mayoría de los pilotos lo son, pues de otro modo no podrían desenvolverse sin problemas por este piélago de islas. Son prácticamente los únicos que han tenido acceso a los derroteros de la Casa.

Los famosos derroteros, o «libros de ruta» con indicaciones de vientos, corrientes y traidores bajíos de cuantos mares circundaban las Indias Occidentales, constituían por lógica uno de los secretos mejor guardados de su tiempo, ya que habían sido realizados, a base de infinita paciencia, por una larga serie de expertos cartógrafos que habían ido acumulando en un enorme edificio alzado a orillas del Guadalquivir los innumerables y preciados datos que los marinos españoles habían ido aportando a lo largo de siglo y medio de navegación por las desconocidas y peligrosas costas del Nuevo Mundo.

La escuela de pilotos de la Casa de Contratación era la única institución que tenía derecho, por decreto, a acceder sin ningún tipo de trabas a tan valiosísimo archivo, y, por lo tanto, un piloto que conservase en su memoria lo esencial de tales derroteros era, sin duda, un ser privilegiado por cuyos servicios llegaban a pagarse cifras astronómicas.

Sin su ayuda, el mejor capitán corría el riesgo de embarrancar en mitad de la noche en cualquiera de los infinitos islotes que se desparramaban sin orden ni concierto a lo largo y ancho del mar de las Antillas, y era cosa sabida que hundían muchos más barcos piratas los arrecifes de coral, que los buques de la Corona.

Llevar a bordo un piloto «de La Casa» significaba tanto como llevar un seguro de vida, y el armador que contara con los servicios de uno de ellos tenía muchas más oportunidades de contratar una buena tripulación que quien tuviera que conformarse con un advenedizo expuesto a «subirse a las rocas» al menor descuido.

–Le pediré a su excelencia que nos proporcione un buen piloto –comentó al cabo de un rato el propio Pedrárias–. Por lo que veo, sin él no haremos nada.

–Me parece una magnífica idea que no me atrevía a proponer –sentenció el portugués–. A un hombre de mar le cuesta reconocer sus limitaciones, pero debo admitir que en el Caribe me siento perdido.

Su excelencia, don Cayetano Miranda Portocarrero se mostró en un principio renuente a recibir a su antiguo subordinado, pero ante la insistencia de éste accedió a concederle unos minutos de su precioso tiempo.

–El único piloto disponible en estos momentos –dijo– es Martín Prieto, un honrado padre de familia del que no puedo desprenderme, ni mucho menos obligar a tomar parte en una sucia aventura de piratas. Como comprenderá, tampoco estoy en disposición de proporcionarle esos derroteros con el consiguiente peligro de que caigan en malas manos… –Fijó como de costumbre la mirada en el retrato de monseñor Rodrigo de Fonseca, y tras rumiar largo rato sus ideas, señaló–: Lo único que puedo hacer es permitirle el acceso a la Cripta, y pedirle a Martín Prieto que le ayude a ponerse al corriente de los derroteros básicos. –Alzó el dedo–. Pero que quede bien claro que no podrá tomar ni una sola nota, y me dará su palabra de que jamás repetirá a nadie nada de lo que le enseñen.

La Cripta era una amplia estancia tallada en la roca de los cimientos del castillo de San Antonio, tan hermética que habrían sido necesarias toneladas de explosivos para acceder a ella por otra cosa que no fuera una empinada escalera de caracol que atravesaba dos gruesas rejas y una maciza puerta de roble junto a la que un centinela se mantenía de guardia día y noche con órdenes estrictas de prenderle fuego al valioso archivo a la menor señal de que podía caer en manos enemigas.

El ambiente era seco y la temperatura constante para evitar el deterioro de tan inapreciables documentos, y cada vez que el severo Martín Prieto entraba para retirar uno de ellos, el centinela le alumbraba con un candil desde la puerta, sin franquear el umbral bajo ninguna circunstancia y sin permitir que las cartas marinas o los libros de ruta abandonaran la estancia más que de uno en uno.

Diez metros más arriba, y ya con luz natural, el piloto y don Hernando Pedrárias tomaban asiento ante una larga mesa, y el primero le iba explicando al segundo, con ayuda de una larga pluma de ave, las características de cada mapa y cada libro, casi sin rozarlos.

El siempre adusto Martín Prieto, al que la presencia del ex delegado de la Casa en cierto modo repelía, y que probablemente habría sido capaz de impartir a ciegas sus lecciones –tal era el portentoso conocimiento que tenía del mar de las Antillas– se esforzó cuanto pudo a la hora de tratar de inculcar sus vastísimos conocimientos a un advenedizo que apenas se sentía capaz de diferenciar levante de poniente o barlovento de sotavento, pero que no obstante parecía tener muy claro que en aprender le iba la vida, por lo que se esforzaba al máximo a la hora de intentar meterse en la mollera tan ingente montaña de conocimientos.

Cuántos cientos de islas, islotes y traidores arrecifes se desperdigaban desde las Bahamas a Tobago, o desde Tampico a Martinica, qué extensión tenía Cuba, o qué vientos y corrientes dominaban en el paso de la Mona según las épocas del año eran, obviamente, datos difíciles de asimilar en cuestión de días, y don Hernando Pedrárias advertía que en más de una ocasión estaba a punto de estallarle la cabeza.

–¿Cuánto tiempo tardó en aprenderse todo esto? –le preguntó cierta noche al piloto tras una agotadora sesión de más de quince horas de esfuerzo.

–Aún lo estoy aprendiendo –fue la sincera respuesta de alguien que parecía haber dedicado treinta años de su vida al estudio–. Todavía me siento incapaz de internarme en las islas Vírgenes sin verme obligado a poner la nave al pairo al caer la noche.

–Y en vista de eso, ¿qué cree que puedo hacer yo en apenas dos semanas?

No obtuvo respuesta, puesto que resultaba evidente que ni el más aventajado discípulo habría tenido oportunidad de hacerse algo más que una somera idea en tan escaso período de tiempo de cuáles eran los auténticos contornos del Caribe o en qué latitud y longitud se encontraban sus principales islas, por lo que cuando al fin regresó al prostíbulo de Candela Fierro, don Hernando Pedrárias abrigaba el firme convencimiento de que sabía mucho menos que antes sobre el rincón del mundo en que le había tocado vivir.

Pese a ello, a la hora de enfrentarse al portugués se esforzó por mostrarse animoso.

–De momento tengo muy claro cómo llegar a la Tortuga –señaló–. Luego, Dios dirá.

Tres días más tarde levaron anclas, y en el momento de atravesar el estrecho del Dragón, que separa la isla de Trinidad de tierra firme, al ex delegado de la Casa de Contratación le asaltó la sospecha de que João de Oliveira había sido algo más que sincero a la hora de reconocer que la tripulación de su poderoso navío se encontraba «en precario».

Cuarenta y un hombres con aspecto de no estar bien alimentados apenas dieron abasto para atender al pesado velamen del bricbarca en cuanto cayeron en manos de los fuertes vientos que llegaban del océano, al tiempo que un escuálido timonel se las veía y deseaba para mantener la nave en rumbo, pese a lo cual el hediondo capitán Tiradentes se mostraba totalmente impasible e incluso se diría que hasta divertido, ya que tras lanzar un sucio escupitajo de coca sobre cubierta, se limitó a aullar a voz en cuello con evidente sorna:

–¡Ánimo, hijos de la gran puta, que si nos topáramos ahora con el *Jacaré* nos hundía a puros pedos!

Se reía luego a carcajadas, como si el hecho de que el poderoso navío se viera en peligro de precipitarse contra los arrecifes de punta las Peñas no constituyese más que una divertida broma, por lo que el atribulado don Hernando Pedrárias no pudo por menos que echar una amarga mirada al extremo del bauprés tratando de hacerse una idea de qué aspecto tendría su cabeza al tercer día de colgar de una jarcia.

–¡Maldita Celeste! –masculló una y otra vez–. ¡Maldita seas mil veces!

Poco después se vio obligado a inclinarse sobre la borda para vomitar cuanto había ingerido durante las últimas horas, y por fin se retiró a su estrecha litera aceptando que no le importaría gran cosa que el bergantín girara de improviso sobre sí dejando la quilla al aire para enviarlo de una vez por todas al fondo del océano.

Con muy buen criterio, João de Oliveira optó de inmediato por navegar lejos de toda isla o arrecife, siempre proa al noroeste y fuera de las rutas que acostumbraban seguir los buques de carga o los navíos piratas, convencido como estaba de que con su escasísimo personal humano poca resistencia podría oponer en caso de un eventual ataque, cualquiera que fuese el calado o el armamento del rival.

Y es que en ningún momento se había atrevido a confesarle al nuevo patrón del *Botafumeiro* que la «precariedad» de su tripulación se debía al hecho de que las tres cuartas partes de sus componentes habían muerto poco tiempo atrás por culpa de una súbita epidemia de dengue hemorrágico, ya que de haberlo sabido ni siquiera el más desesperado de los hombres habría tenido el valor suficiente como para embarcar.

Ahora, sin piloto, sin apenas gavieros, sin un solo «juanetero» y con un estúpido timonel que zigzagueaba más que una serpiente en celo, el capitán Tiradentes se internaba en un mar Caribe que le resultaba totalmente desconocido, en busca de una isla de la que se hablaba en todos los puertos del mundo, pero que no tenía la menor idea de dónde se encontraba exactamente.

–Al norte de La Española –le habían dicho.

De acuerdo. Pero ¿dónde se encontraba exactamente La Española?

Dos años atrás el mugroso João de Oliveira había cometido el craso error –en el que por otra parte solían caer con notable frecuencia infinidad de capitanes de fortuna– de adquirir a un precio ciertamente desmesurado lo que parecía ser una auténtica carta marina muy bien documentada de las Antillas, pero que muy pronto pudo constatar, con riesgo de perecer en la aventura, que se trataba de una burda falsificación, o, lo que cabría considerar aún muchísimo peor, de una sibilina «trampa española».

Era cosa sabida desde antiguo, que la Casa de Contratación de Sevilla había tomado la fea costumbre de lanzar al «mercado» de tanto en tanto falsos mapas y derroteros con el fin de que fueran a parar a manos de piratas y corsarios que, al seguir al pie de la letra sus muy estudiadas y traicioneras indicaciones, acababan por estrellarse pronto o tarde contra los tan temidos arrecifes.

Sólo los mejores pilotos españoles eran capaces de reconocer al primer golpe de vista dichas «trampas», y en gran parte a ello se debía de igual modo las altas cotizaciones que tales «renegados» alcanzaban en el revuelto mundo laboral de la piratería activa.

El capitán Tiradentes era, por tanto, dueño de un mapa que indicaba con total nitidez dónde se encontraba La Española y dónde Puerto Rico, pero jamás habría puesto la mano en el fuego en caso de que le hubieran obligado a jurar que, efectivamente, a la hora de la verdad dichas islas aparecerían en la latitud y longitud señaladas.

Por ello, cuando don Hernando Pedrárias le confirmó con absoluta seguridad, que partiendo de punta las Peñas en dirección noroeste no encontraría más que aguas profundas hasta alcanzar las costas de Puerto Rico, marcó ese rumbo y se dedicó a esperar pacientemente a que ante su proa hiciese al fin su aparición una costa lejana.

No obstante, mantenía siempre un vigía de cofa y otro de serviola, y en cuanto caía la noche arriaba la mayor conformándose con avanzar sin más ayuda que los foques, sin una sola luz a bordo y con el oído atento al menor rumor que sonara a rompientes.

La cuarta noche, cuando más en calma parecía encontrarse el mundo y más oscuro el firmamento, el horizonte comenzó a cubrirse no obstante de brillantes estrellas, aunque muy pronto el capitán Oliveira llegó a la asombrosa conclusión de que no se trataba en absoluto de estrellas sino de cientos de inquietantes luces que progresaban con notable rapidez hacia su banda de estribor.

–¡*São Bento me ampare!* –exclamó estupefacto– ¡La Flota!

No podía tratarse, en efecto, más que de la poderosa Flota española que ese año debía de haber partido con retraso de Sevilla, y que avanzaba en masa, segura de su rumbo y de su fuerza, con destino a San Juan de Puerto Rico, desde donde descendería más tarde hasta Cartagena de Indias.

¡La Flota!

Acodados a barlovento, hasta el último tripulante del *Botafumeiro* contempló fascinado el soberbio espectáculo que ofrecía tan majestuosa armada, y por unos instantes incluso el mismísimo Hernando Pedrárias se sintió íntimamente orgulloso de haber nacido en un país que hacía alarde de semejante derroche de poder.

Al fin se volvió hacia el portugués, que refunfuñaba a muy corta distancia sin dejar de rumiar las amargas hojas de coca con más fruición que nunca, y preguntó:

–¿Qué piensa hacer?

–Cruzar entre ellos –fue la firme respuesta.

–¿Cruzar entre esa nube de barcos? –exclamó–. ¿Es que se ha vuelto loco? Nos abordarán.

–No si sabemos maniobrar –sentenció el otro–. No cuento con hombres ni tiempo para izar todo el trapo en plena noche y aumentar la velocidad lo suficiente como para dejarlos atrás. –Lanzó un escupitajo por encima de la borda–. Y si mantenemos este rumbo nos arrollarán. –Se volvió hacia el timonel pese a que apenas podía distinguirlo en las tinieblas–. ¡Vira a estribor! –ordenó–. Y vosotros, arriba mayor y mesana. –Cuando ya sus hombres se alejaban, dejó escapar una divertida carcajada y añadió–: ¡Y aflojad las amarras de los botes por si acaso!

Pese a lo comprometido de la situación y el evidente rechazo que desde el primer instante le había producido la repelente humanidad del lisboeta, don Hernando Pedrárias Gotarredona no pudo por menos que admirar la entereza y sangre fría que demostraba en todo instante, puesto que en verdad cabría suponer que en el fondo de su alma le divertía enormemente el hecho de poner proa hacia una nube de gigantescos navíos que avanzaban como ciegos bisontes, dispuestos a sortearlos en la oscura noche sin más ayuda que su habilidad y un puñado de convalecientes que apenas contaban con las fuerzas necesarias para izar la mitad de las velas.

–¡Tres hombres al timón! –gritó cuando menos de una milla separaba su mascarón de los mascarones de los buques de vanguardia–. ¡Dos puntos a babor! ¡Cazad todo el trapo!

El capitán João de Oliveira era lo suficientemente buen marino como para comprender que si la pesada flota navegaba –tal como solía ser su costumbre– con toda su capacidad de velamen desplegada para atrapar los vientos de popa, en cuanto la tuviera encima le dejarían prácticamente inmóvil, por lo que optó por ganar velocidad aprovechando que aún tenía viento suficiente, para ser él quien se precipitara sobre los que venían, no de frente, sino en un ángulo de unos cuarenta grados en relación con las luces de situación de la primera línea.

De ese modo aumentaba de forma harto notable la posibilidad de una brutal colisión en caso de que la oscuridad le impidiera averiguar a tiempo la verdadera eslora de los enormes cargueros entre los que se disponía a cruzar, pero en compensación le permitía mantener cierto control sobre el *Botafumeiro,* que de otro modo habría quedado flotando como un corcho, expuesto a que cualquiera de las fragatas de protección de segunda o tercera fila se le echara encima para partirlo en dos en un abrir y cerrar de ojos.

Por lógica, los serviolas de una escuadra tan numerosa se preocupaban ante todo por mantener las distancias preestablecidas con respecto a las luces de situación de los restantes buques, gritándoles a los timoneles los cambios de rumbo y confiando en que al seguir fielmente a la nao capitana no encontrarán obstáculo alguno en su singladura.

La súbita aparición de un bricbarca surgiendo de las tinieblas ante su proa les cogería por tanto tan de sorpresa que por grande que fuera su voluntad a la hora de intentar esquivarla difícilmente lo conseguirían sin arriesgarse a provocar un auténtico desastre en el conjunto de una flota en que ninguna maniobra imprevista se realizaba sin haber sido advertida previamente por medio de señales.

A medida que pasaban los minutos y la distancia se

acortaba conforme el *Botafumeiro* ganaba en velocidad precipitándose como una flecha hacia la primera de las luces, los corazones de cuantos iban a bordo se encogían, conscientes de que el menor error les estrellaría irremisiblemente contra el costado de un macizo mercante que sin duda les doblaba en tonelaje.

Menos de media milla separaba cada barco de la Flota que les flanqueaban, y otro tanto de los que les seguían, y a decir verdad no era ése un espacio excesivamente holgado para maniobrar en mar abierto, teniendo en cuenta que, además, se veían obligados a «adivinar» en las tinieblas la longitud aproximada de cada uno de ellos.

–¡Un punto a babor! –ordenó por último ásperamente el lisboeta–. ¡Aguanta firme!

Abriendo un poco más el ángulo en el postrer momento, João de Oliveira permitió que el botalón de proa de una enorme carraca de más de ocho metros de altura pasase casi rozando su popa y cortando su estela, para que el *Botafumeiro* enfilara rectamente hacia las luces centrales del segundo barco, confiando en que el tiempo que tardara en llegar a él sería el que necesitaría para sobrepasarlo. Cuando vislumbró en las tinieblas la tenue claridad de los grandes faroles de popa, comprendió que de momento había eludido el peligro, y tras lanzar uno de sus repelentes escupitajos, masculló:

–¡Timón a la vía!

Los cuatro hombres se apresuraron a hacer girar la rueda una y otra vez, e instantes después el portugués gritó a voz en cuello:

–¡Dos minutos para virar en redondo por estribor! ¡Atentos a las botavaras!

La voz corrió de boca en boca.

Hasta el último hombre a bordo, incluido el achacoso cocinero negro, se aprestó a cumplir la orden conscientes de que les iba en ello la vida, por lo que en el momento en que Tiradentes soltó un gutural alarido, el bricbarca pareció clavarse en el agua para girar sobre sí mismo como una elegante bailarina de ballet.

Lo hicieron justo en el espacio que dejaban entre sí dos de las fragatas de la segunda fila.

Atrapar de nuevo el viento que llegaba ahora por la banda de babor y reiniciar la singladura en sentido opuesto requería un tiempo que se les antojó angustiosamente largo, y dicha angustia se convirtió en terror en el momento en que el vigía de una de las fragatas creyó entrever algo inusual y dio la voz de alarma.

Casi al instante comenzaron a tronar cañones, pero no con intención de agredir, puesto que por la formación que mantenían los buques de la Flota con un fuego cruzado se habrían hundido los unos a los otros, sino como señal de aviso, alertando con salvas de pólvora de un supuesto peligro.

Sus llamaradas permitieron vislumbrar a contraluz la nave que se disponía a cruzar de nuevo ante la proa de uno de los buques de línea de la tercera fila, y apenas lo había hecho, el gigantesco galeón que cerraba en solitario la formación como el perro que arrea ante sí a las ovejas, largó una andanada de auténticos cañonazos que a punto estuvieron de impactar en la cubierta de un *Botafumeiro* que parecía correr como un conejo en busca de la noche.

Durante apenas diez minutos el monstruoso navío persiguió al fugitivo lanzando sobre él una atronadora lluvia de fuego, pero muy pronto su capitán debió de llegar a la conclusión de que no valía la pena tomarse tantas molestias visto el tamaño de la presa, por lo que viró de nuevo a babor para recuperar su primitivo lugar en pos del resto de la escuadra.

–¡Dios nos ampare! –exclamó don Hernando Pedrárias cuando al fin consiguió recuperar la voz y las piernas dejaron de temblarle–. ¡Ése era el *Cagafuego*!

–¿El *Cagafuego*? –preguntó extrañado João de Oliveira–. Creí que estaba en el Pacífico cubriendo la ruta de Filipinas.

–Regresó hace un año.

–¡Bueno es saberlo para no volver a cruzarse en el camino con esa bestia! Por poco nos machaca.

Cagafuego era el sobrenombre que los piratas acostumbraban aplicar al buque mejor armado de la escuadra española, lo que por lógica correspondía, la mayor parte de las veces, a un galeón de más de noventa cañones y medio millar de tripulantes.

Cuando una hora más tarde las luces de la Flota comenzaron a diluirse en la distancia, el *Botafumeiro* recuperó su primitivo rumbo, aunque en esta ocasión el portugués no ordenó arriar el trapo, limitándose a seguir la estela de los navíos que se alejaban, ya que si los pilotos españoles estaban convencidos de que no corrían riesgo alguno navegando de noche por aquellas aguas, resultaba evidente que el barco del portugués tampoco lo corría.

Dos días más tarde cruzaron al amanecer el canal de la Mona, que separa las islas de Puerto Rico y Santo Domingo, para bordear sin prisas las costas de esta última y acabar fondeando a la mañana siguiente en un profundo puerto bajo la atenta mirada de los centinelas de la inexpugnable fortaleza que el «gobernador» Le Vasseur ordenara empezar a construir el mismo día en que los españoles le expulsaron de Santo Domingo medio siglo atrás.

Tanto tiempo no había pasado en vano, y el antaño deslumbrante baluarte bucanero por el que corría a raudales el oro de piratas y corsarios alimentando a un verdadero ejército de barraganas y buscavidas, se había ido sumiendo en el abandono a la misma velocidad con que la pujante Port-Royal florecía.

Y es que justo es reconocer que la Tortuga no constituía más que una pelada roca casi a tiro de piedra de unas costas dominadas por los ejércitos españoles, mientras que en Jamaica los ingleses se encontraban tan firmemente asentados ya que resultaría harto difícil que ni siquiera los españoles consiguieran expulsarlos.

Un mundo en decadencia puede ofrecer en ocasiones cierto encanto, tanto mayor cuanto más glorioso haya sido su pasado, pero en el caso de la isla de la Tortuga, al ser el suyo un pasado en el que no existía héroe alguno que no hubiera sido sanguinario asesino, ni heroína que no hubiera dormido en mil camas, tal decadencia se transformaba en opaca ruina de edificios, gentes e incluso fortalezas, que agonizaban antes de haber alcanzado la madurez.

Media docena escasa de embarcaciones aparecían como desperdigadas por la amplia ensenada, y al primer golpe de vista se advertía que no se trataba de goletas que hubiesen arribado cargadas de valiosas mercancías que intercambiar por azúcar o ron, ni aun de altivas naves corsarias prestas para combatir al español, sino más bien de faluchos de poco calado de los que solían utilizar los bucaneros para sus incursiones en La Española, de donde regresaban tintos de sangre y cargados hasta las mismas bordas de cerdos muertos.

Más tarde, cuando toda esa carne se había convertido ya en el sabroso manjar que tanto amaban los marinos, los cazadores cargaban de nuevo sus naves y ponían proa a Jamaica, a la que solían llegar tres días después para vender su mercancía y derrochar las ganancias en los prostíbulos y salones de juego de aquel mismo Port-Royal que les había arrebatado el esplendor de los años gloriosos.

La mayoría jamás regresaba.

Por todo ello, cuando don Hernando Pedrárias y el capitán Tiradentes pusieron al fin el pie en el desvencijado espigón de carcomida madera y un solitario mendigo desdentado y escorbútico tendió la mano solicitando una limosna, intercambiaron de inmediato una breve mirada de desilusión.

—Esta tortuga sí que se pasó de vieja… —comentó el portugués con su peculiar sentido del humor—. Creo que aquí no vamos a encontrar lo que buscamos.

El sol, el viento, la arena y la sal suelen ser los cuatro abnegados obreros que la naturaleza utiliza con mayor frecuencia cuando toma la firme decisión de destruir lo que el ser humano ha construido, y podría creerse que en cuanto se refería a la malhadada isla que tanta sangre inocente había contribuido a derramar, esa misma naturaleza había ordenado borrar cuanto antes los odiosos recuerdos de su triste pasado.

La majestuosa fortaleza de Le Vasseur se caía a pedazos, el «puerto» amenazaba con convertirse en un puerto sumergido, y la mayor parte de las antaño lujosas posadas, tabernas y casas de lenocinio no eran ya más que un amasijo de tablas despintadas a las que el último huracán había dejado sin ventanales.

—¡Bonito lugá! ¡Sí señó! —no pudo evitar exclamar el portugués imitando el marcadísimo acento del cocinero de a bordo— ¡Bonito y famoso!

Lanzó un nuevo escupitajo con el que tal vez pretendía evidenciar lo que en verdad sentía al desembarcar en una isla de la que venía oyendo hablar maravillas desde que tenía uso de razón, pero cuando al fin decidió tomar asiento en el interior de la mejor conservada de las tabernas del puerto, habría podido decirse que la mugre de su ropa, la grasa de sus revueltos cabellos y el marrón de sus enormes dientes habían sido concebidos para hacer juego con la mugre de los asientos, la grasa de las mesas y el marrón de las uñas de la desharrapada mujeruca que acudió a atenderles, y que debió de haber sido tiempo atrás una barragana de bandera.

—¿Qué van a tomar? —preguntó.

—Ron.

–*Mérde* –masculló la tabernera visiblemente molesta–. ¡Ron! ¡Siempre ron! Desde que esos putos ingleses inventaron el maldito «matadiablos» nadie pide una bebida «decente».

Tan amarga queja estaba en cierto modo justificada, puesto que desde el aciago día en que a un colono irlandés de las islas Barbados excesivamente aficionado a las bebidas espirituosas se le había ocurrido la desgraciada idea de destilar el azúcar de caña, los gustos de los antillanos con respecto al alcohol parecían haber cambiado como por arte de magia.

En efecto, el fortísimo aguardiente que en un principio se llamó *killdevil* o «matadiablos», y más tarde *rumbullión*, que venía a significar algo así como «jaleo», para quedar reducido a simple «rum», había calado profundamente en el alma de unos hombres que pasaban a menudo largos meses en el mar, y que cuando desembarcaban lo único que deseaban era emborracharse lo más rápida y económicamente posible.

La diferencia entre los precios y la «eficacia» de unos suaves vinos excesivamente aguados, importados de Francia o España, y que a menudo se «mareaban» o agriaban durante la larga y calurosa travesía del océano, nada tenía en común con la feroz patada en la boca del estómago y la inmediata euforia que producía una buena jarra de ron de las Indias, y eso era algo muy de agradecer a la hora de embriagarse a conciencia.

Debido a ello, el ron se había erigido en el monarca indiscutible de las tabernas antillanas, por lo que pese a sus protestas y maldiciones, la mujeruca regresó al poco con dos enormes jarras del más violento «matadiablos» que cupiera imaginar, y tras dejarlas caer entre ellos de forma tal que una buena cantidad se derramó sobre la mesa, inquirió casi agresiva:

–¿Algo más?

El portugués asintió y dijo:

–Necesitamos hombres.

–¿Hombres? ¿Qué clase de hombres?

–Juaneteros con un par de cojones para trepar a las alturas, y artilleros que conozcan su oficio y quieran ganar un buen dinero.

–Si en este sucio lugar quedaran hombres con un par de cojones, hace ya tiempo que le habrían prendido fuego a ese maldito Port-Royal que el diablo confunda –masculló la arpía sorbiéndose sonoramente los mocos–. ¿Cuál sería mi parte?

–Doblón por cabeza.

La desgreñada bruja asintió con un gesto.

–¡Veré qué se puede hacer!

Tiradentes la señaló amenazadoramente con el dedo.

–Pero no me traigas basura –dijo–. Quiero gente con experiencia.

La otra se limitó a reír mostrando que le faltaban la mayor parte de los dientes.

–En la Tortuga todos tienen experiencia –replicó–. Pero también todos son basura.

Esa misma noche se demostró que sabía muy bien de qué hablaba, puesto que del centenar de malencarados vagabundos que pasaron por su local con objeto de mantener una corta entrevista con el capitán del *Botafumeiro,* la mayoría demostró tener más que sobrada experiencia en el mundo del mar, pero también que se trataba de auténtica basura.

El ron, el hambre, el escorbuto, la sífilis y unos hongos alucinógenos que tenían la virtud de volverles medio locos, habían convertido a aquella cuerda de desarraigados en una variopinta exposición de desechos humanos que demostraban, no obstante, un entusiasmo digno de mejor causa a la hora de aferrarse a la menor oportunidad que se les brindara de abandonar una pelada roca de la que ya nada podía esperarse.

–La paga es buena –les advertía uno por uno el portugués a cuantos tomaban asiento ante su mesa–. Pero si aceptas enrolarte, recuerda que a bordo están prohibidos el alcohol, los hongos, el juego y las mujeres. Y yo no aplico más que un solo reglamento: sacarle las muelas en vivo al culpable. A mayor delito, más muelas. Y cuando las muelas se le acaban, lo ahorco. –Luego les hacía un leve gesto de despedida con la mano–. Y ahora vete y piénsatelo. Si estás de acuerdo con el jornal y el reglamento, preséntate mañana.

Sebastián Heredia solicitó nuevamente los interesados —aunque evidentemente entusiastas— servicios de la pelirroja Astrid, y tras una larga sesión de juegos, caricias y revolcones en la enorme cama de la cabaña, fueron a tumbarse sobre la arena de la playa, a compartir uno de aquellos enormes y pestilentes «tabacos» que tanto le gustaba fumar a la muchacha.

—¿Has vuelto a pensar sobre lo que te comenté la otra noche? —inquirió al rato la prostituta sin apartar la vista de los millones de estrellas que brillaban sobre sus cabezas—. ¿Lo de Mombars?

—Escucha preciosa... —replicó el margariteño con el tono de quien intenta armarse de paciencia para no echar a perder un momento agradable—. Ya te he dicho que tengo un buen trabajo a bordo de un buen barco. ¿Para qué complicarme la vida?

—¿Cuál es tu barco?

—El *Jacaré*.

—¿El *Jacaré*? —preguntó sorprendida Astrid alzándose sobre un codo para observarle mejor—. ¿Esa mierda de falucho que está anclado en la bahía? ¿A eso llamas tu «un buen barco»?

—El mejor.

—¡No me hagas reír! —se escandalizó la barragana—.

A ese cascarón lo hunde el *Ira de Dios* de una sola andanada.

–¡Eso habría que verlo! –fue la desafiante respuesta del capitán Jack al tiempo que tomaba asiento y se volvía hacia ella para mirarla fijamente–. Y lo que importa del *Jacaré* no son sus cañones, sino que tiene lo que ningún otro barco tiene.

–¿Y es?

–Seguridad –respondió él. Hizo un gesto hacia la bahía que quedaba a sus espaldas, al otro lado de la ciudad–. Es el único barco que lleva más de veinte años cazando por estos mares sin haber corrido el menor riesgo. De nada vale navegar a bordo de un buque de cien cañones si una simple roca te puede mandar al fondo en un segundo, y eso es algo que jamás le ocurrirá al *Jacaré*.

–¿Y por qué no le puede ocurrir? ¿Acaso es insumergible?

–No, pequeña –fue la respuesta–. No es insumergible, pero el Viejo posee la mejor colección de derroteros de las Antillas, y con lo que él guarda en su camareta se puede llegar con los ojos cerrados al último rincón del Caribe sin el menor peligro.

–¿Cómo lo consiguió?

–¡Pura casualidad! Una noche abordó de improviso una carraca de aspecto inofensivo que resultó ser una tapadera en la que se enviaba el archivo de Sevilla a la comandancia de marina de San Juan, y lo que parecía un simple arcón de libros viejos escondía el mayor tesoro que un pirata pueda soñar. –Se dejó caer de nuevo sobre la arena como si con ello diera por concluida la discusión–. Por eso el *Jacaré* seguirá siendo el mejor barco de las Antillas hasta que se caiga a pedazos.

–¡La puta que me parió! –no pudo por menos que exclamar la descarada pelirroja–. ¡Si es cierto, cualquier capitán pagaría un millón de libras por ese archivo! ¿Nunca se te ha ocurrido?

–¡Naturalmente, querida mía! ¡Naturalmente! Pero el Viejo lo guarda en su camareta, y a la menor señal de peligro lo dejaría caer al mar, porque es el único que lo tiene aquí, en la cabeza. –Se golpeó con el dedo la frente una y otra vez–. Ha pasado años estudiando y se lo sabe de memoria. Mi esperanza es que un día decida retirarse y me lo ceda.

Ella negó agitando su llamativa cabellera:

–Lo venderá –aseguró.

–Lo dudo –replicó un inmutable Sebastián–. Sabe que si lo vendiese se harían copias, y es de los que opinan que no es bueno que cualquier cretino pueda navegar por el Caribe como si lo hiciera por la cocina de su casa.

–¿Por qué?

–¡Manías! ¿Te imaginas a tu amigo Mombars yendo de aquí para allá sin miedo a embarrancar? Organizaría tales carnicerías que al fin obligaría a la Corona a enviar una auténtica flota a las Antillas. ¡No! –añadió como si estuviera convencido de lo que decía–. El Viejo tiene razón, y ese tesoro debe quedar en buenas manos.

Comenzó a acariciarla y besarla dispuesto a hacerle nuevamente el amor sobre la arena como si de ese modo diera por definitivamente zanjada la conversación, y la pelirroja le dejó hacer, en un principio pensativa, aunque muy pronto se sumó al excitante juego entregándose con sincera dedicación hasta que quedaron completamente exhaustos.

Poco después Sebastián se puso en pie de un salto.

–¡He de irme! –dijo–. Resérvame la noche del sábado.

Regresó a la playa donde ya le aguardaba Justo Figueroa junto a un pequeño carruaje tirado por dos impacientes caballos, y al poco de las tinieblas surgió una lancha de la que desembarcaron Celeste Heredia y su padre.

Los besó con afecto al tiempo que les entregaba un manojo de llaves.

—¡No tiene pérdida! —dijo a modo de despedida—. Todo recto por el camino de la costa hasta sobrepasar la casa quemada. Luego, a poco más de dos millas encontraréis una gran valla azul y blanca. Allí es.

—¿Cuándo vendrás a vernos? —quiso saber su hermana.

—En cuanto pueda.

—¿Qué ha pasado esta noche?

—Dejé caer lo que importaba. Ahora es ella la que tiene que hacer el próximo movimiento, y supongo que muy pronto sabremos si en verdad está o no en contacto con Mombars.

—¡Ten mucho cuidado! —le recomendó Miguel Heredia.

Sebastián le acarició con afecto la espesa barba, ya blanca, que se había dejado crecer en los últimos tiempos, y que le confería todo el aspecto de un severo patriarca.

—¡Descuida! —replicó con humor—. El único que debe preocuparse es el viejo capitán Jacaré Jack, que es quien tiene ese archivo en la cabeza. Y si quiere encontrarlo, tendrá que viajar a Aberdeen.

—No te lo tomes a broma —dijo su padre—. Ese Mombars está loco, y los locos siempre son gente imprevisible. —Le guiñó un ojo—. Lo sé por experiencia.

Sebastián advirtió que el horizonte comenzaba aclararse en lo que solía ser un rapidísimo amanecer que muy pronto lanzaría a las calles a la gente «decente» de la ciudad, por lo que le obligó a trepar al carruaje.

—¡Confía en mí! —insistió—. Te prometo que si las cosas se ponen difíciles me olvidaré del *Ira de Dios* y sus vajillas de oro. ¡Y ahora, marchaos! No conviene que nos vean juntos.

Aguardó a que el cochecillo se perdiera en la distancia calle abajo, y tras comprobar que tomaba el camino que conducía a Caballos Blancos, embarcó en la chalana que le aguardaba para regresar a bordo del *Jacaré*.

Lucas Castaño le recibió al pie de escalerilla.

–¿Y bien? –quiso saber.

–El cebo está puesto –respondió–. Ahora hay que esperar a que el pez muerda el anzuelo.

–¡Lo morderá! –sentenció el panameño–. Pronto o tarde lo morderá.

–Quiero un hombre armado ante la puerta de la camareta –señaló Sebastián–. Discreto, pero visible desde tierra con ayuda de un buen catalejo. Tenemos que dar la sensación de que ahí dentro se guarda un tesoro.

–Anoche volvió a visitarnos el capitán Scott. Insistió en ver al Viejo. Eran buenos amigos.

–La próxima vez susúrrale al oído que el Viejo no quiere dejarse ver porque tiene paperas.

–¿Paperas? –repitió su segundo, perplejo–. ¡Pero si ésa es una enfermedad infantil!

–Lo sé. Pero aseguran que cuando se contagia a los adultos los deja estériles. Dile al capitán Scott que es por eso por lo que el Viejo no quiere que nadie le vea, y te garantizo que se le pasarán en el acto las ganas de visitarle. –Le golpeó afectuosamente en el hombro–. Y ahora me voy a dormir, porque el ron, el tabaco y la pelirroja me han dejado para el arrastre.

Descansó durante todo el día al igual que el resto de la flota anclada en la bahía, y a la caída de la tarde reunió a la totalidad de la tripulación al pie del alcázar de popa.

–Como sabéis –comenzó–, mi hermana ya no está a bordo, con lo cual toda amenaza de mala suerte ha pasado. Ahora quiero pediros que sigáis asegurando a todo el que os pregunte que el capitán continúa encerrado en su camareta. No os puedo explicar la razón, pero os prometo que si me hacéis caso pronto estaré en condiciones de proporcionaros el más valioso botín que hayáis soñado nunca.

—¿Qué clase de botín? —quiso saber de inmediato el segundo timonel, Mubarrak el Moro, cuya desmesurada afición a las mujeres le obligaba a estar siempre en la más negra ruina.

—Un botín es siempre un botín —fue la áspera respuesta—, y que con la parte que te toque podrás tener tu propio harén hasta que ya no se te empine.

—¡Alá te oiga!

—Haz lo que te digo y me oirá.

Cuando ya la mayoría se alejaba en los botes rumbo a la playa, se volvió hacia Lucas Castaño.

—Ahora te toca a ti —dijo—. Pero ten mucho cuidado. No es ninguna estúpida.

—¿Puedo tirármela?

El margariteño le dirigió una mirada que podría considerarse como de súplica o reconvención.

—¡Hombre…! —exclamó—. ¡Con tantas como hay…!

—Es que me has hablado muy bien de ella. —Rió con malévola intención el segundo de a bordo—. Y total, si no me la tiro yo, se la tirará otro cualquiera.

—Haz lo que quieras, pero no me lo cuentes —fue la respuesta—. Y ahora lárgate y procura que todo parezca casual.

Había caído la noche, en la quieta bahía se reflejaban las luces de la ciudad, y apenas la lancha de Lucas Castaño se perdió de vista comenzó a sonar una suave música que llegaba, como siempre, de la alta cubierta del navío de Laurent de Graaf.

Sebastián cenó a solas echando de menos a su padre y su hermana, consciente de que aquél era sin duda el día en que comenzaba una vida marcada por la certeza de que, hiciera lo que hiciera, siempre habría dos seres que aguardarían su regreso, y ese simple hecho le confería una nueva dimensión a su existencia, puesto que y no era un pobre muchacho condenado a cuidar a un viejo enfermo, sino todo un capitán pirata que poseía una hermosa familia.

Tal vez algún día, en alguna parte, encontraría una encantadora mujer con la que compartir un destino menos inquieto, y tal vez algún día, en alguna parte, Celeste encontraría a su vez un hombre honrado que pudiese proporcionarle la felicidad que tanto merecía.

Su padre, aquel desgraciado que pasara años afilando machetes al borde de la locura, tendría entonces una vejez apacible rodeado de nietos, y con un poco de suerte las viejas heridas acabarían por cicatrizar al tiempo que la imagen de Emiliana Matamoros se diluía definitivamente en sus memorias.

En esta ocasión Sebastián no dedicó al recuerdo de su madre ni siquiera un segundo, prefiriendo detenerse a meditar sobre cuál habría sido el futuro de don Hernando Pedrárias, y no pudo evitar sonreír ante la idea de que quizá, con un poco de suerte, se encontrase purgando sus crímenes en alguna húmeda mazmorra de la Casa.

¿Qué cara habría puesto al descubrir que su barril de perlas había desaparecido?

Y ¿cómo habría reaccionado al enterarse de que su amada carroza se había convertido en un montón de cenizas?

Y ¿qué habría sentido en lo más profundo de su ser al comprobar que jamás volvería a ver a la excitante chicuela a la que tenía intención de corromper?

La venganza, la dulce venganza, era un manjar que valía la pena degustar sentado en el alcázar de un navío anclado en mitad de una tranquila bahía, con un vaso de ron en la mano y contemplando cómo la luna comenzaba a hacer su aparición sobre la línea del horizonte.

–¿Puedo bajar a tierra, capitán?

Observó al servicial cocinero, que era quien le había hecho la pregunta, y asintió con un gesto.

–¡Desde luego! Pero recuerda las órdenes.

–Las recuerdo muy bien, capitán –dijo el minúsculo filipino–. El viejo capitán se ha vuelto maniático y no quiere visitas.

–¡Eso es! ¡Diviértete!

–¡No lo dude!

Sebastián se sorprendió al advertir cómo se limitaba a dar un salto sobre la borda para caer limpiamente al agua y alejarse nadando con soltura hacia las luces de una ciudad en que sabía que le aguardaban todas las diversiones que un hombre en su sano juicio podía desear, y por unos instantes experimentó un acuciante deseo de imitarle, aunque se contuvo al comprender que si lo hacía sería para encaminarse a la taberna de Los Mil Jacobinos, tomar de la muñeca a la pelirroja Astrid y arrastrarla a la playa para hacer el amor sobre la arena hasta el amanecer.

Se limitó, por lo tanto, a dedicar unos minutos al recuerdo de la gratificante experiencia de la noche anterior, y se concentró por último en repasar cada detalle del plan que había concebido, para llegar a la conclusión de que necesitarían de toda la suerte del mundo para llevarlo a buen fin.

Tres horas más tarde un Lucas Castaño que apestaba a ron y perfume barato tomaba asiento a su lado con una sonrisa de oreja a oreja.

–La he visto –dijo–. Y hemos hablado. Tenías razón: dan ganas de comérsela.

Su capitán le dirigió una larga mirada difícil de clasificar, y él se limitó a sonreír al tiempo que hacía un gesto de rechazo con la mano.

–No te inquietes –le tranquilizó–. No le he tocado un pelo. Me lié con una china. Siempre he sentido una gran debilidad por las chinas. –Le golpeó pesadamente en el hombro–. ¡Y me di cuenta de que le gustas! –exclamó riendo–. ¡Le gustas mucho! Cuando le dije que navegaba en el *Jacaré* le brillaron los ojos al preguntar si pensabas bajar a tierra, y sufrió una gran decepción cuando señalé que estabas de guardia. –Se echó hacia atrás en su asiento–. Debió ser por eso que me decidí por la china.

–¿Qué más te preguntó?

–Que si me gustaría cambiar de trabajo, pero está claro que lo que pretendía era sacarme información sobre el barco y el viejo capitán.

–Luego, se ha tragado el anzuelo.

–Hasta el fondo. Ahora lo que en verdad importa es que Mombars se lo trague también.

–¿Y si lo hace, pero decide presentarse a bordo de improviso para llevarse los derroteros por la fuerza?

–¿En plena bahía de Port-Royal? –preguntó incrédulo el panameño–. ¡Olvídalo! Ni siquiera el Exterminador se atrevería a tanto. –Hizo un gesto alrededor–. Este lugar es sagrado para todos los piratas, corsarios, filibusteros y bucaneros del mundo –añadió–. El único auténtico santuario que queda sobre la faz de la tierra.

–¿Curioso, no es cierto? –le hizo notar el capitán–. Aquí se concentra el mayor número de criminales que haya existido nunca, y sin embargo es el único lugar en que un hombre honrado puede sentirse a salvo.

Lucas Castaño dejó escapar una achispada risita.

–Confío en que en esta maravillosa ciudad no exista en estos momentos un solo hombre honrado –dijo–. Acabaría por robarnos a todos. –Se puso en pie casi tambaleándose–. Me voy a dormir –concluyó–. Puesto el cebo, ya todo es cuestión de paciencia.

«Paciencia» era una palabra harto difícil de encontrar en el diccionario privado de todo aquel que tuviera menos de veinticuatro años, y en este caso Sebastián Heredia no constituía en modo alguno una excepción, pese a que el tiempo a bordo del *Jacaré* le hubiera enseñado a dejar pasar horas y días aguardando la aparición de una presa en el horizonte.

Piratas y corsarios no eran en el fondo más que pescadores de barcos siempre al acecho de sus víctimas, pero en esta ocasión el margariteño sabía de antemano que la víctima constituía una pieza fuera de serie, no sólo por el hecho de que se tratase de uno de los más poderosos navíos del Caribe, sino, sobre todo, porque su capitán estaba considerado como el más bestial de los criminales.

Mombars –jamás nadie conoció cuál era en realidad su nombre de pila– había pasado la mayor parte de su vida dedicado a la odiosa tarea de abrirle las tripas a los españoles por el simple placer de hacerlo, o tal vez porque los desvirtuados relatos de un cura iluminado le habían trastornado hasta el punto de convertirlo en un fanático incontrolable.

Quizá, si en el momento de leer al padre Bartolomé de Las Casas, hubiera sabido que éste, antes de convertirse en paladín de los indígenas y malhadado creador de la tristemente célebre «leyenda negra española», había sido el mayor traficante de esclavos de la isla de La Española y el principal impulsor de la injusta y cruel Ley de Encomiendas impuesta por su buen amigo y protector el gobernador Ovando, el entonces jovencísimo Mombars se habría detenido a meditar en el hecho de que los golpes de pecho de un arrepentido nunca debían constituir la mejor bandera para iniciar su sangrienta cruzada.

Jugador, mujeriego, borrachín, pendenciero y, sobre todo, ambicioso, Bartolomé de Las Casas había estado considerado como uno de los hombres más indeseables de las Indias Occidentales hasta el desafortunado día en que asistió a un severo oficio religioso en el que se le echaba públicamente en cara todos sus vicios y desmanes, momento en que decidió de improviso regenerarse tomando los hábitos y siguiendo el trillado sendero de la mayoría de aquellas mujeres que, siendo muy golfas, en cuanto se casan se convierten en las más puritanas.

Pocos hombres a lo largo de la historia han hecho tanto daño a tantos como Bartolomé de Las Casas, ya que por su culpa millones de desgraciados indígenas pasaron a convertirse en esclavos, y también por su culpa la inmensa mayoría de los que jamás le ayudaron a imponer dicha esclavitud pasaron a la historia como nefastos opresores.

Pero todo eso no podía saberlo la enfermiza mente de un impresionable mocoso francés que debió llegar a la conclusión de que «español» era sinónimo de «criminal», por lo que se juró a sí mismo aniquilar del modo más cruel posible a todo el que hubiera nacido en el país vecino.

En el fondo, tales odios no debían ser más que el barniz que cubriera otros odios mucho más íntimos, puesto que lo que resultó evidente, es que con el transcurso de los años llegó un momento en que al sádico Mombars poco le importaba que quien corriera por un bosque dejándose atrás las tripas fuera español, inglés, holandés o de cualquier otra nacionalidad.

Admirador incondicional y discípulo de su compatriota L'Olonnois, cuyo mayor placer consistía en arrancar el corazón a sus víctimas y devorarlo ante sus ojos en el instante en que expiraban, juntos conformaron durante tres décadas el macabro dúo que peor fama le diera al denostado oficio de la piratería caribeña, que jamás conseguiría desprenderse de la pesada losa de desprestigio que entre ambos dejaran caer sobre sus espaldas.

Justo es reconocer, que si los más eficientes corsarios de las Antillas fueron sin lugar a dudas los ingleses Drake, Raleigh y Morgan, los más odiados piratas fueron los franceses Mombars y L'Olonnois pese a que los más «admirados» fueran los también franceses Vent en Panne y Chevalier de Grammont.

De todos cuantos habían conformado la plana mayor de tan temible ejército, el único que al parecer continuaba con vida era el sanguinario Ángel Exterminador, aunque tal vez también lo estuviera el elegante Chevalier de Grammont, del que se aseguraba que, al igual que Mombars, se había retirado a sus cuarteles de invierno para no volver nunca.

No es de extrañar, por lo tanto, que cuando en la noche del sábado siguiente la activa pelirroja condujo a su casa a Sebastián, a éste comenzara a golpearle con fuerza el corazón en el pecho en el momento de enfrentarse a un gigante de aspecto demoníaco que le observaba desde lo más profundo de unos ojos que parecían esconderse bajo la oscura selva de unas espesísimas cejas.

–¿Así que tú eres el piloto del *Jacaré*? –fue lo primero que dijo con una voz que parecía surgir de lo más profundo de la más profunda de las cavernas–. Yo soy Mombars el Exterminador.

Hablaba muy despacio y en el «pichinglís» propio de los marinos barriobajeros de las Antillas, cuyo argot estaba conformado por una pintoresca mezcla de palabras inglesas, francesas, españolas, portuguesas y holandesas, pero entre las que se intercalaba con harta frecuencia vocablos exclusivos del dialecto caribe, que chamullaban la mayoría de sus salvajes tripulantes.

El margariteño se volvió de inmediato hacia la pelirroja como para echarle en cara que le hubiese tendido tan sucia trampa.

–¿Por qué me has hecho esto? –se lamentó–. Ya te dije que no quiero cambiar de barco.

El hombretón, casi un gorila encorvado por el peso de los años, velludo y con la leonina y blanca melena peinada en diminutos tirabuzones, lo cual le confería un aspecto en verdad desconcertante, se limitó a colocar sus enormes pies descalzos sobre la mesa tras la cual se sentaba en una silla de tijera que parecía a punto de despatarrarse bajo su peso, para gruñir con el mismo tono cavernícola:

—Sólo quiero hablar contigo. No voy a comerte. —Le observó de tal forma que parecía convencido de que resultaba imposible que le mintieran sin que él lo advirtiese—. ¿Eres español? —quiso saber.

—Margariteño de tercera generación —fue la respuesta—. Hace tiempo que renuncié a todo lo que se relacione con España.

—¿Renegaste?

—Renuncié. Punto.

—Bien —admitió el Exterminador como si le bastara la explicación—. Renunciaste. ¿Por qué le tienes tanto afecto a ese viejo borrachín de Jacaré Jack?

—Porque siempre ha sido justo, paga bien y es un magnífico capitán.

—Yo también soy un hombre justo, te ofrezco veinte veces más de lo que él te paga y estoy considerado como un buen capitán. ¿Cuál es la diferencia?

—Su barco es más seguro.

—¿Cómo lo sabes?

Sebastián Heredia se limitó a abrir las manos en un gesto que podía decirlo todo o no decir nada.

—¡Lo sé! —musitó.

—¡Entiendo! —masculló el otro—. ¿Es a causa de esos famosos derroteros? ¿Tan importantes son?

Sebastián, que había ido a tomar asiento a los pies de la enorme cama de la pelirroja, que por su parte habría preferido alejarse discretamente hacia la playa como si todo aquello ya nada tuviera que ver con ella, asintió convencido.

—He oído hablar mucho de tu barco —dijo por fin—.

De su tremenda potencia de fuego y sus fabulosos tesoros, pero te garantizo que ni con todo el oro del Perú podrías pagar lo que tiene el Viejo.

–Exageras.

–¡En absoluto! ¿Cuántos barcos cargados de tesoros descansan en el fondo del Caribe…? ¿Docenas? ¿Centenares, tal vez? Con los libros de ruta del capitán la mayoría de ellos jamás se habrían hundido.

–¿Estás seguro?

–Tan seguro como que estoy aquí. Y tan seguro como que en un par de años me los sabré de memoria, tal como se los sabe ahora el Viejo. –Se inclinó hacia adelante–. Entonces te seré de utilidad. Ahora, sin esos derroteros subiría tu barco a las rocas, por lo que lógicamente tú me arrancarías las tripas. –Negó una y otra vez con la cabeza al concluir–: ¿De qué me sirven diez mil libras si no me va a dar tiempo a gastármelas?

Mombars bajó los pies de la mesa, apoyó en ésta los codos y comenzó a rascarse con ambas manos la blanca melena, como si de ese modo ayudara a escapar los pensamientos que se amontonaban en su mente.

Parecía encontrarse sumamente cansado, o demasiado viejo para reiniciar la vida de pirata, con el cetrino rostro marcado por profundísimas arrugas y el poderoso torso mostrando ya los primeros síntomas de flaccidez, pero aun así su sola presencia imponía terror no sólo por su tremenda humanidad y su feroz aspecto, sino, sobre todo, por una fama que podría creerse que, más que precederle, le rodeaba como si de un halo maligno se tratase.

Y es que Mombars el Exterminador parecía transpirar violencia por cada poro de su cuerpo.

–Me cuesta creerte, pero te creo –masculló al fin como si hubiese necesitado todo ese tiempo para triturar y digerir las ideas–. Nadie en su sano juicio rechaza diez mil libras a no ser que tenga poderosísimas razones para hacerlo, y las tuyas parecen válidas. –Le miró de frente–. ¿Qué hacemos ahora?

–En Cumaná hay un piloto, Martín Prieto, que tal vez… –comenzó Sebastián con cierta timidez, para interrumpirse de inmediato ante el severo gesto de su interlocutor.

–¡Para! ¡Para…! ¿Quién piensa en Martín Prieto? Ya sé que todos los capitanes darían un brazo por contar con él, pero ese «gachupín» es tan jodidamente fiel a su rey que sería capaz de embarrancar con tal de acabar con un barco enemigo. Hablemos de ti. –Le observó con atención–. Si tuvieras los derroteros del viejo Jacaré Jack, ¿aceptarías mi oferta?

El otro hizo un gesto de asombro señalando con el dedo a sus espaldas.

–¿Con el archivo del Viejo? ¡Desde luego! Ya te he dicho que sabiendo interpretarlo se puede llegar a cualquier lugar con los ojos vendados. Y el capitán me ha enseñado cómo hacerlo.

–En ese caso –sentenció el gigantón volviendo a colocar sus enormes y desnudos pies sobre la mesa–, lo único que tenemos que hacer es apoderarnos de él… ¿O no?

Fue ahora Sebastián Heredia el que se tomó un rato para meditar sobre lo que acababa de oír, luego se puso en pie, se aproximó a la puerta y admiró la figura de la pelirroja recortada contra la rojiza luna que acaba de hacer su aparición en el horizonte.

Sin volverse, replicó:

–No creas que no he pensado en ello. –Su voz sonó tan tenue que su interlocutor se vio obligado a aguzar el oído–. ¡Un millón de veces! –insistió–. Pero ¿cómo? –Ahora sí que se volvió a mirarle–. ¿Cómo?

–Algún medio habrá.

–No conozco ninguno –replicó el margariteño–. El capitán lo guarda todo en un cofre que puede lanzar al mar en cuestión de segundos. Y si cae al agua las tintas se correrán y todo se habrá perdido en un instante. –Se encogió de hombros admitiendo su impotencia–. A él no le importa porque lo guarda en la cabeza. Pero yo aún no. ¡Lo siento, pero así es!

–¡Encontraremos el modo de sorprenderle! –exclamó el francés con tono de irritación–. No se va a pasar la vida sentado sobre ese maldito arcón.

–En Port-Royal, sí. Mientras estamos en puerto apenas sale de su camareta, donde se encierra con llave porque no se fía de nadie. En mar abierto o en el refugio, la cosa suele ser diferente, pero como comprenderás, entonces no puedo hacer nada. ¡Estoy solo!

–¿Nadie te ayudaría?

–¿Quién? Y ¿con qué fin? ¿Provocar una rebelión? ¿Para qué? ¿Para cambiar de capitán? Están contentos con el que tienen. –Rechazó la idea con un amplio gesto de la mano–. ¡No! –concluyó–. Ya te lo he dicho. No hay nada que hacer. –Aventuró un tímido ademán de aproximarse a la muchacha, pero de entre las tinieblas surgieron dos salvajes de amenazante aspecto que le cerraron el paso indicándole con un brusco gesto que regresara al interior de la cabaña. Obedeció para encararse a un Mombars que no había movido un solo músculo–. ¿Qué pasa? –exclamó–. ¿Me vas a sacar las tripas por decir la verdad? Yo soy el primero al que le gustaría apoderarse de ese tesoro porque soy de los pocos que sabrían hacer uso de él, pero si no se puede, es que no se puede.

–¡Calla y déjame pensar! –rugió el gorila humano al que se diría que la cabeza estaba a punto de echar humo–. ¿Dónde está vuestro refugio?

–Tenemos dos: uno para descansos cortos, en los Jardines de la Reina, y el principal, donde pasamos los veranos, en las Granadinas del Sur.

–¿Cuándo recalaréis en alguno de ellos?

–Supongo que dentro de unos días nos iremos porque el viejo está hasta los huevos de Port-Royal. Lo más probable es que nos dirijamos a los Jardines para limpiar fondos y que los hombres se recuperen de tanta borrachera y tanta puta.

–¿Cuánto tiempo permaneceríais allí?

–Un par de semanas como máximo.

–¡Siéntate!

Lo había dicho en el autoritario tono de quien estaba acostumbrado desde siempre a que sus órdenes fueran obedecidas en el acto, por lo que Sebastián no pudo más que acomodarse en la desvencijada silla que se encontraba al otro lado de la mesa.

–¿Qué pasa ahora? –inquirió de mala gana.

–Que tenemos que pensar –fue la respuesta–. Y dos piensan mejor que uno.

–¿Y qué quieres pensar?

–El modo de quitarle a tu capitán su juguete.

–¡Ya!

–No seas tan pesimista –le reconvino el Exterminador, al que se habría dicho desconcertado, irritado, o tal vez herido en su amor propio por el simple hecho de que alguien dudara tan abiertamente de su capacidad de tener éxito–. Acabas de decir que en los refugios y en mar abierto el viejo relaja la vigilancia, ¿no es cierto?

–Naturalmente. En esos momentos puedo estudiar los documentos cuanto quiera siempre que no haga copias.

–¡Bien! Ésa es la ocasión de apoderarse de ellos.

Le observó como a un retrasado mental.

–¿Y qué hago entonces? ¿Echo a correr sobre las olas con un cofre al hombro, o me escondo en una isla tan pelada que hasta los conejos usan sombrilla?

–¿Cómo es la isla?

–¿Cuál de ellas?

–La del Jardín de la Reina.

–No es más que un cayo de arena con una ensenada de aguas profundas.

–¿Cuál es su altura máxima?

–¿Sobre el nivel del mar…? Unos diez metros. Pero al *Jacaré* le basta, porque cuando abate los mástiles su punta no sobrepasa las dunas, y nadie que navegue por las proximidades sospecha que en semejante lugar se oculte un barco.

–¡Siempre fue muy listo ese escocés de mierda! –exclamó Mombars–. ¡Condenadamente astuto! Pero creo que en esta ocasión podríamos joderle. –Se inclinó hacia adelante y tendió su pesada manaza para colocarla sobre el antebrazo del margariteño–. ¡Escucha! –añadió con un leve tono de excitación en su ronco vozarrón–. Se me está ocurriendo un plan que podría dar resultado.

–Me niego a aceptar que alguien esté dispuesto a correr semejante riesgo sólo por apoderarse de un puñado de papeles –dijo Celeste Heredia, mostrándose en esta ocasión desconcertantemente seria dada su, por lo general, desenfadada personalidad–. Y me preocupa el hecho de que acabes cayendo en tu propia trampa.

Se encontraban sentados, en compañía de su padre, almorzando a la sombra del copudo castaño de Indias que dominaba el altivo promontorio, teniendo a un lado un mar azul y transparente, y al otro lo poco que iba quedando de las ruinas de la vieja mansión del capitán Bardinet.

La numerosa cuadrilla de obreros –esclavos casi en su totalidad– que se ocupaban de derruirla, aprovechaban en aquellos momentos el imprescindible descanso de las horas de más tórrido calor del mediodía para refrescarse en el cercano mar, y tras observarlos chapotear, jugar y reír con más entusiasmo que cualquier hombre libre, cabía preguntarse por qué extraña razón la raza negra parecía experimentar mucha más alegría de vivir que cualquier otra.

El simple hecho de dejar de cortar caña hora tras hora para pasar a trabajar, con idéntica intensidad pero mucho más distraídamente, en el derribo de una casa, constituía para ellos razón más que suficiente para demostrar entusiasmo, por lo que Sebastián los observó con cierta admiración, hasta que por último se volvió hacia su hermana para replicar en un tono de afectuosa paciencia:

—Lo que tú llamas «papeles» es algo por lo que cualquier buen marino daría media vida. Por si no lo sabías, te diré que Cristóbal Colón pasó casi dos años perdido entre el golfo de Honduras y Panamá hasta que embarrancó aquí, en Jamaica, y ciento cincuenta años más tarde, la escuadra de L'Olonnois, Van Kljin y Pierre de Picard, quedó atrapada en el mismo lugar durante más de un año, sin conseguir escapar a los vientos contrarios y las traidoras corrientes. Cuatrocientos de sus setecientos hombres murieron en la desgraciada aventura. —Tomó un muslo de pollo y comenzó a mordisquearlo sin dejar por ello de observar fijamente a Celeste al inquirir—: ¿Crees que a alguien le apetece desperdiciar años de su vida vagabundeando a ciegas por mares desconocidos, a riesgo de que a cada instante ese mismo mar amenace con estrellarlo contra la costa o un arrecife traidor le raje el casco?

—No. Está claro que no —admitió la muchacha.

—En ese caso comprenderás que quienes han perdido tiempo, barcos, dinero y amigos por el hecho de no disponer de unos simples «papeles», estén dispuestos a todo por conseguirlos. —Le apuntó con la pata de pollo al concluir—: Recuerda que el que no conoce un camino en tierra, se extravía, pero el que no lo conoce en el mar, se ahoga.

—Pero es que el riesgo que corres al enfrentarte a Mombars se me antoja excesivo —se lamentó la muchacha—. ¿Qué ocurrirá si las cosas no salen bien?

—Que jamás volveremos a vernos —fue la sincera respuesta—. Pero si salen bien nos dedicaremos a fabricar el mejor ron de las Antillas hasta que nos hagamos viejos.

–¿Lo prometes? –preguntó su padre.

Sebastián alzó la mano como si se tratara de un firme juramento.

–Si, tal como aseguran, el lastre del *Ira de Dios* está compuesto de barras de plata, jamás volveré al mar. –Rió divertido–. La mía será la carrera más corta y productiva en la historia de la piratería.

–¿Cuándo piensas zarpar?

–Mañana, y en cuanto lo haga, Astrid colocará una luz verde en la puerta de su cabaña, lo que indicará a Mombars que navegamos rumbo al Jardín de la Reina. Luego, Dios dirá.

–¿Tienes miedo?

El margariteño tardó en responder, y tras observar cómo los esclavos continuaban con sus juegos, asintió sin sombra de rubor.

–Conociendo a Mombars resulta estúpido no tener miedo –dijo–. Hay algo en él que impresiona, porque te juro que si el demonio decidiese encarnarse en hombre, lo elegiría a él. Sin embargo, es su fe en su propia fuerza lo que le debilita, ya que me consta que no abriga la menor duda de que nos hundiría, puesto que la mayoría de sus noventa cañones son de treinta y seis libras mientras que yo no dispongo más que de veinte de esa potencia.

–¿Y aun así piensas enfrentarte a él?

El jovencísimo capitán sonrió de un modo más bien enigmático al replicar:

–¿Sabes una cosa? Los indígenas del continente juran que los jacarés más peligrosos no son los que viven en el agua, sino en tierra.

Pasaron el resto de la tarde a la sombra del castaño, observando los progresos de la cuadrilla de obreros que cantaban y reían destrozando a hachazos y golpes de pesados martillos lo poco que quedaba ya de la Negria de Bardinet, y a la caída de la tarde se despidieron con un fuerte abrazo, conscientes de que tal vez jamás volverían a verse.

Celeste y su padre regresaron en la calesa a la casita de Caballos Blancos, mientras por su parte Sebastián emprendía sin prisa el camino que le conduciría a un Port-Royal que comenzaba a desperezarse tras el agobiante sopor del día.

Invitó a la seductora pelirroja a cenar en el mesón más elegante de la ciudad, donde tuvieron ocasión de conocer personalmente al altivo y exquisito Laurent de Graaf, y tras hacer el amor hasta que el sol surgió en el horizonte, se encaminó hacia un barco en que la totalidad de sus hombres aguardaban, listos para iniciar la maniobra que les conduciría fuera de las tranquilas aguas de una bahía que podía considerarse realmente el santuario más seguro del mundo.

Nadie pareció reparar en su marcha, al igual que nadie parecía haber reparado en su arribo.

El mar estaba en calma, soplaba una suave brisa de tierra, e izando la mayor parte del velamen pusieron rumbo al sudoeste con intención de rodear la isla por poniente y emproar directamente al norte con la idea de avistar los primeros islotes del Jardín de la Reina tres días más tarde.

Fue ése el momento que Sebastián Heredia aprovechó para reunir a la tripulación y ponerle al corriente de sus planes.

Le escucharon en un silencio veteado de asombro e incredulidad, y al fin fue, como de costumbre, Zafiro Burman el que tomó la voz cantante.

–¿Pretendes hacernos creer que el Ángel Extermi nador vive, y que le has conocido personalmente –dijo–. ¡No puedo creerlo!

–Pues es tan cierto como que dentro de poco más de una semana lo verás en el puente de mando del *Ir de Dios*, a no ser que prefieras que te desembarque en la islas Caimán junto a todos aquellos que le tengan miedo.

—¡La puta que me parió…! —no pudo evitar exclamar el escandalizado primer timonel—. ¿Realmente se te ha pasado por la cabeza enfrentarte al *Ira de Dios*? Ni siquiera el Viejo se habría atrevido a tanto.

El margariteño, que se encontraba en pie junto al timón y dominaba a sus hombres desde poco más de un metro de altura, los observó uno por uno, reparó en la seriedad de la mayoría de los rostros, sonrió abiertamente y por último señaló:

—Siempre os estáis quejando de falta de acción y de unos botines de miseria. —Abrió las manos con un gesto que podía significarlo todo—. Ahora os ofrezco toda la acción del mundo y el mayor botín que soñarais jamás. ¿Qué más queréis?

—Nada. Como plan parece magnífico, pero es que Mombars, es mucho Mombars —intervino un compungido Nick Cararrota. Me veo corriendo con las tripas al aire.

—No te preocupes por eso —dijo el capitán Jack con tono humorístico—. En la isla que hemos elegido no hay árboles al que nos las pueda atar.

—¡Lindo consuelo!

—La decisión es vuestra —continuó Sebastián Heredia esforzándose por mostrar una tranquila indiferencia—. Los que tengan miedo pueden quedarse en las Caimán, porque con veinte hombres me basta, y en ese caso la parte que les corresponda será muchísimo más jugosa.

—¿Podemos pensarlo? —quiso saber un espigado artillero holandés—. No es una decisión que se deba tomar a la ligera.

—Sólo por esta noche —fue la áspera respuesta—. Mañana a primera hora tengo que saber quiénes están conmigo y quiénes no. —Hizo un leve gesto a Lucas Castaño de que le siguiera a su camareta, y tras cerrar la puerta tomó asiento tras la mesa para inquirir–: ¿Qué opinas?

–Que como bien ha dicho el maltés, «Mombars es mucho Mombars». Su solo nombre hiela la sangre.

–¡Pero bueno! –se lamentó con amargura el capitán–. ¿Son piratas o no son piratas? He crecido en este barco –añadió–. Llevo años oyéndoles hablar de sus pasadas hazañas y de lo que serían capaces de hacer si se les presentase la ocasión de atacar San Juan, Cartagena, o incluso la mismísima Flota, y, sin embargo, a la hora de la verdad un simple nombre les asusta. –Le miró a los ojos–. ¿También a ti te asusta?

El panameño, que había ido a tomar asiento en el alféizar del ventanal con riesgo de que un golpe de mar le tirase de espaldas al agua, negó con un leve ademán de la cabeza.

–Recuerda que fui yo quien insinuó la posibilidad de joder a ese mal nacido. Me inquieta, pero no me asusta. Sin embargo, debes aceptar que haya gente a la que no le haga feliz la idea de enfrentarse a noventa cañones y más de doscientos salvajes con fama de caníbales.

–¡Lo entiendo! –admitió el otro–. Tampoco yo estoy dando saltos de alegría, pero cuando hay que jugársela, hay que jugársela.

El margariteño cenó a solas, tratando de leer en el inescrutable rostro del cocinero que le servía la comida cuál sería la decisión de la tripulación, pero resultó evidente que el filipino tampoco tenía una idea muy clara de qué estaba ocurriendo en esos momentos en el sollado de proa, por lo que se limitaba a atenderle como lo venía haciendo desde el momento mismo en que había tomado el mando.

–¿Y tú? –preguntó Sebastián cuando ya le retiraba los platos–. ¿Te quedarás en las Caimán o seguirás hasta el final?

Al hombrecillo ni siquiera se le alteró la aceitunada faz al replicar con tono fatalista:

–Siempre me preocupó la idea de terminar en la horca, capitán, pero, si ganamos, montaré un buen mesón en Port-Royal. Y si perdemos, me tiraré al mar con una piedra al cuello para no caer en manos de Mombars.

Salió permitiéndole que reflexionara sobre la viabilidad de un arriesgado plan que no ofrecía más que las dos alternativas a la que había hecho referencia: ganar o morir. A la mañana siguiente, tras el repiqueteo de la campana que anunciaba el cambio de guardia, Sebastián reunió de nuevo a los hombres en cubierta sin perder esta vez el tiempo en inútil palabrería.

–Los que hayan decidido quedarse en las Caimán que se coloquen en la banda de babor –ordenó–. Los que estén dispuestos a seguir, en la de estribor.

Zafiro Burman alzó la mano.

–¡No te molestes! –señaló–. Hemos acordado que más vale morir como piratas que vivir como mendigos. ¡Iza la bandera negra!

–¿La bandera negra? –preguntó sorprendido el capitán.

–¡Exactamente!

–¿Aquí y ahora?

–¡Aquí y ahora! –fue la firme respuesta–. Hemos decidido que desde este momento entramos en combate.

Sebastián Heredia Matamoros se volvió hacia Lucas Castaño y ordenó con una divertida sonrisa:

–¡De acuerdo! Trae la bandera. ¡Zafarrancho de combate!

Aquélla parecía ser la frase mágica que medio centenar de perros de mar venían aguardando desde hacía meses, puesto que gritar «¡Zafarrancho de combate!» venía a significar tanto como gritar «¡Botín a la vista!», y existían dos palabras, «combate» y «botín» que eran las que sin duda mejor entendían todos y cada uno de ellos.

Las armas, tanto tiempo dormidas, brillaron al sol del mediodía; los cañones, tanto tiempo silenciosos, rugieron para comprobar su estado, y la pólvora, tanto tiempo almacenada en lo más profundo de la santabárbara, se extendió sobre cubierta en busca del menor atisbo de humedad que pudiera inutilizarla.

Las vísperas de las batallas excitan mucho más a los contendientes que la batalla en sí, y la tripulación del *Jacaré* tenía plena conciencia de que la batalla que se disponían a librar ofrecía todo el aspecto de resultar brutal, sangrienta y encarnizada.

Contemplándolos desde el alcázar, Sebastián Heredia llegó a la conclusión de que aquélla era la primera vez que vivía con total intensidad el ambiente de un barco pirata, y que por primera vez tomaba de igual modo plena conciencia de la auténtica personalidad de unos hombres que habían abandonado países, hogares y familias para dedicarse al arriesgado oficio de vagabundear por desconocidos mares en busca de una valiosa presa.

Si la violencia pudiera tener olor, el *Jacaré* habría apestado a violencia, y observando la expresión de sus rostros Sebastián llegó a la conclusión de que cada uno de aquellos desharrapados facinerosos se encontraba dispuesto a dar hasta la última gota de su sangre con tal de conseguir una victoria rotunda.

Alzó luego los ojos hacia la enorme bandera de la calavera entre las fauces de un saurio que flameaba en la punta del palo mayor como si le estuviera gritando al mundo su desafío, y advirtió que el vello de todo el cuerpo se le erizaba, porque aquella bandera no ondeaba ahora como símbolo de simple rapiña, sino más bien como símbolo de libertad.

En un momento dado, el exaltado Zafiro Burmar trepó a la botavara del palo mayor y, tras reclamar a grandes voces la atención de sus compañeros, señaló en el colmo del entusiasmo:

–Mombars es un gigante que parece un ogro con su larga cabellera al viento. Pero muerto el perro se acabó la rabia, ya que sin él sus hombres no son más que una pandilla de salvajes. –Mostró el colgante que llevaba al cuello y del que jamás se desprendía al añadir–: Le regalaré mi zafiro al que le haga volar de un cañonazo.

Dos días más tarde avistaron los primeros contornos del confuso amasijo de islotes, cayos y arrecifes que constituían el justamente bautizado por Cristóbal Colón, Jardín de la Reina, o Laberinto, probablemente uno de los archipiélagos más hermosos de las Antillas, pero probablemente, también, el más peligroso para los navegantes a todo lo largo de su historia.

Al caer la noche fondearon al abrigo del cayo del Rabihorcado a la espera de que la nueva luz del día les permitiera continuar adentrándose entre los canales sin temor a «subirse a la roca», y tras ordenar que no se encendiese ninguna luz a bordo, Sebastián pidió que se doblase la guardia y se mantuviesen en absoluto silencio, pese a que resultaba poco probable que nadie se atreviera a abordarlos a oscuras, protegidos como se encontraban por traicioneros arrecifes.

–Con Mombars toda precaución es poca –concluyó–. Y si por alguna razón se nos hubiera adelantado, podría sorprendernos en mitad de la noche.

Nada ocurrió, no obstante, y diez minutos antes de que el sol hiciera su aparición sobre las distantes costas cubanas, ya había comenzado a izarse el velamen, listo el navío para reemprender la difícil singladura en cuanto la luz permitiera distinguir con nitidez los traicioneros bajíos.

Tres hombres treparon a los mástiles para no perder detalle de cuanto acontecía ante la proa, y con Zafiro Burman al timón y hasta el último gaviero atento a la maniobra, se adentraron en aquel traicionero dédalo de agua y corales que tantos barcos y tantas vidas se había cobrado.

Por fortuna la mayoría de los hombres conocían aquellas aguas de los lejanos tiempos en que navegaban a las órdenes del viejo capitán, por lo que tras diez largas horas de tensión dejaron caer las anclas en lo más profundo de la quieta ensenada de un diminuto islote que no ofrecía como protección al violento sol que lo calcinaba más que media docena escasa de cimbreantes cocoteros.

Al reducir los mástiles a la mitad de su altura ni siquiera sobresalían sobre la cima de las pequeñas dunas, por lo que el *Jacaré* resultaba invisible desde cualquier punto que no fuera la estrecha boca de una bahía que como refugio temporal constituía un escondite inmejorable, aunque no lo fuera en absoluto como cuartel de invierno permanente, a causa de la desolada aridez de cuanto la rodeaba.

Fuera del barco, nada se podía hacer más que subir a las dunas o pasear por una playa interminable para acabar por sentarse al pie de una de aquellas osadas palmeras que parecían desafiar con su presencia las más estrictas leyes de la naturaleza, aunque proliferaban, eso sí, los nidos de tortuga y la pesca era tan abundante que al filipino le bastaba con lanzar un sedal al agua para mantener abastecida la despensa.

El arenoso islote se encontraba circundado de traicioneros arrecifes de coral que hacían prácticamente imposible que ni siquiera un bote de remos se aproximase sin zozobrar, y únicamente la espaciosa ensenada disponía de un cómodo canal de entrada de unos sesenta metros de anchura, profundo hasta el punto de que cualquier navío podía penetrar en él sin temor a encallar o ser agredido, puesto que la baja costa arenosa no ofrecía la menor posibilidad de emplazar una fortaleza o una simple batería de cañones.

De todo ello cabía deducir que el lugar constituía un refugio ideal contra las fuerzas de la naturaleza, pero podía considerarse al propio tiempo una ratonera mortal en caso de tener que rechazar un ataque enemigo.

Conscientes de ello, en el instante mismo en que las anclas tocaron fondo y se arriaron velas, a bordo del jabeque se inició una frenética actividad que no se vio interrumpida ni aun por la llegada de la noche, puesto que los hombres continuaron trabajando a la luz de todas las farolas que pudieron habilitarse, e incluso de antorchas que se clavaron cada cinco metros en la arena de la playa.

A nadie se le ocultaba el hecho de que el *Ira de Dios* podía hacer su aparición en cualquier momento, y que si lo hacía antes de tiempo las tripas de todos y cada uno de ellos acabarían alfombrando las dunas del islote.

A media mañana apenas quedaba un hombre a bordo capaz de mantenerse en pie, pero tanto Sebastián Heredia como Lucas Castaño se sentían satisfechos del resultado obtenido.

–¡Bien! –reconoció el panameño lanzando un hondo suspiro–. Ahora, lo único que necesitamos es recuperar el aliento y esperar.

–¿Cuánto?

–Un día, dos, diez. Cualquiera sabe. Incluso es posible que no vengan nunca.

–¡Vendrán!

–Confío en ello. Los hombres se llevarían una tremenda desilusión si no lo hicieran después de tanto esfuerzo.

–Pero tal vez salvarían la vida –le hizo notar.

–A veces hay cosas más importantes que la vida –replicó su segundo con naturalidad–. Y ésta es una de ellas. –Alzó la mano en un mudo gesto de despedida–. Y ahora me voy a dormir –concluyó–. Ya estoy viejo para estos trotes.

Cayó la noche, y fue una noche tensa.

Para la mayor parte de la dotación del *Jacaré*, la noche más corta y larga de sus vidas, puesto que aunque durmieron porque se encontraban realmente destrozados, fue también la noche que algo en lo más profundo de su ser se esforzaba por mantenerse alerta, debido a que el miedo es un sentimiento que jamás tiene sueño y brilla eternamente en la mayor oscuridad como la punta de una candela.

Y es que Mombars estaba cerca.

El Ángel Exterminador les acechaba.

Doscientos salvajes, herederos directos de los temibles caribes devoradores de hombres que antaño sembraran el terror a lo largo y lo ancho del mar de las Antillas, afilaban sus cuchillos decididos a esparcir sus entrañas al viento.

¿Quién podría dormir con semejante amenaza paseando en silencio sobre cubierta?

Dos horas antes del amanecer hasta el último hombre estaba ya en pie, y tras un frugal y silencioso desayuno, cada cual acudió a ocupar su puesto de combate.

El alba se hizo de rogar, y cuando al fin se descubrió, traía las manos vacías.

No se distinguía presencia humana alguna en cuanto abarcaba el horizonte.

Se dejaron tres hombres de vigilancia en la cima de las dunas, y el resto regresó a bordo, tal vez aliviado pero de igual modo frustrado por el hecho de tener que soportar una demora que crispaba los nervios.

Consciente de que la inactividad se convertiría en el peor enemigo de su tripulación, Sebastián ordenó que construyeran una balsa dotada de una pequeña vela cuadrada, que hizo fondear en el centro del canal de entrada a la bahía.

Luego, pidió a los artilleros que apuntaran al centro de esa vela, dispararan hasta alcanzarla de pleno, y que en cuanto lo hubieran conseguido, fijaran en ese punto exacto los cañones.

Por último, se dispusieron a soportar otra noche de miedos.

Y otro amanecer sin enemigos.

Y así hasta cinco.

Pero cuando al fin el sol se alzó más de una cuarta en el horizonte en la mañana del sexto día, una voz resonó en el silencio de la quieta bahía:

—¡Barco a la vista!

¡Dios! ¡Allí estaba!

Treparon a la duna y lo observaron avanzar sin prisas entre islotes, bajíos y arrecifes, tan altivo y poderoso que costaba admitir que un puñado de locos osaran enfrentarse con un triste jabeque de apenas treinta cañones, a una de las más impresionantes máquinas de guerra que surcaban en aquellos tiempos las aguas del Caribe.

—¿Es él?

Sebastián le entregó el pesado catalejo a Lucas Castaño, que era quien había hecho la pregunta.

—¿Quién si no?

El segundo observó con detenimiento, y cuando por fin pudo distinguir con absoluta nitidez la enorme bandera negra en cuyo centro destacaba una gigantesca calavera sin ningún otro adorno, asintió convencido.

—Es la enseña de Mombars, no cabe duda.

—Que cada cual ocupe su puesto.

Cada hombre se encaminó sin prisas y en silencio al punto que tenía asignado de antemano, y únicamente el joven capitán y su segundo permanecieron entre las dunas, sin perder de vista los movimientos del navío, que enfilaba ahora directamente hacia el islote.

Tendido sobre la arena y con el ojo pegado al enorme catalejo, Sebastián se concentró en la enorme humanidad del hombretón de la larga cabellera blanca que observaba a su vez la isla desde el puente de mando, y musitó apenas:

–Bien. Ya no hay escapatoria. ¡O él, o nosotros!

Habría sido muy difícil calcular cuánto tiempo pasó hasta que la proa del *Ira de Dios* se detuvo a poco más de media milla, justo frente al canal de entrada a la bahía.

A unos se les debió de antojar una eternidad.

A otros, apenas unos minutos.

El impresionante buque de línea había arriado la mayor parte de su velamen para mantener sólo los foques que le permitían avanzar muy lentamente, al tiempo que alzaba las portas de artillería y tres hileras de cañones mostraban sus bocas dispuestas a escupir una lluvia de hierro y fuego a la menor provocación.

En pie al lado del timón, el Ángel Exterminador observó por última vez el estilizado jabeque anclado en el fondo de la ensenada, y pese a que le ofrecía la banda de estribor, en la que se distinguían con claridad las trampillas de sus cañones, pareció llegar a la conclusión de que poco tenía que temer avanzando de frente hacia una embarcación inerte.

Luego, estudió con ayuda del catalejo las anchas lenguas de arena de baja altura que se extendían a los lados del canal, y no dio orden de continuar avanzando hasta cerciorarse de que no se distinguía cañón alguno entre las diminutas dunas o las aisladas palmeras

Por último, reparó en el hombre que se había puesto en pie en la parte más alta de la isla y que agitaba repetidamente un pañuelo rojo.

Aquélla era la contraseña que confirmaba que el renegado piloto español había puesto los mapas y derroteros a buen recaudo.

Alzó el rostro en una muda pregunta a los vigías d la cofa, y éstos indicaron con un gesto que desde aquell altura tampoco se percibía amenaza alguna.

Indicó con un leve ademán que se ciñeran aún más los foques, y el navío reanudó su lenta andadura.

Al poco el *Jacaré* lanzó un tímido cañonazo de aviso que fue a hundirse a unos cien metros ante la proa del *Ira de Dios*, pero éste no se dignó replicar, en parte porque la tibia amenaza se le debió de antojar inconsistente, y en parte debido al hecho de que en aquellos instantes sólo su pequeño cañón situado sobre el botalón de proa se encontraba en línea con el navío agresor.

Mombars indicó en silencio que se arriara la negra bandera como inequívoca advertencia de que venía en son de paz, puesto que su verdadera intención no era iniciar un desigual y absurdo duelo a cañonazos, sino colocarse en paralelo al jabeque mostrando su potencia de fuego con el fin de exigirle la entrega de sus mapas y derroteros a cambio de permitirle continuar a flote.

Para Mombars, mandar a pique el barco de un colega escocés no tenía razón de ser, puesto que lo único que en verdad seguía interesándole era degollar españoles. Incluso a su avanzada edad continuaba convencido de que aquélla era la verdadera razón por la que el Creador le había enviado al mundo.

Arriar su temida bandera y no responder al fuego enemigo constituía, a su modo de ver, suficiente prueba de buena voluntad, por lo que se limitó a adentrarse en el canal, más atento a las indicaciones que gritaban los hombres de las sondas, que a un nuevo ataque proveniente del *Jacaré*.

–¡Doce brazas y arena!

–¡Doce brazas y arena!

–¡Once brazas y arena!

–¡Once brazas y arena!

Aquello era lo que en verdad importaba, puesto que mientras sus cañones estuvieran cargados y sus hombres alerta, lo único que tenía que preocuparle era el hecho de mantener agua suficiente bajo la quilla.

En tierra, Sebastián y su segundo observaban el lento avance de lo que ahora se les antojaba una monstruosa máquina de matar de cuyas jarcias colgaban más de doscientos salvajes dispuestos a lanzarse a un feroz abordaje, y al contemplar la frágil silueta del desguarnecido *Jacaré*, intercambiaron una breve mirada de inquietud.

–Si consigue enfilar sus baterías lo volará de una sola andanada.

El *Ira de Dios* había penetrado ya en el canal, se disponía a iniciar en breve una lenta maniobra para virar a estribor y su proa rebasó lentamente el punto en que había estado anclada la balsa que sirviera para las prácticas de tiro.

Un metro, dos metros, tres metros.

Sebastián Heredia alzó una pesada pistola y disparó al aire.

Desde el *Jacaré* tres cañonazos le respondieron de inmediato, y como si ésa fuera –y en realidad lo era– la señal convenida, veintidós cañones que permanecían ocultos bajo la lengua de arena que se encontraba a sotavento del *Ira de Dios* dispararon al mismo tiempo teniendo como única diana un círculo de no más de dos metros de diámetro en su amura de babor, justo sobre su línea de flotación.

El gigantesco navío se estremeció de punta a punta para frenar su marcha de inmediato.

Construido a conciencia con las más nobles y resistentes maderas de las Indias, el barco de Mombars estaba calculado para que su obra viva resistiese sin inmutarse cualquier impacto que le llegase de una batería enemiga, pero en modo alguno había sido pensando para recibir de improviso y en tan pequeño espacio veintidós balas de treinta y seis libras de peso cada una disparadas a poco más de cien metros de distancia.

Su tablazón saltó hecha añicos, sus gruesas cuaderna

se quebraron, la segunda cubierta se desplomó arrastrando los pesados cañones, y por la gigantesca vía de agua comenzó a penetrar de inmediato el mar inclinando la nave del modo más peligroso posible para un barco de vela: de proa y a sotavento.

Docenas de hombres se precipitaron desde los palos y las jarcias estrellándose contra cubierta, y los que no cayeron poco más podían hacer que tratar de aferrarse a cuanto encontraron a mano para no seguir idéntico destino.

La nave se estremeció bruscamente, los tripulantes que se encontraban en la banda de estribor resbalaron hasta precipitarse sobre los de babor, y cuando una docena de cañones dispararon, los de un costado lo hicieron al aire, y los de otro al agua.

Aún incrédulo, el Ángel Exterminador se puso en pie aferrándose al ahora inútil timón, para observar cómo de largas trincheras cavadas profundamente en la arena surgía una treintena de hombres que apartaban la gruesa lona bajo la que habían estado camuflados los cañones, para comenzar a recargarlos con tanta rapidez que apenas tuvo tiempo de advertir a sus hombres que se aprestaran a recibir una nueva andanada, cuando ésta llegó entre una nube de humo.

Su efecto fue aún más devastador que la anterior, puesto que impactó en un navío herido ya de muerte, abriéndole una nueva brecha que tuvo la virtud de partir en dos el palo mayor, justo bajo cubierta, de forma tal que cayó de costado haciendo saltar a varios metros de altura parte de la obra muerta y a cuantos se encontraban sobre ella.

Fue una masacre.

A bordo del *Ira de Dios* todos los dioses mostraban la magnitud de su ira, y mientras la mayoría de los tripulantes luchaba por sujetarse a algo, el resto optaba por lanzarse al mar e intentar ganar la costa a nado.

La tercera andanada fue de metralla.

Pequeños sacos repletos de balas de pistola surgieron de las bocas de los cañones esparciendo una mortífera lluvia sobre cuantos resistían sobre cubierta, y entre lamentos, alaridos de muerte y maldiciones, la dotación del buque más temido del Caribe arrojó sus armas y alzó los brazos suplicando clemencia.

Crujiendo y lamentándose como una bestia agonizante, el *Ira de Dios* mostró al aire su costado de estribor para comenzar a hundirse lentamente.

Sebastián Heredia, cuya vista estaba fija en el gigante de la larga cabellera blanca, advirtió que se esforzaba por trepar hasta la puerta de su camareta y penetraba en ella para cerrar a sus espaldas, decidido al parecer a irse al fondo con su barco antes de caer en manos enemigas.

Jamás volvieron a verle más que muerto.

A medida que llegaban a la playa los salvajes iban siendo encadenados por los hombres del *Jacaré*, y al que ofrecía la menor resistencia le volaban la cabeza de un balazo.

Una hora después del fragor de la batalla no quedaba más que una treintena escasa de cautivos, algunos moribundos que aguardaban su fin y el cadáver de un barco suavemente posado sobre un fondo de arena, pero cuya arboladura y una pequeña parte de la cubierta de popa aún sobresalía sobre la superficie de las aguas.

Permanecieron tres semanas más en el islote, concentrados en la ardua aunque gratificante labor de desguazar el *Ira de Dios* con el fin de «liberarlo» de las infinitas riquezas que atesoraba, y que se iban amontonando en la playa ante el incrédulo regocijo de la dotación del *Jacaré*.

Cuatro de los salvajes se ahogaron atrapados en el interior del casco de la que había sido su nave cuando les obligaron a buscar los lingotes de plata que conformaban el lastre, pero como bien decía Zafiro Burman, «ellos los habían puesto allí, y justo era que fueran ellos quienes se jugaran la vida sacándolos».

Como la única opción que se les ofreció a los prisioneros fue la de ser colgados de una verga o bucear, no dudaron a la hora de elegir este último camino, ya que Sebastián prometió solemnemente que a los que consiguieran sobrevivir se les abandonaría en la isla con agua, víveres y la posibilidad de reparar los botes auxiliares del *Ira de Dios* que no hubieran quedado convertidos en astillas durante la batalla.

Tan triste futuro era, no obstante, mucho más prometedor que el que habría aguardado a los hombres del capitán Jack en caso de haber sido los perdedores, y como además al quinto día se enfrentaron al ya putrefacto cadáver del que había sido durante años su capitán y casi «divinidad viviente», los salvajes se resignaron a su suerte convencidos que el simple hecho de sobrevivir compensaba todos los esfuerzos.

Fue de ese modo como al fin trescientas catorce barras de plata, veintidós pesados norays, nueve hermosos picaportes y toda una vajilla de oro macizo, amén de un enorme arcón repleto de perlas y esmeraldas que por sí solo habría bastado como botín del más fructífero de los abordajes, se fueron amontonando en las bodegas del *Jacaré*.

Los hombres se encontraban, lógicamente, exultantes de júbilo.

Cada noche encadenaban a los prisioneros, y excepto los tripulantes que se encontraban de guardia, el resto se dedicaba a beber, cantar, bailar y jugar a los dados hasta que el agotamiento les rendía, sin parar de hablar ni un solo instante de lo que pensaban hacer en cuanto desembarcaran en Port-Royal.

–Sólo hay una cosa que debéis tener muy presente –les advirtió desde el primer momento Sebastián–. Al que se vaya de la lengua y cuente que hemos hundido y desvalijado al *Ira de Dios*, lo paso por la quilla. Mombars era un tremendo coño e madre al que todos odiaban, pero serían muchos quienes no aceptarían que se robara impunemente a un pirata, puesto que eso supondría que la próxima vez podría tocarle a ellos.

La prohibición de saquearse mutuamente era algo que no estaba específicamente contemplado en las leyes de la piratería promulgadas por los Hermanos de la Costa de la isla de la Tortuga –leyes en cierto modo aún vigentes en aquellos momentos en Jamaica– pero el hecho de que no se mencionara tal posibilidad no presuponía en absoluto, la aceptación de que «gentes del gremio» masacraran y expoliaran a otras «gentes del gremio».

Se firmó por tanto un férreo pacto de silencio al respecto, y tras aguardar durante tres días el final de una rugiente tormenta que descargó cataratas de agua sobre el islote, el margariteño ordenó levar anclas y poner de nuevo rumbo al sur.

Una semana más tarde, en el momento de fondear en la siempre acogedora bahía de Port-Royal, el barco de Laurent de Graaf y cuatro más habían partido rumbo a Maracaibo, pero otros nuevos habían venido a ocupar su lugar, y de entre todos ellos destacaba por la potencia de su artillería, la altiva silueta de un estilizado bricbarca portugués que nadie recordaba haber visto anteriormente en las Antillas.

Respondía al curioso nombre de *Botafumeiro*.

En cuanto oscureció, Sebastián Heredia desembarcó llevando consigo la práctica totalidad de la parte del botín que le había correspondido en el justo reparto, para emprender, cerrada ya la noche, el camino que habría de conducirle en poco más de una hora a la pequeña mansión de Caballos Blancos.

Su padre y su hermana apenas pudieron dar crédito a lo que veían cuando se enfrentaron a la magnitud del tesoro que llevaba consigo.

–¡Dios bendito! ¿Qué piensas hacer con todo esto? –quiso saber al fin la embobada Celeste.

–En primer lugar, concluir la reconstrucción de La Negrita y comprar la destilería de Caballos Blancos. Luego, Dios dirá.

–¿Y qué pasará con el barco?

Sebastián se encogió de hombros.

–Aún no lo he decidido, puesto que la mayor parte de mi gente parece dispuesta a retirarse.

–Raro se me antoja que semejante cuadrilla de bandidos decida regenerarse –masculló el incrédulo Miguel Heredia–. Me apuesto el bigote a que antes de un año habrán dilapidado cuanto les pueda haber correspondido.

–No es que traten de regenerarse –aclaró con cierto humor su hijo–. Es que parecen haber llegado a la conclusión de que jamás conseguirán un botín como éste, y están hartos de vagabundear por esos mares de Dios a la caza de una presa miserable. Sabes mejor que nadie que es una vida muy dura.

–A ellos les gusta.

–Más les gusta el ron, el juego y las mujeres. La piratería no es un sacerdocio sino una forma de ganar dinero.

–¿Y cuánto crees que van a tardar en derrochar el suyo?

–Ése no es mi problema –puntualizó Sebastián–. Y al que lo pierda le queda la oportunidad de enrolarse en cualquier otro barco. Pero para el *Jacaré*, como tal *Jacaré*, ésta ha sido su última singladura y su bandera ha quedado definitivamente arriada.

A continuación se vio obligado a relatar con todo lujo de detalles cuanto había sucedido desde el momento de su separación, y cuando al fin su padre y su hermana decidieron retirarse a descansar, el margariteño optó por dar un largo paseo por la playa en un inútil esfuerzo por hacerse una idea de cómo transcurriría su existencia en tierra después de tantos años de agitada vida en el mar.

A menudo se sentía extraño al caminar sin sentir el balanceo de la cubierta, al igual que le costaba un gran esfuerzo desplazarse de un lado a otro sin que su subconsciente pareciese estar advirtiéndole a cada instante de que muy pronto tropezaría con un mástil, una borda o un tambucho.

Despertar en mitad de la noche sin escuchar los crujidos del *Jacaré* continuaba produciéndole una extraña ansiedad, y el olor a tierra húmeda y a densa vegetación de una isla tan exuberante como Jamaica, le hacía echar de menos el olor a brea y a madera enmohecida de su nave

Llegó por tanto a la conclusión de que tendría que pasar muchísimo tiempo antes de que pudiera dejar de considerarse un auténtico hombre de mar, pero llegó de igual modo a la conclusión de que el mar ya no le ofrecía futuro alguno, puesto que no se veía como capitán de un buque mercante, a la par que resultaba absurdo imaginar que ni ingleses, ni franceses, ni españoles se mostraran dispuestos a confiarle el mando de un buque de guerra.

Le gustase o no, su futuro se circunscribiría por tanto a tierra firme y en cierto modo se vio obligado a reconocer que dicha posibilidad le hacía daño.

Sentado al pie de un altivo cocotero observó cómo rielaba la luna en las amplias lagunas que conformaban los arrecifes de coral, para advertir cómo de improviso le invadía una extraña inquietud; una especie de negro presentimiento de que algo terrible estaba a punto de ocurrir, sin que lograra determinar de dónde provenía el impalpable peligro que parecía estar acechándole como un millar de ojos que siguiesen todos sus movimientos desde la impenetrabilidad del espeso cañaveral que nacía a sus espaldas.

Se esforzó por desechar sus inquietudes tratando de convencerse de que su familia y su valioso botín se encontraban a salvo, por lo que no tenía nada que temer si decidía quedarse a vivir en una isla que siempre constituiría un seguro refugio para quienes decidieran rehacer sus vidas alejándose definitivamente del pillaje y la violencia.

No hacía falta ser demasiado avispado para llegar a la conclusión de que los tiempos estaban cambiando, los años gloriosos de la piratería empezaban a quedar atrás y la mayoría de la gente honrada de la zona era de la opinión de que con la llegada del nuevo siglo, ya tan cercano, las Antillas debían dejar de ser coto de caza de los perros de mar para entrar a formar parte de un mundo más civilizado en el que los problemas no siempre se resolvieran a base de abordajes y cañonazos.

Los españoles parecían haber acabado por aceptar que otras potencias tomaran posesión de algunas de las islas que conformaban el antiguo mar de los Caribes, y pronto o tarde los gobiernos de esas naciones llegarían al convencimiento de que resultaba mucho más provechoso comerciar en paz que continuar enviando barcos a destruir otros barcos.

Los corsarios dejarían de campar por sus respetos desde el momento mismo en que sus soberanos les negaran su protección, y el día en que los corsarios no fueran ya de utilidad, los piratas de alta mar y los filibusteros de la costa estarían de igual modo condenados a una rápida desaparición, puesto que el «progreso» planeaba ya sobre el Nuevo Mundo y su avance acabaría por barrerlos del mapa.

A lo largo de una agitada noche repleta de negros presagios, Sebastián Heredia llegó a la amarga conclusión de que no le quedaba más remedio que renovarse o morir, aunque renovarse en tierra firme significase, a su modo de ver, morir un poco.

Durmió mal y despertó aún abrumado por los más oscuros presentimientos, pero la alegre sonrisa con que su hermana le aguardaba para desayunar en el amplio porche sobre el mar, tuvo la virtud de conseguir que a luz del nuevo día todo se le antojase de nuevo maravilloso y esperanzador.

–¡He tenido una idea! –fue lo primero que exclamó Celeste en el momento de colocar ante él un par de huevos con jamón y un tazón de café–. ¡Ya sé qué podemos hacer con el *Jacaré*!

–¡Vaya…! Me quitas un grave problema de encima –respondió Sebastián con idéntico tono–. ¿Y qué es, según tú, lo que podemos hacer?

–Dedicarlo a liberar esclavos –puntualizó la muchacha con el tono de quien habla de algo absolutamente normal y plausible–. Siempre me ha fascinado la historia del *Four Roses* y de cómo dejaste a los negros en las costas de Venezuela… –Se inclinó hacia adelante y le apretó con inusitada fuerza el antebrazo–. ¡Repitámoslo! –pidió.

–¿Repetirlo? –preguntó asombrado su hermano–. Me tropecé con el *Four Roses* por pura casualidad.

–Lo sé –dijo ella–. Pero también sé que son docenas los barcos negreros que hacen cada año la ruta de las costas de Senegal al Brasil o las Antillas. Y si un barco tan rápido como el *Jacaré* patrullara por esas aguas, los iría cazando uno por uno.

–¿Y qué sacaríamos con eso?

–Nada.

–No es mucho.

–¡Sí que lo es! –sentenció la muchacha con convencimiento.

–Explícamelo.

–Tú eres quien menos explicación necesita –puntualizó Celeste–. Si lo hiciste en un tiempo en que no tenías ni con qué pagar a una tripulación que en cualquier momento podía amotinarse tirándote por la borda, con más razón deberías hacerlo cuando te has convertido en un hombre inmensamente rico.

–¿Y no se te ha pasado por esa linda cabecita la lógica idea de que lo que quiere un hombre inmensamente rico es disfrutar en paz de sus riquezas?

–Cualquier otro hombre, sí. Tú no.

–¡Vaya por Dios! ¿Y eso por qué?

–Porque te conozco y me consta que dentro de un par de meses estarás hasta lo que yo no tengo, de las plantaciones de caña y las destilerías de ron. Tu vida está en el mar… –Hizo una significativa pausa y le miró directamente a los ojos–. Y la mía también.

–¿Qué intentas decir con eso? –se alarmó el ya retirado capitán Jacaré Jack–. ¿Acaso pretendes pasarte la vida en un barco?

–¿Y por qué no? –fue la sencilla respuesta–. He descubierto qué es lo que en verdad me gusta, y del mismo modo que acepté que no era lógico permanecer a bordo de una nave pirata, tú debes aceptar que sí puedo vivir a bordo de otra en que su tripulación sea gente normal que sólo luche por una noble causa.

–¿Y dónde encontraríamos a esa gente normal?

–En Port-Royal, no, naturalmente –fue la lógica respuesta–. Pero sí en cualquier otro puerto si les pagamos bien…

–¡Estás loca!

–Me encanta esa locura…

En ese momento Miguel Heredia hizo su aparición en la puerta de la casa, para inquirir con tono humorístico:

–¿Y cuál es esa nueva locura?

–Tu hija pretende que dedique el *Jacaré* a asaltar barcos negreros y liberar esclavos –puntualizó Sebastián.

Su padre tomó asiento, se sirvió café, meditó por unos instantes, y finalmente asintió convencido.

–Es la primera cosa sensata que le oigo decir en mucho tiempo –musitó.

–¿Hablas en serio?

–Completamente en serio. Tienes muchísimo dinero, un barco magnífico y por lo menos media docena de hombres, incluido Lucas Castaño, que se sumarían de buen grado a la aventura. Buscaríamos una nueva tripulación y dedicaríamos el resto de nuestras vidas a hacer algo digno de ser tenido en cuenta en beneficio de los más desgraciados. ¡Me gusta! –concluyó–. ¡Me gusta mucho esa locura!

Pasaron el resto de la mañana discutiendo el tema, y pese a que desde hacía semanas el más íntimo deseo de Sebastián era el de pasar toda una noche en compañía de la pelirroja Astrid, a última hora de la tarde decidió no regresar a Port-Royal y optó por quedarse en la casa, tal vez imaginando que el indeterminado peligro que parecía flotar en el ambiente acabaría por concretarse, por lo que su absurda familia necesitaría su protección.

Pero se equivocaba. No era exactamente su familia la que necesitaba protección, puesto que ese mismo día, y en cuanto las sombras de la noche se extendieron sobre la quieta bahía de Port-Royal, del costado del *Botafumeiro* se desprendieron dos largas chalupas cargadas de hombres armados que al llegar a las proximidades del *Jacaré* se deslizaron al agua y nadaron en silencio hacia el semidesierto navío, a cuya cubierta treparon sigilosamente.

Los tres aburridos centinelas, el cocinero filipino y el marmitón que en esos momentos estaba concluyendo su diaria faena, fueron pasados a cuchillo.

Poco después, don Hernando Pedrárias Gotarredona y el capitán Tiradentes tomaron posesión del barco para asombrarse de inmediato ante la inmensidad de las riquezas que se almacenaban en sus bodegas.

–¡Santo cielo! –no pudo evitar exclamar el primero–. Jamás imaginé que el negocio de la piratería diese para tanto.

–¡No es normal! –replicó de inmediato el portugués–. Lo que guardan aquí no es normal, y está claro que acaban de dar un golpe fantástico.

–¿Dónde?

–Lo ignoro.

El ex delegado de la Casa de Contratación de Sevilla observó una vez más la ingente cantidad de barras de plata que se amontonaban en interminables hileras, para agitar repetidamente la cabeza aún incrédulo.

–¿Cómo es posible que hayan dejado todo esto a bordo, sin más protección que tres cretinos, un marmitón y un cocinero? –quiso saber.

–Porque jamás se había dado el caso de que alguien osase abordar un barco en plena bahía de Port-Royal –replicó con acritud uno de los hombres que habían contratado en la Tortuga–. Si nos atrapan nos enterrarán hasta el cuello en la arena de la playa para que los cangrejos nos devoren en vida. Y le aseguro que ése es el peor tormento que jamás haya inventado el ser humano. –Sacudió una y otra vez la cabeza–. ¡No me gusta esto! No me gusta nada.

–Te gustará cuando te lleves a casa una de esas barras de plata –replicó despectivamente João de Oliveira lanzando una vez más un sucio escupitajo–. Y ahora córtale la cabeza a esos mierdas y mételas en salmuera.

–¿Cómo ha dicho? –se horrorizó el otro.

–He dicho que hemos venido a llevarnos las cabezas de los tripulantes del *Jacaré*, y eso es lo que haremos. –Escupió de nuevo sobre la montaña de plata–. El resto es un regalo. Muy de agradecer, pero regalo al fin y al cabo.

–¿Es que piensa decapitar a cuantos suban a bordo? –quiso saber otro de sus hombres.

–Uno por uno.

De uno en uno, de tres en tres, o de cinco en cinco, los tripulantes del *Jacaré* fueron regresando a bordo, en su mayoría borrachos, para topar de bruces con la muerte y verse arrojados luego sin miramiento alguno a la bodega.

Cayeron vilmente asesinados Justo Figueroa, Nick Cararrota, Mubarrak el Moro, e incluso Zafiro Burman, que fue el único que reaccionó a tiempo para ofrecer una leve resistencia antes de que le degollaran, ya que Lucas Castaño ni siquiera tuvo tiempo de darse cuenta de lo que estaba ocurriendo pese a que embarcó de los últimos casi a plena luz del día.

Sólo al adormilado tripulante de la lancha que había estado haciendo viajes entre el barco y la playa sin percatarse de cuanto ocurría a bordo, se le respetó la vida, puesto que don Hernando Pedrárias lo necesitaba para enfrentarle al ingente montón de cadáveres al tiempo que inquiría con tono amenazador:

–¿Cuál de ellos es el del capitán Jacaré Jack?

El aterrorizado hombre apenas acertó a articular palabra mientras negaba una y otra vez con la cabeza:

–¡Ninguno! –aseguró–. No es ninguno de ellos.

–¿Cómo es posible? –dijo su captor, azorado–. ¿Dónde está?

–En tierra –musitó apenas el otro–. Con su padre y su hermana.

–¿Su padre y su hermana? –se asombró el capitán Tiradentes–. Jamás mencionó nadie que ese jodido escocés tuviera familia.

–El escocés se fue a Escocia hace mucho tiempo –puntualizó el hombrecillo que a todas luces luchaba por conservar la vida a base de ganarse la buena voluntad de sus captores–. Ahora el capitán es otro.

–¿Otro…? ¿Quién?

–Un margariteño… Sebastián Heredia.

La asombrosa revelación dejó tan perplejo a don Hernando Pedrárias, que tomó asiento sobre un montón de barras de plata, incapaz de aceptar tamaño absurdo.

–¡Sebastián Heredia! –exclamó–. No es posible. ¿Cómo se llama su hermana?

–Celeste.

–¡Celeste…! Ahora lo entiendo. En aquel tiempo ese hijo de la gran puta era apenas un muchacho. –Se llevó las manos a las sienes, como si éstas estuvieran a punto de estallarle–. De modo que ha sido él –musitó apenas–. El hijo de Emiliana… ¡No puedo creerlo!

–Si me lo explica tal vez también yo me entere de algo –le hizo notar el portugués con su eterna flema de hombre incapaz de alterarse–. ¿Qué diablos significa todo esto?

–Significa que a menudo la vida gasta bromas pesadas. ¡Muy pesadas! –fue la evasiva respuesta–. Pero en este caso la suerte le ha abandonado. –Don Hernando Pedrárias señaló con un gesto el montón de cadáveres–. Aquí tenemos ahora a toda su tripulación y toda su fortuna. Si Dios continúa ayudándome, hoy mismo acabaré con él. –Se volvió hacia el hombrecillo–. ¿Dónde vive?

–¡No tengo ni idea! –se apresuró a responder el aludido esforzándose por conseguir que le creyeran–. Es un secreto que ha procurado ocultar a todos. Anteanoche cargó en un carruaje la parte del botín que le correspondía y desapareció.

–¿Dijo cuándo volvería?

–Ordenó al cocinero que preparara una gran cena de despedida para esta noche porque la mayoría de los hombres habían decidido retirarse definitivamente.

–Pues no cabe duda de que la cena ha sido anulada –comentó irónicamente el capitán Tiradentes señalando los cadáveres–. Y la retirada, ciertamente es definitiva. ¿Qué hacemos ahora?

Don Hernando Pedrárias meditó por un largo rato.

–Esperar a que regrese –dijo al fin.

El portugués intercambió una mirada con sus hombres para acabar por puntualizar con inquietante seriedad:

–Con todos los respetos, señor, yo en cuanto oscurezca traslado el botín al *Botafumeiro* y pongo proa al fin del mundo, porque cada minuto que pasemos aquí es un minuto que nos acerca a los cangrejos. Y si malo es morir pobre, estúpido es morir cuando has conseguido hacerte rico.

–Vinimos a capturar al capitán Jack y lo capturaremos –replicó su patrón ásperamente.

–Perdone que le contradiga, señor –fue la casi amenazadora respuesta–. Vinimos a destruir el *Jacaré*, y le garantizo que en cuanto hayamos zarpado saltará por los aires. Si regresa a Cumaná con diez barriles repletos de cabezas humanas en salmuera y asegura que una de ellas es la del capitán Jack supongo que le considerarán rehabilitado. –Lanzó el más sonoro escupitajo de su vida, que fue a impactar en el desfigurado rostro del cadáver de Nick Cararrota–. El resto no sería más que una estúpida venganza personal que pondría en gravísimo peligro la vida de demasiada gente.

El ex delegado de la Casa de Contratación de Sevilla estuvo a punto de responder airadamente, pero reparó en la adusta expresión de su interlocutor y en la poco amistosa de sus acompañantes, lo que le hizo abrigar el convencimiento de que insistir significaría tanto como pasar a engrosar el número de cadáveres que se amontonaban en la bodega.

–De acuerdo –masculló–. Cortadles las cabezas y preparadlo todo para trasladarnos al *Botafumeiro* al anochecer. –Hizo un gesto abarcando cuanto le rodeaba–. Y quiero ver de lejos cómo arde esta mierda en mitad de la noche.

–¡No hay problema! –replicó en el acto el portugués–. Sé cómo hacerlo.

Don Hernando Pedrárias Gotarredona abandonó al poco la bodega encaminándose directamente a la camareta del capitán, para tomar asiento en la vieja butaca del escocés y contemplar a través del ancho ventanal cómo la actividad de la ciudad comenzaba a decaer a medida que el sol ganaba altura y el calor se iba volviendo cada vez más agobiante.

Consultó su reloj.

Eran las doce menos veinte de la mañana, y sonrió para sus adentros ante la idea de que aquel 7 de julio de 1692, se inscribiría en la historia como el día en que Port-Royal dejó de ser considerado el más seguro santuario del planeta, puesto que durante los siglos venideros se le recordaría como el día en que un navío portugués a las órdenes de un noble español, penetró en la bahía, prendió fuego a un barco pirata, decapitó a la totalidad de su tripulación, y desapareció llevándose consigo uno de los mayores tesoros que nadie hubiera soñado.

Y él, don Hernando Pedrárias Gotarredona volvería a recuperar el prestigio perdido, y tal vez, con un poco de suerte, el poder ansiado.

Lo único que le faltaba para considerar completa su felicidad era que los hijos de su ex amante hiciesen de pronto su aparición, lo que sin duda permitiría que su excelencia don Cayetano Miranda Portocarrero y Díaz de Mendoza pudiese disfrutar del inmenso placer de ahorcarlos en la plaza pública de Cumaná para escarmiento de cuantos osaban enfrentarse a la Casa de Contratación de Sevilla.

«Todo se andará –se dijo–. Aunque hoy no consiga cogerlos, ahora sé dónde están.»

Colocó los pies sobre la mesa, repantigándose en el viejo sillón para contemplar largamente la ciudad que se calcinaba bajo el sol tropical en la estrecha franja de tierra que separaba el mar de la bahía.

Lamentaba no tener ocasión de echarle un vistazo más de cerca a la Nueva Babilonia en que se aseguraba que había más oro y esmeraldas que en toda Inglaterra, y cuyos pecados de una sola noche sobrepasaban cuantos se pudieran cometer en la vieja Europa en el transcurso de una década.

Hubiera disfrutado visitando sus tabernas, garitos y prostíbulos para permitirse el lujo de dar rienda suelta a sus instintos sin tener que dar cuenta de sus actos a una pacata sociedad provinciana que no hubiera visto con buenos ojos que todo un delegado de la Casa de Contratación de Sevilla se atreviese a cometer semejantes excesos.

De punta a punta del Caribe se hablaba hasta la saciedad de la belleza de las mujeres de todas las razas, colores y nacionalidades que se ofrecían desde los porches que se abrían sobre la larga avenida principal de la ciudad, y don Hernando Pedrárias Gotarredona, que llevaba meses sin poner las manos sobre una mujer que no fuera la sebosa Emiliana Matamoros, se preguntó cuánto tiempo tardaría en presentársele una ocasión semejante.

–¡Lástima! –masculló para sus adentros–. Es una auténtica lástima dejar pasar esta oportunidad, pero si se me ocurriera desembarcar, ese jodido portugués sería capaz de levar anclas y desaparecer con toda esa plata. Yo lo haría.

Contempló una vez más la ciudad, altiva, luminosa y desafiante; casi insultantemente hermosa a causa de la esbeltez de sus lujosos edificios enmarcados por largas hileras de altivos cocoteros que se recortaban sobre un mar de un azul turquesa inigualable, y se vio obligado a admitir que quien decidió construirla en tan privilegiado emplazamiento sabía muy bien lo que se hacía.

Nunca ninguna ciudad de este mundo había tenido, a su modo de ver, un enclave tan justo y apropiado.

Súbitamente reparó en una figura humana que avanzaba por la orilla de la playa.

Y la vio como si de un espejismo se tratara puesto que se distinguía como desdibujada a causa del espeso vaho que surgía del agua de la bahía, tan quieta en esos momentos que semejaba una balsa de azogue.

El hombre, joven, moreno y dotado de una extraña altivez que le recordó de inmediato la forma de andar y de moverse de Celeste, se detuvo de improviso y pareció clavar la vista con insistente fijeza en el *Jacaré*, como si hubiera algo en él que le llamara poderosamente la atención.

Don Hernando Pedrárias Gotarredona advirtió que el corazón comenzaba a latirle con inusitada violencia, a punto de escapársele a través de la garganta.

¡Allí estaba!

¡Seguro que era él!

El mundo pareció detenerse, un silencio que hacía daño a los oídos se adueñó por completo de Jamaica, la luz cambió sin explicación de ningún tipo, y al instante miles de gaviotas que dormitaban balanceándose sobre el agua alzaron el vuelo al unísono graznando desesperadamente.

El joven de la playa elevó la vista hacia ellas e inexplicablemente comenzó a sacudirse al ritmo de un bailarín endemoniado, al tiempo que todo cuanto se encontraba a sus espaldas se sacudía de igual modo, cimbreándose como si en lugar de macizos edificios fueran tan sólo frágiles palmeras agitadas por un viento huracanado.

Un rugido estremecedor, como de un millón de truenos encadenados entre sí, surgió de lo más profundo de la tierra, que en un abrir y cerrar de ojos se rajó en dos mitades para tragarse palacios, tabernas, mesones y burdeles y volver a cerrarse sobre ellos como si se tratase del más monumental truco de magia jamás realizado, hasta el punto de que sobre la lengua de tierra que antaño albergaba la ciudad tan sólo se divisaba ahora una nube de polvo.

Estupefacto, don Hernando Pedrárias Gotarredona advirtió cómo una gigantesca mano alzaba al *Jacaré* lanzándolo a través de la bahía hacia la costa opuesta, pero en su camino el jabeque encontró la proa de un gigantesco galeón contra el que fue a estrellarse saltando en pedazos, y sin saber de qué modo ni por qué, se descubrió chapoteando en unas aguas que a causa del brutal terremoto se habían transformado en el más rugiente y agitado de los océanos, mientras a su alrededor una docena de navíos zozobraban entre los alaridos de terror de sus desconcertados tripulantes.

El Juicio Final había llegado antes de tiempo.

A las doce menos diez de la mañana del 7 de julio de 1692, tres violentísimas sacudidas estremecieron la isla de Jamaica de punta a punta, aunque la parte que más sufrió sus efectos fue aquella que más la había disfrutado, por lo que, en menos de dos minutos, Port-Royal se convirtió en un gigantesco cementerio en el que los viejos cadáveres surgieron de sus tumbas para secarse al sol, mientras que aquellos que hasta momentos antes respiraban quedaron sepultados aún acostados sobre sus lujosos lechos.

En la bahía, docenas de hombres pugnaban por aferrarse a algo sobre lo que mantenerse a flote, pero la mayoría se fueron al fondo con sus naves, o acabaron estrellados contra las rocas por olas tan gigantescas, que el enorme *Botafumeiro* se convirtió en astillas al golpear contra un farallón a más de media milla tierra adentro.

El ex delegado de la Casa de Contratación de Sevilla luchó con denuedo por mantenerse a flote, pero un grueso tablón surgió como una pesada flecha arrojada por el arco del dios del mar, para destrozarle el cráneo esparciendo sus sesos en todas direcciones.

Cuando al fin la paz volvió a reinar sobre el cielo de Jamaica, de la espléndida y pecaminosa Port-Royal no quedaba ya más que un amargo recuerdo.

La destrucción que un día arrasara las ciudades malditas de Sodoma y Gomorra volvía a repetirse, como una maldición, miles de años después.

A media tarde, Miguel y Celeste Heredia consiguieron abrirse paso entre amplias grietas, enormes rocas y árboles caídos hasta alcanzar penosamente las lindes de la bahía cuya lengua de arena ocupara hasta pocas horas antes Port-Royal, y la muchacha no pudo por menos que hincarse de rodillas dejando escapar un ahogado lamento, incapaz de resistir el impacto del terrible espectáculo que aparecía ante su vista.

Las aguas, ya tranquilas, no eran más que una infinita extensión de restos de naufragios y mutilados cadáveres entre los que pululaban docenas de tiburones que habían acudido desde mar abierto al olor de la sangre, y a los que se diría hastiados ya de tan generoso festín, negándose a acabar por sí solos con la infinidad de restos humanos que había dejado tras de sí el terrible seísmo.

De la alegre y hermosa ciudad tampoco quedaba ya más que un confuso recuerdo en forma de astillas, hogueras humeantes y piedras dispersas, y al igual que los tiburones, buitres y zamuros se habían sumado al banquete llegando desde los más remotos rincones de la isla.

Los escasos supervivientes, algunos tan maltrechos que tan sólo parecían desear que la muerte les alcanzara a su vez del modo más rápido posible, permanecían como alelados pese a las horas transcurridas, y la mayor parte de cuantos, como los Heredia, habían corrido en su auxilio, se esforzaban por sacar de sus tumbas a quienes aún se lamentaban bajo los escombros.

Las tres violentísimas y rápidas sacudidas no habían provocado el hundimiento de los edificios tal como acostumbraba a ocurrir en la mayor parte de los terremotos, sino que habían abierto una gigantesca grieta a todo lo largo de la calle principal, grieta en la que se habían precipitado la mayor parte de las frágiles construcciones de madera, para cerrarse de inmediato sobre ellas como si en verdad las hubiese engullido en un instante.

Debido a ello, y a que la mayoría de las dotaciones de los barcos de la bahía dormían en ese instante, se puede atribuir el hecho de que no quedara con vida quien estuviera en disposición de relatar por propia experiencia qué era exactamente lo que había sucedido, y una desgraciada negrita a la que había sorprendido el seísmo en el momento en que tendía la ropa a secar sobre unas rocas, y a la que se podía considerar la principal testigo de la espantosa tragedia, había quedado tan profundamente impresionada por la magnificencia de la catástrofe, que jamás fue capaz de articular a partir de ese día ni una sola palabra.

Tan sólo a través de los impactantes y macabros dibujos que realizara años más tarde pudieron tener los historiadores una idea aproximada de lo que ocurrió en Port-Royal aquel caluroso mediodía de julio de 1692, pero por desgracia, la mayor parte de su excepcional testimonio se perdió durante un violento huracán a finales del pasado siglo.

Por todo ello, arrodillada allí, ante la tumba de tantos seres humanos, Celeste Heredia Matamoros se negaba a aceptar la realidad de que su propio hermano se hubiera convertido en una víctima más de la desatada furia de la naturaleza, y durante dos días y dos noches tanto ella como su padre buscaron y rebuscaron hast.

que no les quedó más remedio que tomar asiento sobre la arena de la playa vencidos por la evidencia de la amarga e incontrovertible realidad.

En el extremo más occidental de la bahía distinguieron los inconfundibles mástiles del *Jacaré*, que permanecía hundido a poco menos de cuatro metros de profundidad, pese a lo cual no pudieron dejar de preguntarse cómo era posible que ni uno solo de sus tripulantes figurara entre quienes, pese a lo inesperado y brutal de los naufragios, habían conseguido ponerse a salvo ganando a duras penas la costa.

Resultaba evidente que un buen número de supervivientes formaba parte de las dotaciones de los navíos anclados en la bahía, y no dejaba por tanto de sorprender que ninguno de los magníficos nadadores que se encontraban a bordo del *Jacaré* había contado con las fuerzas, o la suerte, suficientes como para llegar a salvo a tierra firme por más profundamente dormidos que estuvieran.

Lógicamente, tanto Celeste como Miguel Heredia ignoraban que en el momento de la tragedia ninguno de aquellos hombres con los que habían navegado durante tanto tiempo seguía con vida, y que sus mutilados cuerpos descansaban desde horas antes en el interior de la bodega principal del rápido jabeque.

Cuando se sintieron al fin con el ánimo necesario como para aceptar que se habían quedado definitivamente solos, y no les quedaba más remedio que plantearse un nuevo futuro sin que su destino girara en torno a la figura de Sebastián, Miguel Heredia observó largamente a su hija e inquirió con apenas un hilo de voz:

–¿Qué vamos a hacer ahora?

La animosa muchacha, de la que cabría asegurar que cada golpe que recibía en esta vida tenía la virtud de fortalecerla en lugar de abatirla, se limitó a indicar con un ademán de la cabeza el punto en el que descansaba el *Jacaré*.

–En primer lugar, recuperar las barras de plata que, según Sebastián, deben de estar ahí abajo.

–¿Para qué? Nos dejó tanto dinero que no creo que consigamos gastarlo en cien años.

–Un buen barco y una buena tripulación cuestan muy caros –fue la seca respuesta–. Muy, muy caros.

–¿Barco? ¿Para qué diablos queremos un barco?

–Para hacer lo que siempre quise hacer.

–¿Y es?

–Luchar contra la Casa de Contratación y contra los negreros.

Su padre la observó estupefacto para repetir como si no estuviera seguro de haber entendido bien lo que pretendía decir:

–¿Luchar contra la Casa de Contratación y contra los negreros? Pero ¿qué tonterías estás diciendo? ¿Es que te has vuelto loca?

–En absoluto –replicó la desconcertante muchacha con naturalidad–. Loca me volvería si supiera que voy a pasar el resto de mi vida a la espera de que aparezca un cazafortunas que me lleve al altar. –Negó, segura de sí–. No nací para eso. Nací para hacer algo útil por los más débiles, y si el destino ha tenido a bien proporcionarme medios con los que intentarlo, lo intentaré. Es lo menos que puedo hacer en memoria de alguien que tuvo una vida muy amarga y murió demasiado joven por culpa de quienes creen que pueden abusar impunemente de sus semejantes. –Miró fijamente a su padre, y por último inquirió–: ¿Piensas ayudarme?

Miguel Heredia meditó un largo rato para concluir por encogerse de hombros.

–Me sigue pareciendo una locura –masculló–. Pero si piensas hacerlo en memoria de Sebastián, ¿qué remedio me queda?

Lanzarote, 1-1-1996.